図1　日本の近世都市
都市の中心部に位置する江戸城は堀に囲まれているが、都市そのものには城壁がない。(https://commons.wikimedia.org/wiki/File:Edo_1844 - 1848_Map.jpg)

図2　海外から日本に伝播した感染症
（A：藤田 尚提供／B：東京大学総合研究博物館提供）
A：韓国勒島人骨に見られた骨結核（脊椎カリエス）の胸椎。B：江戸時代の梅毒に罹患した頭蓋骨（上面観）。結核は恐らく弥生時代に、梅毒は室町時代に日本に伝播し、その後長く人々を苦しめた。集団生活や都市の出現、それに伴う様々な疫学要因がこうした感染症の流行を招くのである。

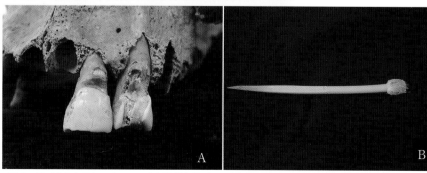

図3　歯ブラシとそれによってできた楔状欠損（A：東京大学総合研究博物館提供／B：藤田 尚提供）
江戸時代になると歯磨きの習慣が庶民にも広まった。写真Aは歯磨きによって生じたと考えられる楔状欠損である。写真Bは当時の歯ブラシである房楊枝で、皇室から庶民まで、広く使用した記録が残っている。このような歯磨きの習慣に伴う歯ブラシ、磨砂（みがきすな）などは、質の上下があり、商いともなっていた。こうした衛生用品が商売として成り立つのも、都市化の一つのプラスの側面であろう。

図1　金海鳳凰台遺跡の復元建物（国立金海博物館）
金官加耶は三韓時代には狗耶国と呼ばれたが、鉄を媒介とする交易を韓半島南部の韓、楽浪、倭などの集団と行った。 その王城遺跡は金海市の鳳凰台で発掘され、倭人を含め多様な出身地の人々が集まって暮らす国際都市の面貌を持っていることが確認された。

図2　風納土城の全景（漢城百済博物館）
王城区域はソウル市の住宅地となったが、版築技法で築造した土城がこれを取り囲んでいる。

図3　風納土城とともに百済の首都である漢城を構成する夢村土城の全景（漢城百済博物館）
百済初の王都である漢城は現在のソウルに位置している（図4）。漢城は風納土城と夢村土城の2つの城で都城体制を完成した古代都市である。風納土城の調査では版築技法を利用して築造した巨大な城壁が確認され（本文62頁図7）、城の内部からは当時の都市生活を考察できる遺物や遺構が発見された。

図4　扶蘇山城と扶余王宮跡（泗沘城）の全景（国立扶余博物館）

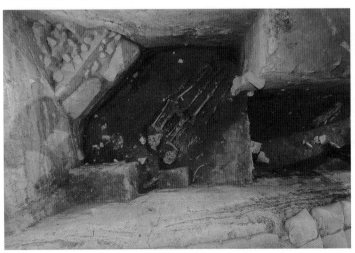

図5　慶州月城の西城壁を調査中に発見された人骨（国立慶州文化財研究所）
文献によると、新羅は最初の首都であった金城から月城に遷都した。金城の位置はまだ明らかになっていないが、長い間新羅の王城として栄えた月城は、数次にわたる考古学的調査が行われた。月城（本文63頁図9）の周囲は垓子で囲み、これを防御の機能と王城内部から汚水などを排出する下水システムの一環として利用したと考えられる。最近、西側の城壁調査で下部から人骨が確認され、城壁の築造時に人身供養が行われたのではないかと推定されている。 月城は体系化した都市運営がなされた韓半島の三国時代の代表的な王城区域である。

図6　益山王宮里遺跡全景（国立益山博物館）

図1　中世ヨーロッパの都市（絵画）
城壁に囲まれた都市に密集して人々は暮らしていた。
(https://collections.vam.ac.uk/item/O1262354/view - offlorence - from - the - painting - rosselli - francesco/)

図2　中世ヨーロッパの田園地帯（絵画）
人口密度も低く住宅同士が離れている。
(https://collections.vam.ac.uk/item/O1262354/view - offlorence - from - the - painting - rosselli - francesco/?carouse limage=2015HU5361)

図1　クリーンルームでの骨のサンプリング風景

図2　遺跡の土壌を採取し乾燥させていく

図3　比重の大きな溶液で遠沈管上部のカバーグラスに寄生虫卵を付着させる

図1　覺張隆史提供／図2・3　藤田 尚提供（東京大学理学部にて作業中写真）

図1　プラン12のイヌの全身骨格（桑名市教育委員会提供）
遺体を地面に横たえて直葬したと考えられる。骨や歯の観察から、上顎および下顎骨には歯の脱落や歯周病の所見が、腰椎にも病理学的な所見が認められた。

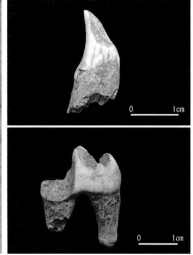

図2　プラン29から出土した歯牙の出土例
プラン12から出土したイヌとは摩耗の状況が異なる。下顎犬歯（上）では歯冠部が斜めに摩耗し、下顎第一後臼歯（下）では後側（写真向かって左部分）が平らに摩耗する。

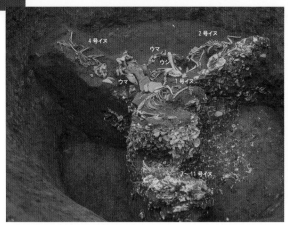

図1　須和田遺跡第6地点の3号土坑で検出されたイヌ・ウシ・ウマ

千葉県市川市の須和田遺跡第6地点では、大型土坑に廃棄された4枚の貝層（マガキとハマグリの互層）の間から、イヌ11個体、ウシ3個体、ウマ2個体が出土した。時期は8世紀後半と考えられる。

図2　須和田遺跡第6地点の3号土坑下層から検出された6号犬

3号土坑底部の掘り下げ部分から検出された6号犬は、開口した状態であった。口に何かを含んだ状態で埋置されており、祭祀に関連すると推測される。DNA分析によると、11個体中、6号犬のみ垂れ耳であった。

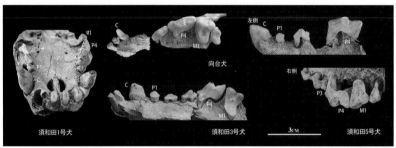

図3　須和田遺跡第6地点出土犬と縄文犬（向台貝塚）の上顎歯における咬耗 − 摩耗状況

須和田1号犬の上顎歯は、犬歯（C）・前臼歯（P）・後臼歯（M1）の舌側面が斜め方向に平滑に咬耗 − 摩耗している。このような咬耗 − 摩耗は向台犬にはみられず、須和田1号・3号・5号犬に共通する特徴である。

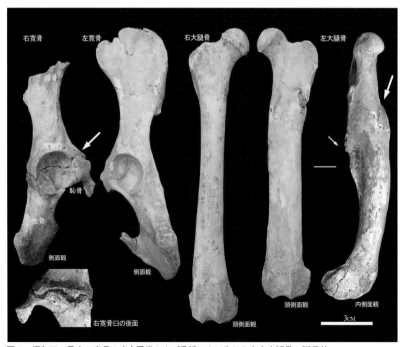

図5　須和田1号犬の寛骨の癒合異常および骨折により生じた左右大腿骨の脚長差

左寛骨は正常だが、右の寛骨臼には腸骨、坐骨、恥骨の癒合異常や病変（後面）がある。大腿骨は右は正常だが、左は斜方骨折（大矢印）で約11mm短縮し、動作の継続や骨の短縮などに伴い生じた筋付着面の骨化（小矢印）もある。1号犬は跛行していたようだ。

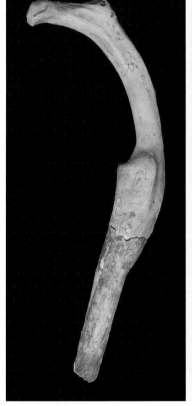

図4　須和田1号犬の第5肋骨後面にみられる骨折治癒痕

右の第5肋骨後面には、横方向に完全骨折した痕がある。1号犬の第5胸椎から第9胸椎の神経棘にも右方向から受けた骨折痕があることから、同じ時期に強い力を受けて大怪我をしたのかもしれない。

（図1〜5：市立市川考古博物館提供）

季刊 考古学

（年4回発行） 本体2,400円

季刊考古学・別冊 44

都市化の古病理学

目次

総　論

第1章　都市化と人類の病気：国際学界の最新傾向

第2章　韓半島・日本列島の都市化と疾病

第3章　人類の疾病への新たなアプローチ

コラム

表紙画像・写真
上左：韓国慶州月城での人骨検出状況（国立慶州文化財研究所提供）
上右：古代寄生虫卵抽出作業の一コマ（藤田尚提供）
中左：韓国勒島発見人骨に見られた骨結核の胸椎（藤田尚提供）
中右：日本近世都市江戸の景観（https://commons.wikimedia.org/wiki/File:Edo_1844-1848_Map.jpg）
下左：ヨーロッパ中世都市の景観
　　　（https://collections.vam.ac.uk/item/O1262354/view -offlorence from-the-painting-rosselli-francesco/）
下右：千葉県市川市須和田遺跡でのイヌ・ウマ・ウシ骨検出状況（市立市川考古博物館提供）

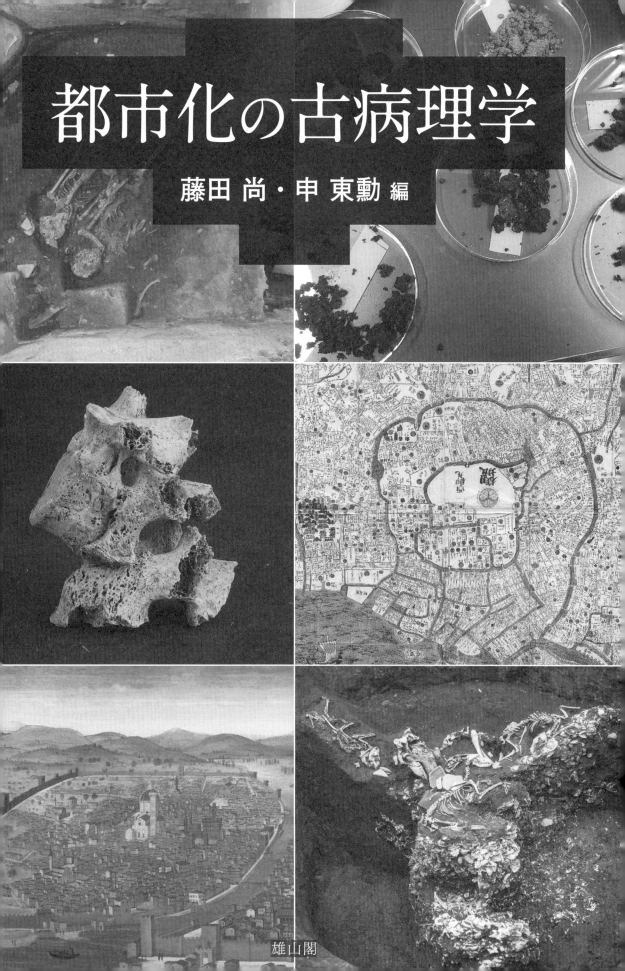

都市化の古病理学

藤田 尚・申 東勲 編

雄山閣

都市民の生活と疾病
—東アジア的モデルの模索—

藤田　尚・申　東勳
Hisashi FUJITA　　Dong Hoon SHIN

1　緒言

「**人間がどんな健康状態にあったのか分からずに人間を理解していると言うのは本当に無邪気な主張だ**（マルク・ブロック＝Marc Bloch の「封建社会」）」この名言は，古病理学者にとって干天に慈雨のような響きを持つ（Bloch 1964）。ヒトは言うまでもなく生物であるから，生まれて老いて，やがて死を迎える。人類史において，少なくともこの数千年に限ってみれば，恐らくその死亡原因の大半は病によるものであったろう。生物としてどうしても逃れられない病と死。この研究領域である古病理学は，自然人類学の中で枢要な地位を占めて良いはずなのである。本特集号編纂の意図の一つはそこにある。

そうはいっても，病（疾病）は WHO の分類で 18,000 以上あり，過去社会の疾病をこの基準で論ずるのは，余りに漠然としすぎよう。実際に発掘された古人骨はたいていの場合，骨が破損し，失われ，不完全な状態である。また，乳児や幼児，小児の骨はきゃしゃであるがゆえに，短期間で土に還ってしまい，よほどの幸運に恵まれなければその確かな存在を確認することは不可能である。過去社会における幼児死亡率の高さを考える時，乳幼児や小児初期の古人骨の情報が得られないことは，ヒトの Paleohealth（古健康）を考える際，間違った結論を往々にして導き出してしまう。

さて，正確な古病理学的研究の難しさを述べたところで，ひとまず本企画の意図を説明しよう。昨年（2022 年）に同志社大学で開催された第 1 回 Asia-Pacific Paleopathology Forum では古都「京都」で開催することもあって，テーマを「都市化の古病理学」としたのであった。旧石器時代の人々がどのような生活をしていたか，その実態の解明にはまだ時間がかかると思われるが，農業が始まり，それに伴って人類史における定住生活が開始されると同時に都市の発達は開始された。無論初期の都市は現代のわれわれが想像するような巨大なものではなかったはずで，農業を共同で営む人々（おそらく血縁関係にあった人々であろうか？）が数 10 人から 100 人程で集団生活をするようになったのが起源ではないだろうか。その後，農耕と牧畜がより発達することに伴って生産性が高まり，多数の人々が一緒に集まって暮らす定住村落が出現し，その規模と種々の機能がますます発展し始めた。このように成長した村落の中で政治経済的中心地になるところが都市に成長するようになり，国家の出現につながり，やがて圧倒的な大都市が現われる。マクロ的視点では，時代による変動はあったが，都市化率の頻度は着実に上昇し，現在は世界的に絶対多数の人口が都市生活をするようになった。

2　都市化が人類にもたらした　メリットとデメリット

都市民は非都市地域ではなかなか得られない様々なメリットを享受している。古代と中世の都市民は政治的に優越した立場にある場合が多く，各種便宜を容易に享受できたため，非都市民に比べて生活条件が全般的に良好な場合も多かった。したがって，都市生活に多少不便な点があっても当時の都市民は彼らが享受している長所をそんなに簡単に放棄することはできなかっただろう。現代社会は都市生活の利便性が短所を圧倒しているため，これが都市民の人口をさらに増加させる理由になっている。

しかし，都市民がこのように安定した生活を享受するようになったのは，実は人類史の700万年と言われるタイムスパンからみると，ごくごく最近のこと，とも言い得る。現代的な都市管理手法と医学が発達していない近代以前の都市では，高い人口密度，環境の汚染，病原体の頻繁な感染，非衛生的で安全でない食べ物，不完全な糞便とゴミの処理など多様な問題が都市民を苦しめていた。都市生活は彼らにとって常にプラス面を享受するだけではなかったに違いない。現代的な都市運営法が確立する前は，都市生活とは時には都市民に肯定的な面を与えると共に，時には否定的な面をむき出しにする複雑な両面性を持っていたわけだ。このため，歴史的に多様な時代に色々な姿で出現した都市民の生活を肯定と否定のどちらかに簡単に予断して推定することは容易ではなく，古病理学においても十分に慎重であるべきなのである。言い換えれば，実証的な科学的根拠から得られた研究結果だけが，歴史の中の都市民の姿を正確に描写できるのであろう。

　産業革命が到来し，都市は衛生的に管理されず，巨大な人口が狭い場所に集中して居住する劣悪な状態が引き起こされた，と古病理学や生物考古学の研究者には解釈される。実際，ヨーロッパと北米の人類学的報告では，産業革命期の都市民の場合，彼らの健康状態がそれほど良くなかったことが明らかになっている。とくに農村から都市に流れ込んできた人々が都市貧民と下級労働者になって狭い空間で共に暮らすことになったため，都市は極貧層が特定の地域でかろうじて生計を立てる悲惨な現実ももたらすことになった。それにもかかわらず，その都市が崩壊せずに維持され続けたということは，都市民が各種問題に直面しながらも都市生活を維持しなければならない理由が当時あったことを意味する。その理由が何かについては様々な推測があるだろうが，やはり産業化－近代化の傾向で得られる都市生活の経済的利益は当時の人々にとって無視できない有益性を持っていたのだろう。すでに地方都市で生業を固めた農民たちは，都市においては労働者として

生きていくこと以外には選択の余地がほとんどなかったと言い得るのかもしれない。

3　都市化と疾病

　都市化とその過程に伴なう都市民の生活と，そこに基づく疾病の理解は，それほど簡単なものではない。歴史的に都市民の生活は田園など地方に住む人々と比べると大きな違いがあったと推定されたため，都市化に伴なう住民の生活史と疾病の様相に対する研究は，ヨーロッパを含む世界史の多様な文化圏で長い間人類学と古病理学上の重要な研究テーマの一つだった。発掘現場で収集した人骨などを人類学的手法で調査すれば，過去の都市民が当時の非都市民あるいは現代の都市民に比べて健康と疾病の状態の程度を比較することが可能になる。ヨーロッパの場合，地質上も古人骨が残存しやすい環境にあったことが幸いし，日本や韓国など古人骨が残存しにくい国々に比して，これまで構築した広範囲な都市民と非都市民の人骨コレクションなどに関する研究を基に，各時代別に都市民が置かれていた状況について生物学的－医学的容貌を明らかにすることが可能となった（Bestinger and Dewitte 2020）。

　ヨーロッパなど文化圏で都市化が住民に与える影響についての研究成果を見ると，都市という居住空間は，そこに居住する人の生活と病気に相当な影響を及ぼすことは明らかだ。しかし，前述のように，歴史時代の都市民に対する都市の影響を肯定的または否定的なもの一つだけに規定することは不可能だ。多様な時代の様々な都市に対する研究で，都市民は非都市民よりはるかに不利な栄養状態に置かれた時もあったが，逆によく公衆衛生学的に管理された都市で，恵まれた生活を送った場合もあった。このような多様な状況は，都市が人間の生活に及ぼす影響について，一括りにすることなく，歴史上出現した各都市についての各論的研究をまず以って充実させねばならないということを意味する（Bestinger and Dewitte 2020）。

4　東アジアの都市古病理学

　都市の総合的環境の都市民に与える影響が，時代と地域において多様だったとすれば，東アジア以外の大陸の都市に対する歴史研究および古病理学的研究は，東アジアの都市民とその古病理学的状況を理解する上で，概ね該当すると考えることは妥当であるように思える。しかし，東アジアの都市を他の大陸の都市の状況と同一であると，ひとくくりにして良いものであろうか。。もちろんヨーロッパの都市のように東アジアの都市民も都市生活が常に安寧だったわけではなく，様々な困難を経験しただろう。逆に東アジアの都市は強大な国家行政力が及んでいたため，ヨーロッパと比べてはるかに効率的に維持され，比較の上では良

好な環境を作り出していたのかもしれない。東アジアはほかの文明圏と区分される独特さがあり，都市化の成立時期やその様相も異なっていた。こうした理由により，東アジアの都市民が経験した人生は，欧州とは大きく違っていたのではないかと思われるのである。

　東アジアで都市が形成され始めた歴史は，欧州に比べかなり遡上できるとも考えられる。日本の縄文時代の三内丸山遺跡も巨大な建造物を建て，数多くの住居跡が発見されるなど，初歩的な先史時代の都市といえるかもしれない（岡田ら 2019）。しかし，人々が定住的に暮らすというだけではなく，国家形成段階に入ったとみなせる東アジアでの都市遺跡は中国の黄河・長江流域で初めて出現したと言える。その後，東アジアには数多くの王

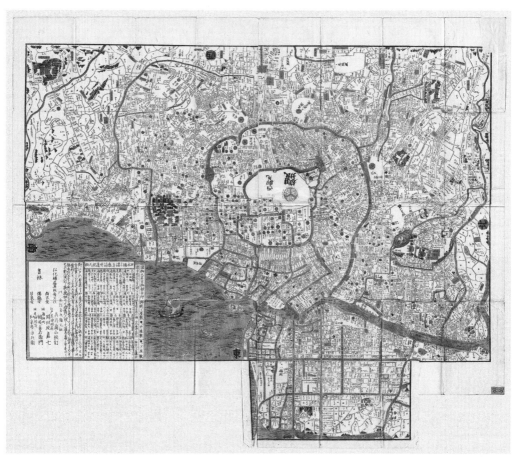

図 1　江戸の地図（https://commons.wikimedia.org/wiki/File:Edo_1844-1848_Map.jpg）
徳川将軍家の居住する江戸城は堀に囲また城塞であるが，街そのものに城壁は無い。

朝が興亡を繰り返す。その度に多くの都市が現れ
ては王朝の滅亡と共に首都が移され，衰退した都
市も多い。農耕に伴なう多様な文化が大陸から日
本に伝わるにつれ，日本も古代国家の成立ととも
に中国の都城を模した大都市が出現したことは周
知の事実である。

　古代国家成立初期（6-7世紀）の日本は，首都
が一ヶ所に限定せずに何ヶ所か移動したが，これ
は政治的・宗教的理由だけでなく，それだけ都市
を円滑に維持するのに，当時の為政者らが公衆衛
生学的問題において困難を経験した観点からの研
究が必要だ。このような視点から，平安京の造営
以後，もちろん理由は複数あったのであろうが，
公衆衛生学的にも千年間移動なしに首都として繁
栄するようになったのは，都市の維持技術が大都
市を維持するだけの水準に達したことを意味する
だろう。

　日本の古代都市では，都市民は非都市民と，そ
の生活と疾病の様相にどのような違いがあったの
だろうか。欧州ではこのような問題に対する古
病理学を主とした生物人類学的な研究が多いが
（Quade and Gowland 2021，Suby 2021），東アジアで
はこのような分野の研究は非常に稀である。日本
古代の都市民の生活については，都市遺跡を中心
に行なわれたトイレ考古学の研究が取り上げられ
るかもしれない。日本古代都市のトイレ土壌試料
を分析した結果から，当時の都市民は多様な種

図2　現代の江戸城
将軍の住居且つ幕府の政務を執る場として石垣や堀が作ら
れた。大名，旗本，商人などは城の外に居住した。

の寄生虫に感染していたことがわかる（Matsui et
al. 2003）。このような感染の様相が果たして都市
民に限られていたのかについては，非都市民との
比較研究がまだ日本ではなされていないため，実
体は明確に示されていない。隣国である韓国の場
合，古代国家の百済の都市区域と非都市区域の土
壌に対して考古寄生虫学的調査を行っているが，
その結果，古代の百済の都市地域と非都市地域で
は寄生虫卵の汚染程度が相当異なっており，この
状況は日本においても当てはまるのではないかと
推察できる。百済の都市とそれ以外の地域での考
古寄生虫学的研究は，都市民が非都市民より多様
な寄生虫に感染した機会が高かったことを示した
が，日本も同じ時代に類似した状況であったと類
推することには合理性があると思われる（Shin et
al. 2020）。

　日本の都市は近世以前においては，ほぼ同じ規
模と運営方法で盛衰を繰り返したと言って良い
だろう。われわれ古病理学者の関心は17世紀以
降のにおける都市である。この時代は東アジア，
否，世界の都市史の観点から見て，非常に特異な
時代で，都市の規模と運営水準，都市民の生活
の面で大きな変化が生じた激変期だった。日本に
は17世紀以降，江戸，京，大坂に数10万〜100
万を超える巨大都市が出現し，地方にも藩の中心
地に相当な規模の都市が建設された。江戸時代の
都市の規模は，産業革命期の欧州−北米の都市
と比べても遜色がない。江戸が産業革命以前の都
市であることを勘案すれば，100万人に達する巨
大都市の出現は，やはり特異なことと言わねばな
らない（ヨーロッパの場合，この規模の都市は古代
ローマ帝国の首都などごく少数の例を除けば，産業
革命後になってようやく出現する）。

　日本の江戸時代の都市については，これまで多
くの先駆的業績が歴史学界で報告されてきた。江
戸時代の貨幣経済の浸透と交通の発達は物流を促
進させ，大都市を支える原動力となった。260年
余りの江戸時代には，経済的な浮沈は当然あった
ものの，巨視的には，経済的に豊かになった都市
民は多様な余暇を楽しみながら，町人文化を花咲

かせた。産業革命以前に人口100万人が集まって暮らすということは，決して容易ではないことだ（佐藤ら2017）。自然に成長する都市は人口数10万を超え始めれば，様々な問題に必然的に直面する状況下で，都市を崩壊させずに維持していた包括的システムへの着目が重要だ。100万人を超える都市が長期間決定的ともいえる問題を抱えずに維持された事実は，都市を維持するためのシステムが機能していたことを意味する。江戸時代の大都市がどのように維持されていたかについては，政治，経済，文化的側面から様々な研究が行なわれている（鬼頭2002）。

江戸時代の都市のこのような特異点は，すなわち都市民の健康と疾病も似たような側面から眺める必要があることを意味する。人口100万の江戸は伝染病が発生しやすい条件を満たすにも拘らず，都市が崩壊しないためのシステムが機能していたと推測できるからだ。近代化以前にすでに都市生活が成熟した姿を見せた東アジアの巨大都市では，都市民の生活と疾病史の関係性を究明することは学術的に高い意味がある。江戸時代の人骨は多数収集され，日本の研究機関に保管されており，さらに，同時代の状況を詳細に記載した文献資料により，科学的データによる研究結果を補完することができる。従って，近代化以前の都市民の健康状態を研究する対象として，江戸時代の大都市，すなわち江戸，京都，大坂に勝る研究対象は世界的にないと思われる。江戸時代における都市の変貌は，同時期の清と朝鮮でも類似の現象が観察され，この類似性こそ欧州とは異なる東アジアの都市システムとも言い得るものかもしれない。

日本の江戸時代および清国，朝鮮でも同様の時期には，人口100万人もしくは数10万人規模の都市が出現し，都市民の健康に多大な影響を与えた可能性がある。しかし，残念ながら，都市民の生活と病気を生物人類学・古病理学の視点から考究した研究は，現在まで非常に少ないと言わざるを得ない。それは何よりも江戸時代の都市民の健康と疾病状態に対する研究が実は世界史的重要性において比肩すべきものがないという現実を，私たち自然人類学者がまだ認識していないためだ。換言すれば，産業革命期以前に存在した前近代社会で到達できる巨大都市の頂点に立っていた江戸時代と同時期の東アジアの大都市に対する研究は，西洋古代史や産業革命期の都市に対する古病理学的研究に勝るとも劣らず，東アジアの近世都市民の暮らしや疾病に関する極めて重要な情報を与え得るという点で，学術的に非常に重要な価値があるといえるのである。

5 日韓の近世の疾病

日本の江戸において

日本の江戸という政治の中心地（首都は京都）における疾病について，概観してみる。江戸は狭い地域に100万人の人口が活気に満ちた生活を送り，ヒトとヒトの接触頻度が非常に高かった大都市だった。人々の高い接触頻度は，伝染性疾患の発病率を高めたであろう。江戸時代は伝染病に対する近代的な知識と科学的治療法はほとんどなかったため，一度都市に感染が蔓延すれば，これを統制する方法はほとんどない。

江戸時代の都市を苦しめたであろう疾患としては，麻疹，チフス，コレラ，赤痢，天然痘，結核，性病，寄生虫症などが主流だっただろう。また，季節性のインフルエンザなども流行した。これらは抗生物質が発達する以前には多くの死亡者や傷病者を出した疾病として，古病理研究の重要なテーマとみなされるものである。しかし，急性感染症の多くは骨にその痕跡を残さないことから，実はこれらの感染症の実態の多くは不明なのである。

麻疹は麻疹ウイルス（*Paramyxovirus* 科 *Morbillivirus* 属）によって引き起こされる感染症であり，空気感染（飛沫核感染），飛沫感染，接触感染と様々な感染経路を有し，その感染力は極めて強い。麻疹ウイルスは，牛疫ウイルスから進化したことが現在ほぼ確実になっている（Furuse *et al.* 2010）。人と牛の両方で多くの被害をもたらした，麻疹と牛疫ウイルスがいつ分岐したかという点については

諸説ある。日本における牛の起源はまだ完全に解明されていないが、古墳時代後期（5世紀）には奈良県御所市の南郷遺跡から牛骨が出土しており、最古の資料とされ（西本 2010）、中国大陸に起源があると考えられている。従って麻疹も中国大陸から流入したことが確実ではないかと想像される。文献上の麻疹の初出は平安時代中期に遡るが、江戸時代には麻疹が定期的に流行していたことが文献史料で確認できる（加藤 2010）。麻疹は死亡率が高かったため、都市民を恐怖に陥れた。麻疹の流行に関しては、非都市地域より人口数10万-100万が集まっている大都市がはるかに脆弱だったと考えられる（幕府の5代将軍徳川綱吉も麻疹のため死亡したと言われている）。日本の歴史記録によれば、概ね25-30年ごとに麻疹の大流行があったと見られるが、1862年の大流行では江戸だけで23万人余りが死亡したという（加藤 2013、鈴木 2004）。韓国でも17世紀後半には麻疹が日本のように周期的に流行する現象が明確になるが、やはり都市の発達と結び付けて解釈している。江戸時代の麻疹の定期的流行も人口が密集する巨大都市の出現がその主要な要因だった可能性はないだろうか。

麻疹と同様に天然痘（天然痘ウイルス：*Poxvirus variolae* による感染症）も大陸から文物とともに到来したと考えられている。ワクチンが開発される以前、天然痘は人類にとってもっとも恐ろしい伝染病の一つとして、とくに乳幼児の間では死亡率がもっとも高い感染症の一つだった。天然痘と麻疹は都市と農村の区別なく発生していただろうが、疫学の観点から見ればやはり人口密度が高い大都市でより多くの患者を出したであろうことは、想像に難くない。しかしながら、急性感染症であるがゆえに出土人骨への痕跡を残すことは稀であるがゆえに、江戸時代の天然痘発生についての都市と地方を区分して研究した古病理学的成果は今のところ無い。

チフスは発しんチフスリケッチア（*Rickettsia prowazekii*）が媒介する人蝨（*Pediculus humanus*）によって伝染するもので、着替えと入浴を長期間行

わず、栄養供給が不十分で多くの人が不潔な状態で寝食を共にしなければならない条件でよく発生する。また、寒い環境で長時間居住しなければならない軍隊や労役に動員された人々や貧民街などで発生し、一度流行すれば数多くの死者が出るのが通例だった。ナポレオンのロシア遠征も、飢饉と寒さに疲れたフランス軍がチフス流行による大規模な死者を出したのは良く知られている（澤井 2021）。東アジアでは、チフスは一度流行すれば多くの死者を出した恐ろしい疾患の一つであり、日本も例外ではなかった。20世紀初頭までチフスの流行は継続的に報告されており、多くの死者を出した。貧民が密集した居住区は都市地域がもっと多かったことを考えれば、大小の都市を発達させた江戸時代は、はチフス流行に非常に脆弱な時代だったと思われる。

コレラ（コレラ菌：*Vibrio cholerae* O1 および O139 のうちコレラ毒素産生性の菌）はもともとインドのガンジス川流域の風土病で、1818年頃、英国の植民地支配とともに全世界に広がった。コレラが伝播した速度は非常に速く、1819年にはタイ、1820年には中国で患者が発生した。日本にコレラが伝播したのは1822年だが、その侵入経路は長崎を通じて入港した船から始まったという説と朝鮮－対馬－下関を経て入ってきたという二説がある。日本に伝播したコレラは猛威を振るい、わずか1ヵ月で数百人が死亡するほどだったという（菊地 1978）。1858年には最大規模のコレラ流行で50日余りの間に26万人の死者が出ており、その後も周期的に大規模流行が繰り返された。コレラは病原菌に汚染された水や食べ物を摂取し感染するが、多くの人が密集して暮らす都市の上水源が清潔に維持されなければ、コレラの流行にはなかなか歯止めがかからなかったであろう。都市で上水源が汚染される原因の一つは、下水が上水源に流れ込む現象に因るが、とくに患者の糞便に汚染された下水はコレラを拡散させる根本的要因である。江戸の場合、下水と上水を確実に分離し、安全な上水源を確保するための努力がなければ、水因性伝染病の感染に非常に脆弱になるので

図3　鳥取県青谷上寺地遺跡（弥生時代）出土の結核に冒され変形した脊椎

図4　江戸時代の梅毒に冒された頭骨（東京都出土）
（東京大学総合研究博物館所蔵）

ある。そのような意味で安全な上水源の確保と下水の排出を管理する江戸のシステムは単純な一衛生上の問題ではなく，コレラの予防とも関連した生死に直結する問題だった。

　日本史において結核の歴史は非常に古い。結核は弥生時代にほかの文物とともに大陸に伝播したという説が有力だ。実際，近年の古病理学的研究からもこの事実は支持される。人類学的研究では結核が日本に到来した時期は弥生時代まで遡り（Suzuki *et al.* 2008），日本人の主要な死亡原因であった可能性は高いが，骨結核の症例の発見に乏しいことから，その実態は良く分かっていない。しかし，江戸時代になると結核を主として都市における病気と認識された情況が明確になり（Johnston 1995），江戸時代の大都市民の間で蔓延していたと見られるが，これは地方から都市に移動する人口によって都市が膨張し続け，より深刻になったものと見られる（Johnston 1995）。結核は人口が密集した地域で空気を介して伝染する感染症であるため，多くの人口が狭い地域に居住する江戸時代の大都市は，結核にとって多くの人々を感染させるのに「最適な場所」だったと考えられる。

　日本近世の都市の発展と関連して言及しなければならないのは性病である。性病は単純に風俗と関連した疾患と捉えるだけでなく，貨幣経済の発展，人的交流の活性化などと密接な関連を持って存在した点に留意すべきだ。多くの人々が集まり，豊富な生産と消費のサイクルにより，大規模な人口を抱える江戸時代の大都市に歓楽街が発達するのは当然のことであったと言えよう。抗生物質が開発されていない当時に，性病が農村より大都市により多く発生した原因であることは容易に想像できる。室町後期に日本に流入したと思われる梅毒（Syphilis）は，細菌トレポネーマパリデュム（*Treponema pallidum*）によってひきおこされる性病で，すでに室町期において，関西から関東までその蔓延が記録されている。江戸時代の発掘された古人骨にもしばしば骨梅毒の所見が観られることから，とくに都市に蔓延した性病は江戸時代になり，主要幹線道路に沿ってさらに各地に拡がっていったのではないだろうか。このように，性病は単なる医学的疾病ではなく，都市化と物流発達と，それに伴なう人の移動と密接な関連を持っていた疾病と考えるべきである。

　都市部の寄生虫感染率は，農村部に比べ高頻度であったと思われる。日本をはじめ東アジア諸国では 17 世紀の大都市の出現により，野菜の需要が急増した。この問題を解決するために人糞が肥

料として活用され始めたが，都市で生産された人糞が周辺の農村に運ばれ肥料として用いられる，畑に撒いて栽培した野菜が再び都市に運ばれ都市民に消費される，一種のリサイクルがこの時代に広範囲に確立された（三俣 2008）。都市民の人糞はもとより大量だったので，代価を払って人糞を売買する取引方式も成立することになった（屎尿・下水研究会 2017）。このような現象は日本だけでなく，人糞を農作物の肥料として用いることは東アジア全域で観察される現象であり，17世紀以降，農業生産の核心的な役割を果たしていたと言い得るだろう。人糞を肥料として生育した農産物を消費することで，寄生虫感染率が急増する現象をもたらしたと推測できる。都市民にとって，野菜の十分な供給は必要不可欠なものだったため，寄生虫感染の危険があるとしても，人糞肥料を使用せざるを得なかったであろうし，また人糞に寄生虫感染の危険性があることは，当時の人々は良く理解できていなかったであろう（Kim *et al.* 2014）。

朝鮮時代の漢城府において

朝鮮時代の大都市の健康と疾病状態については，王国の首都だった漢城府の場合が比較的詳しく医学史的研究によって明らかになっている。当時，朝鮮の官吏たちも伝染病が発生した場合，その経過を報告する義務を負っていたため，伝染病の大流行の際の非常に詳細な記録が残っている。

図5　韓国のソウルの東大門地域に残っている朝鮮時代の漢城府の城郭

ただし，どの国も同様だろうが，現代医学が導入される以前の記録は，常にその当時の観察者による疾病の誤判定の可能性が存在するため，これによる誤りを勘案しなければならない。現代医学の診断基準による疾病の記録は，19世紀後半の開港期漢城府および大韓帝国時代から残っていると考えて良い。1885年，王立病院の医師として招聘された米国の Allen が当時の診療記録を残しているが，この資料が現時点では近代医学の診断基準に従って記録された韓国人に対する最初の記録である。この病院は漢城府に設立されていたため，来院した患者の多くは漢城府の人だったはずだ。Allen の記録によると，当時もっとも多い病気の一つはマラリア（Malaria）で，梅毒性疾患もかなり確認されている。消化器系疾患やハンセン病，結核も多く，肺吸虫症などの寄生虫疾患と疑われる場合も多かった（서울역사편찬원 2020）。しかし，この当時の王立病院は，朝鮮の住民全体の主要疾患を治療していたとの確証は無く，地方の小都市，農村・漁村では，漢城と疾病構造が違っていたと予想されるが，感染症が主要な疾患であったことは日本の場合と同様であったろう。詳細の解明は今後の研究に拠らねばならない。近代医学的診断により，当時漢城府の人々が多く患っていた疾患は急性感染性疾患であるコレラ，天然痘，腸チフス，発疹チフス，猩紅熱，ジフテリアなどが多かったという。これらの疾患は大韓帝国によって1899年に法定伝染病に指定されたが，朝鮮時代にも大きな差はなかったと思われる（서울역사편찬원 2020）。

記録によると，朝鮮後期にもっとも恐ろしい伝染病として知られているのは麻疹である。当時の麻疹流行，およびその展開様相については，朝鮮時代の記録に詳細に残っており，医学史的研究による解明が進められた（신병주 2022）。麻疹は17世紀半ば以降，10-20年周期で流行し，流行の度に数10万人の死者が発生した。1730年には首都漢城だけで死者が1万人発生するほど，当時としては恐ろしい伝染病だった（서울역사편찬원 2020，신병주 2022）。麻疹の流行には17世紀以降，首都

漢城府の人口急増をその理由の一つと見る見解もある。麻疹は当時の身分の上下を問わず感染したため，平民だけの病気ではなかった。1707 年当時も粛宗大王の王子が麻疹に感染し重篤な状況になった記録があり，1720 年には後に景宗大王に即位する王子も麻疹に罹患した。1786 年には当時の国王である正祖大王の王子が麻疹で死亡した（신병주 2022）。この他にも王室記録に王族の中で麻疹感染者および死亡者が多く見られるため，当時漢城府で麻疹はかなり感染率の高い病気だったことが推論できる。朝鮮政府でも麻疹の流行を防ぐために漢方薬材の供給など多様な方法を模索したが，大きな効果があったとは言い難い（서울역사편찬원 2020）。

種痘法が普及する前，天然痘も朝鮮時代にかなり流行した疾患だ。すでに朝鮮前期に王室の王族の中にも天然痘による死亡者と推測される人物が記録されており，1447 年に首都漢城府で大流行し，都市民の中で多数の死亡者を出した伝染性疾病を天然痘だと推定する研究もある。1627 年には朝鮮と後金の戦争が勃発した（丁卯胡乱）が，天然痘が大流行し，双方の戦闘が早期に中止された。天然痘の流行は 17 世紀以降さらに激しくなり（신병주 2022），朝鮮時代の肖像画には天然痘の感染で顔にできた瘢痕（あばた）の跡が生々しく描かれているものが複数存在する。

コレラの話もせざるを得ない。韓国の文献にコレラが登場する初出は 1821 年で，平壌で最初の報告がなされた。当時，平安道観察使の報告にはコレラの症状が比較的詳しく記述され，中国との国境地帯から始まって拡散し，伝染速度が非常に速かったことが分かっている。コレラは時を置かずして漢城府にも伝染したが，この年に全国的に数 10 万人の死者が発生したというから，人口が密集した都市の住民がより脆弱な伝染病の特性上，漢城府でも相当な数の死者があったはずだ。次の朝鮮のコレラ流行は 1859-1860 年にあり，この時も数 10 万の死者が発生し，その後の大流行は 1894-1895 年頃である。コレラによる健康被害があまりにも深刻だったため，前述したよう

に 1899 年からは大韓帝国政府によって法定伝染病として管理され始めた（서울역사편찬원 2020）。

以上の医学史研究で明らかになった朝鮮時代の病気の様相に関する内容を記述した。当時，朝鮮政府は感染性疾患の場合，発病と拡散の様相を非常に正確に把握しており，これに積極的に対処しようとしたが，近代医学が普及していない状況では，その効果には限界があったと言える。それは時代的に対応する江戸幕府であっても，有効な措置が取り得なかったことと同様である。当時の記録を見ると，首都の漢城府は，政府によって管理されたと言えるが，それにもかかわらず相対的に人口密度がほかの地域より高く，多くの人が住んでいるため，それだけ感染性疾患の流行に脆弱な状態だったことは容易に推測できる。

6　東アジアモデルの構築

江戸時代の人口についての研究は複数あり，実は正確な人口は分かってはいない。しかし，1609 年ごろ江戸の人口は 15 万人程度とされ，18 世紀初頭には 100 万人超となったとする説を本稿では採用する（鬼頭 2002）。ヨーロッパでは国勢調査が 19 世紀から開始され，1801 年のロンドン 86 万人，パリ 55 万人とされている。次に，人口密度を概観してみよう。これは本稿で繰り返し述べてきたように，都市化による人口過密が感染症流行の主たる原因である，との視点からである。江戸時代の人口密度については，人口がそもそも正確でなければ数値がまったく違ってくるわけであるが，武家地：16.8 人，寺社地：5.7 人，町人地：67.3 人，総計：23.0 人/km²と計算されているようだ（内藤 1966）。現代東京は 6399.5 人/km²であるから（https://uub.jp/rnk/p_j.html），都市と言っても相当低い人口密度であり，武家地，寺社地は取り分け占有面性が大きかっただけに低い値となっている。町人地でさえ 67.3 人/km²であり，これは 2022 年の北海道（65.54 人/km²）とほぼ等しい（https://uub.jp/rnk/p_j.html）。恐らく，いわゆる下町と言われる場所においては，人口密度はもっと高かったのであろうが，中心部から離れた江戸

郊外を含めれば，上記のような値になるのであろう。また，ここで，一つ考えるべきことは，将軍の住む江戸城（幕府の執務所でもあった）は堅牢な城壁と堀に囲まれ，要塞となっているが，江戸という都市そのものには城壁は無く，四方への拡張性を維持していたことを明記すべきかもしれない。これは，韓国においてもほぼ同様であり，都市を囲む城壁はあるものの，決して高さが十分にあるものではなく，その点，ヒトの行き来の自由度が高かったと推定される。こうした点については，筆者らもまだまだ不勉強であり，今後より詳細に考察を深めていかねばならないが，日本と韓国における都市は，中国の都城制を模しながらも，その規格性はより緩やかなものとなっており，平安京には基本的に城壁は無い。その点がヨーロッパの都市とは大きく異なる点ではないかと考えるのである。

東アジアを別個に考える必要があるのは，日本，韓国にしても，産業革命の影響がまだ決定的に及ばない時期に，人口が増加している事実である。江戸を例にとってみると，1609年から1700年まで人口増加し，100万人規模で幕末に至っている。もし都市が疾病に弱いとすれば，人口は減少するか，周辺へ小都市化して分散するのでは，という疑問も生じるのである。

江戸時代の大都市は各種伝染性疾患に対して非常に脆弱な状態だったとは言えそうである。歴史文献には当時の伝染病流行の記録がある。しかし，これは現代医学的観点から見れば，その伝染病の実体について正確に記述されていないため，当時の状況を正確に究明するには限界がある。このような意味で，今後江戸時代の伝染性疾患に対する古病理学的アプローチは非常に期待されうる領域であろう。では，古病理学はほぼ人骨しか残っていない江戸時代の人々の伝染病についてどのような研究が可能だろうか。いくつかの方法が考えられるが，現時点では骨から採取したDNAで病原体に対する遺伝学的研究を行なう以上の方法はないと思われる。当時の大都市住民が特定感染症のために死亡したのか，その病原体の遺伝的特性はどうなのかに対する情報を獲得し得る画期的な技術といえる。中世ヨーロッパ社会に莫大な人的被害を出したペストの正確な病原体究明に対する研究が，人骨から抽出したDNA分析を通じて進められていることは，その良い例になるだろう。その他にも江戸時代の都市部と非都市部の平均寿命に差があったのか否かも今後より深く且つ注意深く研究しなければならない分野である。

本稿で論述したように，古病理学上，江戸時代の大都市が持つ意味は以下の点で特別だと言い得る。未だ産業革命の波が押し寄せていない状態で，100万を超える人口を維持することは，都市の中で健康を脅かす各種疾病が発生することになるため，当時として都市民が非都市民より健康だったかどうかの解明は，今後の研究に待つしか無い。しかし，このような大都市が260年間維持されたということは，都市割の特性と共に，都市を衛生学的な面から維持するための人間の努力がその背後に存在し続けていたという点を忘れてはならない。ヨーロッパでは産業革命と共に巨大都市が出現し，労働者階級の出現，工場制労働，劣悪な住居環境などに基づいた都市の弊害が現れ始める。このような問題点は，日本でも主として20世紀以降，産業革命が本格化し，同様な経験をすることとなった。しかし，江戸時代の大都市は産業革命後の都市ではないという点で，西洋史では見られない独特さがある。まさにこのような部分を究明する作業は近代化以前の東アジア世界の都市化の最後の段階という側面で非常に重要だが，残念ながらまだこれまでの論文はこれを十分に説明できていないのも事実だ。

事実に基づいた論述でなければ単なる推論に過ぎないという点では，本稿もそのそしりを免れない。しかし，古病理学者による江戸時代の都市民の暮らしと病気に対する継続的な関心こそ，東アジアにおける都市化の歴史を，多角的かつより具体的に理解する上で非常に重要である。この別冊特集はこのような将来的解答を模索する意図で企画されたものである。まだまだ完全とは言えないが，古病理学的視点による都市と市民の実像に迫

るための，極めて重要な第一歩とみなすことに，些かの自負心と共に学界のみならず広く社会に問いかけるものである。

参考文献

乾　宏巳『近世都市住民の研究』清文堂出版，2003

岡田康博・中村三杉・齊藤学・小笠原雅行『三内丸山遺跡 20』青森県教育委員会，2019

加藤茂孝「人類と感染症の闘い　第 7 回」『「麻疹（はしか）」―天然痘と並ぶ 2 大感染症だった―』56（7），モダンメディア，2010，pp.13-25

加藤茂孝「人類と感染症との闘い　第 1 回」59（12），モダンメディア，2013，pp.308-316

菊池万雄「江戸時代におけるコレラ病の流行―寺院過去帳による実証―」『人文地理』30（5），1978，pp.63-77

鬼頭　宏「文明としての江戸システム」『日本の歴史』講談社，2002

西本豊弘「ウシ」『事典 人と動物の考古学』吉川弘文館，2010，p.162

澤井　直「歴史と感染症」『ドクターサロン』65，2021，pp.412-416

屎尿・下水研究会「シリーズ・ニッポン再発見④ トイレ―排泄の空間から見る日本の文化と歴史―」ミネルバ書房，2017

鈴木則子「江戸時代の麻疹と医療―文久 2 年麻疹騒動の背景を考える」『日本医史学雑誌』50（4），2004，pp.501-546

内藤　昌『江戸と江戸城』鹿島研究所出版会，1966

藤田　尚「古人骨におけるストレスマーカー評価の問題点」『月刊考古学ジャーナル』第 722 巻，2019，pp.37-43

堀口茉純「江戸はスゴイ―世界一幸せな人々の浮世ぐらし―」PHP 親書，2016

三俣延子「都市と農村がはぐくむ物質循環―近世京都における金銭的屎尿取引の事例―」『The Doshisha University Economic Review』60（2），2008，pp.95-118

서울역사편찬원『서울사람들의 생로병사』역사공간，2020，pp.172-213

신병주『우리 역사 속 전염병』매일경제신문사，2022

Betsinger, TK and DeWitte, SN.（2020）. The Bioarchaeology of Urbanization: The Biological, Demographic, and Social Consequences of Living in Cities（Bioarchaeology and Social Theory）1st ed. 2020 Edition.

Bloch, M.（1964）. Feudal Society. I, p. 72, University Chicago Press, Chicago.

Furuse, Y., Suzuki, A., & Oshitani, H.（2010）. Origin of measles virus: divergence from rinderpest virus between the 11th and 12th centuries. *Virology journal*, 7, 52. https://doi.org/10.1186/1743-422X-7-52

Johnston W.（1995）. The Modern Epidemic: A History of Tuberculosis in Japan（Harvard East Asian Monographs）. Harvard University Asia Center: Cambridge.

https://uub.jp/rnk/p_j.html（2023 年 11 月 4 日）

Kim, M.J., Ki, H.C., Kim, S., Chai, J., Seo, M., Oh, C.S., ... Shin, D.H.（2014）. Parasitic Infection Patterns Correlated with Urban–Rural Recycling of Night Soil in Korea and Other East Asian Countries: The Archaeological and Historical Evidence. *Korean Studies* 38, 51-74. https://doi.org/10.1353/ks.2014.a594899.

Matsui, A., Kanehara, M., Kanehara, M.,（2003）. Palaeoparasitology in Japan-discovery of toilet features. *Memórias do Instituto Oswaldo Cruz Suppl.* 98, 127-136.

Quade, L., & Gowland, R.（2021）. Height and health in Roman and Post-Roman Gaul, a life course approach. *International Journal of Paleopathology*, 35, 49-60.

Shin, D.H., Seo, M., Shim, SY., Hong, J.H., Kim, J.（2020）. Urbanization and Parasitism: Archaeoparasitology of South Korea. In: Betsinger, T.K., DeWitte, S.N. (eds) The Bioarchaeology of Urbanization. Bioarchaeology and Social Theory. Springer, Cham. https://doi.org/10.1007/978-3-030-53417-2_4

Suby, J.A.（2021）. The pathway of tuberculosis in Argentina: Historical (19th and 20th Centuries), epidemiological, and paleopathological data. *International Journal of Paleopathology*, 34, 82-89.

Suzuki, T, Fujita, H. and Jong, G. C.（2008）. New evidence of tuberculosis from prehistoric Korea-Population movement and early evidence of tuberculosis in far east Asia. *Am. J. Phys. Anthropol.*, 136, 357-360.

第1章　都市化と人類の病気：国際学界の最新傾向

生物人類学と古病理学からみた
インダス都市の繁栄と衰退

ヴァサント・シンデー，金 容俊，申 東勳[1]，小茄子川 歩
Vasant SHINDE　　Yongjun KIM　　Dong Hoon SHIN　　Ayumu KONASUKAWA

英国のジョン・マーシャル卿（Sir John Marshall）は1920年代初頭，久しく忘れられていたインダス文明を発見し，世界に衝撃を与えた。週刊誌「Illustrated London News（ロンドン絵入り新聞）」に掲載されたマーシャルの報告は，それまで年代的に古代ギリシアとあまり差がなかったと考えられていたインド文明の起源を，なんと2000年以上さかのぼらせ，メソポタミアやエジプトとならぶ古代文明の存在を明らかにしたのである（Shinde 2006・2016）。その後1世紀の間，世界中の研究者らはインダス文明社会の起源と変遷を究明するために尽力したが，解読可能な文字記録が残っていないこともあり，いまだ文明の総合的な理解には至っていない[2]。ただし考古学研究の成果からは，全盛期のインダス都市では，よく整備された公共施設と衛生施設を多くの人びとが享受しながら暮らしていたことが明らかになってきている（Shinde 2006・2016）。インダス文明を特徴づけるさまざまな側面，とくに人類史の早い段階で創出された古代／初期都市のあり方は，それだけでも研究者らに大きなインスピレーションを与えるものだ。

人類史の早い段階に出現したインダス文明は，その盛衰の過程を次のように3段階に区分することができる。初期ハラッパー期（Early Harappan Period：3200-2600BCE），ハラッパー期（Mature Harappan Period：2600-1900BCE），ポスト・ハラッパー期（Post Harappan Period：1900-1700BCE）（Shinde 2006・2016）。その中でもとくに華やかな都市文明が開花したハラッパー期は，都市化が人類史においてもつ歴史的意義について，考古学者の関心を集めてきた。本稿では，インダス文明の都市が，住民に及ぼした医学的影響を究明しようとした既存の研究を回顧し

てみたい。

1　インダス文明の起源と変遷

パキスタンのカッチー（Kacchi）平原で発見されたメヘルガル（Mehrgarh）は，初期ハラッパー期のさまざまな様相を我々に示してくれる（Jarrige 1984）。この遺跡の発掘調査報告によると，およそ紀元前7千年紀に，麦類を中心とした農耕，コブ牛，ヤギ，ヒツジを中心とした家畜飼育を基盤とした初期農耕社会が，カッチー平原とその周辺一帯にすでに成立していたという（Durrani 1986, Jarrige and Meadow 1980, Mughal 1974, Shaffer 1982, Shinde et al. 2006）。インダス文明が最初に報告された当時は，多くの研究者がこの文明は近東地域からの影響を受けて成立したと考えていた（Mackay 1928・1929, Marshall 1931, Fairservis 1956, Gordon and Gordon 1940, Piggott 1950, Sankalia 1974, Wheeler 1947・1968）。しかしメヘルガル発掘以後においては，インダス文明は外部からの伝播の結果として突然に成立したのではなく，現地で長期間にわたって発展した初期農耕文化の最終的帰結であるという理解がひろく受け入れられるようになった。インダス文明社会の成立以前にも，この地域には農耕と家畜飼養，放牧，さまざまな工芸活動などを基盤とした諸社会が展開しており，これらがインダス文明成立に大きく寄与したことが明らかになったのである（Shinde 2016）。

メヘルガルに代表される初期ハラッパー期諸文化の所産のおかげで，インダス文明が開花した頃にはすでに二毛作が可能であり，麦類，雑穀類，マメ類などがおもに栽培され，野菜や少量の米も一緒に消費されたかもしれない（Shinde 2016）。

居住エリアと公共的エリアが結合した多数の集落がインダス平原のあちこちにみられる状況となり，この初期ハラッパー期をインダス文明の形成期として評価することもできる（Shinde 2016）。つづくハラッパー期になると，社会のありようはより複雑化し，計画・整備された大都市が出現した。インダス文明を特徴づけるこの大都市は[3]，広大な居住エリアに多くの人口を収容していたものと推察され，その文化的影響力は百万平方キロメートルを超える広大な範囲に及んでいたものと推定されることもある。

興味深い事実は，ハラッパー期の最初期に多くの既存の居住地が放棄され，インダス文明の都市がそれまで利用されていなかった処女地に新たに建設されたということだ（Possehl 2002）。こうした事実は，現存するインダス遺跡の中でもっとも有名な都市遺跡の一つであるモヘンジョダロで考古学的に復元可能であり，都市建設以前のこの地は無主・無住の地であったようである（Possehl 2002）。なぜインダス文明の人びとがこのような選択をしたのか。現在の研究では正確には分からないが，こうした様相は，特定のインダス都市が，既存の統制されていない集落の発展の帰結としてではなく，広範な範囲にあるさまざまな地域を故地とする人びとが一ヶ所に集まって暮らしやすいように，最初から緻密な計画にしたがい建設されたことを示唆する（Kenoyer *et al.*, 2013, Shinde 2016, Schug 2020）。

2　インダス都市民の生活

インダス都市は，規模の面でも初期ハラッパー期の集落をはるかに凌駕し，都市計画や建築技法，水利施設，公衆衛生など，さまざまな側面において技術的革新を認め得る（Shinde 2016）。現在まで考古学的に確認されたインダス文明の都市関連遺跡としては，モヘンジョダロ（Mohenjo Daro），ハラッパー（Harappa），ラーキー・ガリー（Rakhigarhi），ドーラーヴィーラー（Dholavira）などがあり，これらの都市は各地域の社会文化・政治経済の中心地として，インダス文明社会を維

持・発展させるために重要な役割を果たしていたと考えられる。

われわれ現代人の観点からみて遜色のない「都市化」の段階にあったと推察されるモヘンジョダロのあり方について詳しくみてみよう。モヘンジョダロは小さな村が右肩あがりに発展し，無計画に膨張した結果ではなく，最初から大都市建設を目的として設計され[4]，その都市構造の統一性と利便性はひときわ目立つ特徴である。都市構造についてみてみれば，上部と下部の都市区画（upper and lower towns）に分けられ，都市内部の道路・路地網はまるで碁盤目のように整備されており，当該都市を設計・建設・運営した技術的水準の高さを思わせる。都市内部には大型建築物もいくつか存在したが，上部都市区画で確認される「城砦」（Citadel）と名付けられた構造物が代表的である。「城砦」は土塁上に建設され，推測の域をでない理解ではあるが，宮殿，防御構造物，会議・集会場，儀礼施設などのさまざまな機能をこの空間に想定する研究者もいる。またモヘンジョダロでは確認されていないが，城壁をもつ都市も存在し（Bisht 1993, Gupta 1997），内部にはさまざまな公共施設の存在も想定されている。この中でとくに注目すべき大型建築物は，モヘンジョダロ，ハラッパー，ロータル（Lothal）などで発見された「大木浴場 Great Bath」と「穀物倉庫 Granaries」と呼称されるものである。このような名称が建築物の機能と直接にむすびつくものではないことは明らかであるが，これらの大型建築物が完全に開放された場所に公共的役割を託されて建築されたとする理解にはある程度の説得力はある。

インダス文明は豊かな生存基盤のうえにその基礎をおいたが，自然環境の順調かつ単純な利用によってこれが可能になったわけではなかった。インダス文明の人びとにとってインダス平原の特定地域の降水量は農耕に十分ではなかったこともあり，対応策の一つとして巨大な水利施設（ダム，貯水池など）を備えた都市も存在した。グジャラート州にあるドーラーヴィーラーは，水資源の確保・管理，利用という側面においても注目に値

する都市遺跡だ。この都市は乾季になると水不足に直面するきわめて乾燥した地域に存在したので，この問題を克服するために住民が利用できる巨大な貯水池を都市の付属施設として建設したものと推察されている（図1）。岩盤を掘削したり，石材を積んだりして貯水池を建設し，雨季に貯水することで乾季に備えたのである。貯水された水は一次的には上水源として利用されたが，農耕用水としても使われたことが想定される（Shinde 2016）。インダス都市，とくにモヘンジョダロ内部で確認される上下水設備も注目に値する。モヘンジョダロだけでレンガ積井戸が計700ヶ所余りも確認されたが，これはいくつかの世帯が井戸一つを共有できるほどの井戸数であり，都市全体でみれば上水源にはあまり不自由のない状態であったとの理解も可能である（Jansen 1989）。

井戸から供給された上水は各家庭で使われた後，特定の居住エリアにおいては整備された下水網に沿って都市外に排出された可能性もある。家庭から排出された汚水は，まず路地に設置された溝に排出され，つぎに碁盤のように配置された道路・路地に沿って流れ，最終的には都市外にいたるという仕組みである（図2）。下水施設については，レンガや石製の蓋をつけられた箇所もあり，技術的完成度が非常に高かった。上下水は混ざり合わないように配慮されていたものと考えられ，これはインダス都市における水因性感染症の罹患率を減少させるのに大きく寄与しただろう（Shinde 2016）。

農耕以外にも交易と各種工芸活動の発展は，インダス文明の人びとの生活をいっそう豊かにした。インダス文明は孤立したものではなく，ほかの文明圏（メソポタミアなど）と長距離交易によってつながり，出土数はきわめて限定的であるが，さまざまな物品が流入したものと指摘される。インダス文明社会の職人たちも都市民などの需要を満たすために，都市の一区画の工房で精巧が工芸品を生産した。物質的な側面からみれば，インダス文明の都市民は，在地産の各種工芸品にすこしの外部流入品を組み合わせることで豊かな生活を送っていたものと考えられる。インダス文

図1　ドーラーヴィーラー遺跡に建設された
インダス文明の貯水池

図2　家庭の汚水を排出するために路地に沿って
設置された溝（ドーラーヴィーラー遺跡）

明社会の生産余剰の蓄積は，住民間の社会的不平等を促し始めていたかもしれない（Shinde 2016）。ともかくもこの時期に，南アジア地域では，当地初の古代都市文明が展開していたことには疑いの余地はない。

3　インダス都市文明の衰退

インダス文明の都市遺跡を訪れてみれば，巨大な水利施設や都市行政の痕跡として解釈されてしまうような遺構・遺物がとても印象的なため，そこには強力な政治権力が存在していたに違いないとみなす傾向もある。この解釈は，インダス文明が広大な地理的領域をカバーする社会文化・政治経済的な統一性を基盤としていた，というあまり根拠のない前提にもとづくものである。

たとえばインダス文明の都市構造は統一性が高く，都市で生産される各種工芸品なども規格化さ

れていると指摘することも可能である。インダス文明の大都市には公共的性格を想定される建築物以外に，私的空間としての居住区域も存在した。都市民の家屋は基本的に泥レンガで建設されたが，注目すべきはインダス文明の全地域で使われたレンガの規格がほぼ統一されているという点である。特定の都市遺跡に付属するかたちで発見される墓地遺構においても，墓の構造，副葬品，被葬者の埋葬頭位などにおいて定型化されたあり方をみせている。こうした様相が，インダス都市がさまざまな側面で統一性に特徴づけられるとされる根拠ともなり，この統一性こそがインダス文明社会が高度な水準に達した政体であった可能性を示唆すると解釈されることもあるのだ。

インダス文明社会全体が密に連帯した共同体として，ときには国家のような強力な政体として存在したと理解する研究者もいるほどだ。さらにインダス文明の広範な地理的版図を考慮し，この文明こそ南アジア初の帝国としての位置づけが可能かもしれないとされることもある（Shinde 2016）[5]。

さて以上のように，インダス文明は長期間にわたり都市をともなうかたちで繁栄したが，紀元前2千年紀初めになると衰退し始めたとされる。ポスト・ハラッパー期（1900-1700BCE）には，それまで維持されていた都市が急速に解体される現象が確認されるが，その原因についてはさまざまな可能性が提示されているだけで，実態の解明はいまなお課題として残されている。

インダス文明衰退の主要因として気候変動を想定することについては，大方の見解の一致をみている。北インド一帯では紀元前2000年頃，モンスーンの減退に起因した降水量の激減があり，深刻な乾燥化が進行するなど気候が大きく変化した。インダス川とともに当文明社会の生業活動を支えていたガッガル・ハークラー川（Gaggar-Hakra River）は，流量が激減して雨季にしか見られない涸れ川になってしまったようである。インダス川流域の乾燥化は文明の基盤であった農耕などの生業活動を瓦解させ，各地で繁栄していた都市と中・小規模集落に大きな打撃を与えた

（Meadow 1991, Kenoyer 1997, Wright 2010, Shinde 2016）。インダス都市の人口は急速に減少し，都市を維持する組織も急速に解体された可能性もあるだろう。メソポタミア地域でみられていたインダス文明との交易の痕跡ももはや消失した[6]（Wright 2010, Shinde 2016）。解体してゆく文明社会を目の当たりにした都市住民たちがとった選択肢の一つは，都市を離れて農村へ，インダス川流域からより東へ，南へ移住することであったようだ（Schug et al. 2012, Shinde 2016）。

4　インダス文明の集団埋葬遺構

インダス文明の特定の都市遺跡では，都市民のものと推定される人骨が多数発見された。人骨は墓地区域で発見されたりもするが，都市内部の家屋などから埋葬されていない状態で発見される場合もあった[7]。インダス文明の埋葬遺構はエジプト，メソポタミア，中国などの古代文明と比較すると非常にシンプルであり，土坑墓を基本とすることからも，熟練した考古学者でも墓の存在を正確に認識できない場合もある。またたとえ墓地区域が確認されたとしても，そのほとんどが現代の農業用耕作地として利用されており，本格的な考古学調査は容易ではなかった。したがってインダス文明の住居地遺跡が2,000ヶ所以上も報告されているのに対し，埋葬遺構はわずか50ヶ所ほどの報告があるだけである（Walimbe et al. 2002）。

初期ハラッパー期〜ポスト・ハラッパー期に帰属する遺跡（都市をふくむ）で，埋葬遺構をともなう遺跡は以下の通りである：メヘルガル（Mehrgarh）[8]，カーリーバンガン（Kalibangan）[9]，ロータル（Lothal）[10]，ドーラーヴィーラー（Dohlavira）[11]，ラーキー・ガリー（Rakhigarhi）[12]，ハラッパー（Harappa）[13]，モヘンジョダロ（Mohenjo-daro）[14]，ファルマーナー（Farmana）[15]，サナーウリ（Sanauli）（Dibyopama et al. 2015）（図3）。

こうした墓地区域に埋葬された人びとについては，彼らが初期ハラッパー期〜ポスト・ハラッパー期に帰属する遺跡（都市をふくむ）の住民であった可能性が高いが，確認された墓数の少な

さからは，各遺跡の全住民が埋葬された訳では
なかったことを推察できよう。インダス文明は
外部に対しても開放的な社会であったので，さま
ざまな地を故地とし，多様な背景をもつ人びとが
インダス都市において共存していたと考えられる
（Kenoyer *et al* 2013）。文化的にも人種的にも非常
に多様な人びとが都市で共存していたために，イ
ンダス文明の都市住民が採用したであろう埋葬方
法も多様性に富んだ内容であったと推定される。
すなわち集団埋葬遺構から発見された被葬者は，
インダス都市に住んでいた人びと全体を代表する
とは言えないのである[16)]（Schug *et al.* 2013）。とはい
え以上のようなデータ上の限界をふまえても，イ
ンダス都市の埋葬遺構で発見された人骨について
の生物人類学的研究は，現在，私たちが利用でき
るもっとも客観的なデータを提供し得る（図4）。

　インダス文明の埋葬遺構で発掘された人骨は現
在，インドおよびパキスタンの複数の研究機関な
どに分散されるかたちで保管されている。それら
の骨格と歯については，人類学者および古病理学
者らによって多角的な分析が行なわれた。初期の
研究の多くはインド考古学においてもっとも重要
な研究テーマの一つとされる「インド・アーリア
人の移動（Indo‐Aryan Migration）」と関連するか
たちで行なわれた。人骨の形質学的特徴によっ
て，インダス文明人とアーリア人の人種的類似性
を究明しようとした伝統的研究であった。近年お
こなわれている同位体分析によって，インダス文明
の都市住民が想定以上に多様な背景をもっており，
さまざまな地域を故地とし，各地から移住してきた
人びとの複合体であった可能性が指摘されるにい
たっている。また遺伝学的分析からも，インダス
文明とその近隣地域の関係や人びとの移住の歴史
が復元されつつある（Hemphill *et al.* 1991, Kenoyer
et al. 2013, Valentine*et al.* 2015, Shinde *et al.* 2019）。

　伝統的な形質人類学的手法と最新の分子生物学
的分析法を積極的に活用した以上の研究は，考古
学者たちが長いあいだ議論してきた問題に科学的
解決を提示してみせた。しかしインダス文明の人
骨にかんする多角的研究がもたらす成果はこれだ

図3　インダス文明関連遺跡（Shinde *et al.* 2018）
（本稿に記述されている都市関連遺跡は●で表示）

図4　インダス文明遺跡の埋葬遺構の調査状況
（ラーキー・ガリー）

けではない。インダス文明の人びとがどのような
健康‐疾病状態にあったのかという側面について
も，形質人類学‐古病理学的研究にもとづき明ら
かにできるのだ。インダス文明の医科学的側面を知
るだけでなく，考古学的研究だけでは明らかにでき
ないインダス文明社会の側面に，科学的にアプロー
チすることを可能とする（Schug *et al.* 2013, Schug
2017, Schug 2020, Woo *et al.* 2018, Lee *et al.* 2019）。

5　都市文明の興亡と疾病の変遷

　インダス文明の都市住民がどのような体質的特
性をもっていたのか，彼らの健康状態はどうだっ
たかという点についてのアプローチは，集団埋葬
遺構から出土する古人骨からさまざまな病気の発

生率にかんする情報を獲得することで可能となる。インダス文明の古病理研究でもっとも重要な研究は，パキスタンのハラッパー出土人骨についておこなわれたものである（Schug *et al.* 2013, Schug and Blevins 2016, Schug 2020）。ハラッパーの集団埋葬遺構は，H区域とR-37区域，G区域で確認された。ハラッパーのハラッパー期（urban period）に帰属する埋葬遺構はR-37区域にあり，G区域とH区域に墓地が形成された時期は都市解体期以降（post-urban period）であった。R-37区域で確認された墓地（R-37墓地）は，およそ500年程度（2550-2030 BCE）にわたって利用されたという（Schug *et al.* 2013）。この墓地にはハラッパーの外部から流入した人びとと土着の人びととが混在するかたちで埋葬されたとみられ[17]，商人や手工業者などの比較的裕福な人びとがおもに埋葬された可能性も指摘されている。R-37墓地の発掘調査自体は1923〜1967年におこなわれたが，出土人骨にかんする病理学的調査がまともに行なわれたのは比較的最近のことである（Schug *et al.* 2013）。

先に述べたとおり，H区域の墓地（H墓地 Cemetery H）は，R-37墓地よりも遅い時期に利用された。この墓地は二つの時期に区分することができ，第II層はR-37墓地よりも遅いインダス文明終末期に位置づけることができ，第I層は第II層よりもさらに遅く，当該期にはインダス文明はすでに解体していた[18]。

G区域はいろいろな側面で興味深い発掘区域であり，帰属時期としてR-37墓地からH墓地への過渡期，つまり紀元前2000-1900年頃に帰属すものと推定されている。R37墓地やH墓地とは異なり，G区域は意図して造営された埋葬遺構ではない。ハラッパー城壁外の低地から検出された下水用排水溝付近で確認されたG区域では，発掘当時，20体ほどの人骨が確認されたが，そこに丁寧な埋葬を観察することはできない状況であった。この区域に埋葬された人びとは，その理由は断言できないものの，考古学的証拠からみると社会的に疎外された状況下にあった可能性があ

り，犯罪や戦争などにかかわった人びとであったとする推察もある（Schug *et al.* 2013）。

ハラッパー期に帰属するR-37墓地と都市解体期からポスト・ハラッパー期に帰属するG区域埋葬とH墓地の通時的な比較は，南アジア最古の都市化が人びとの健康と病気にどのような影響を与えたかを科学的に検討することを可能とした。ハラッパーの人骨の分析からその存在が明らかとなった疾病のうち，非特異性感染（non-specific infections），結核（*Mycobacterium tuberculosis*），ハンセン病（*Mycobacterium leprae*）などについては，異なる時期に帰属するR-37墓地，H墓地，G区域埋葬において通時的に確認され，その発生率を比較した報告がある（Schug *et al.* 2013）。生物人類学的調査によれば，R-37墓地出土の人骨からは，あらゆる種類の感染症（非特異的，結核，ハンセン病など）が非常に低い割合で確認された。これはインダス都市が正常に機能していた時代において，その住民の健康状態が非常に良好であったことを意味する。

いっぽう気候変動などの影響を受け，都市が解体され始めた時期のH墓地出土人骨の分析結果は，これとはまったく異なる様相をみせる。都市解体以前のR-37墓地と比較すると，都市解体以降のH墓地においては非特異的感染や結核，ハンセン病などすべての感染性疾患の感染率が著しく上昇していることが確認されたのである（Schug *et al.* 2013）[19]。

インダス文明社会の解体期においては，外傷の痕跡をとどめる人骨の存在も確認された。ただしインダス文明遺跡から出土した人骨については外傷の痕跡はかなり稀であるため，中央集権的な国家による暴力によって維持されていた側面もあるメソポタミアやエジプト，中国の古代文明とは異なる社会構造に特徴づけられる文明社会であったという見方もある。外傷の痕跡が非常に稀であることが，インダス文明社会を「平和な楽園」と位置づけるための証拠の一つとして理解される場合もあるからだ。

しかしこのような見解についてはインダス文明

遺跡の調査が進展するにともない，修正されなければならない側面もでてきた。インダス文明は戦争や武器の痕跡に乏しく，貧富の差や絶対的権力を示すような証拠も明確ではないため，たしかにほかの文明社会とはかなり異なるあり方を有する社会として理解できることも事実だ。それにしてもインダス文明社会が平和が限りなくつづく平等な社会であった，というシンプルな主張には容易に受け入れ難い側面もある。

近年のインダス文明にかんする形質人類学による報告によれば，他人による暴力の証拠といえる外傷の痕跡をとどめた人骨[20]が既存の理解よりも多く確認されることが分かった。前述のR-37墓地では，ハラッパー期の都市民の人骨から人的暴力の証拠となる外傷の治癒痕が多数確認された。頭骨の陥没骨折をはじめとする外部からの衝撃・攻撃に起因する外傷痕は，ハラッパー出土人骨のほかに，ラキー・ガリー出土人骨にも確認され，インダス文明の人びとが暴力とはまったく無縁ではなかったことが明らかになった（Schug *et al.* 2012・2017, Schug 2020, Lee *et al.* 2019）（図5）。限られた空間に多くの人びとが集住していたとされる当時の都市状況を考えると（ハラッパーの人口は3万人ほどであったとする推算もある），住民間の暴力沙汰がまったくなかったとすることは無理があるだろう。

いっぽう先述のH墓地やG区域埋葬では，暴力の痕跡を示すものと理解される外傷治癒痕がR-37墓地よりもはるかに多く確認された（Schug *et al.* 2012・2017・2020）。これはインダス都市が正常に機能せず，安定した生活を保証されていなかった集団においては，住民間で発生する暴力沙汰に起因する可能性のある外傷痕の頻度が，安定した生活を享受できていたハラッパー期よりも増加傾向にあったことを示唆しているものと考えられる。前述した感染症頻度の時期的変化とあわせて分析すれば，インダス都市解体期の外傷痕の増加という現象の意味はさらに明らかになる。都市が正常に機能していた時期においては極めて低く維持されていた感染症と外傷痕の頻度が，都市解体期になると急増するようになったという事実は，

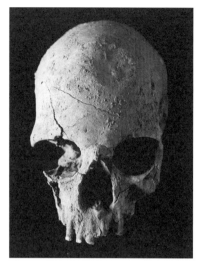

図5　ラキー・ガリー出土の人骨から確認された頭部外傷の痕跡（Lee *et al.* 2019）

住民間で蔓延していたさまざまなストレスが感染症と外傷痕の増加と密接に関連している点を考慮すれば，都市解体という事象は住民にとっては健康面での大きなストレスとしても作用した可能性が高いと推察できる（Schug *et al.* 2012・2017・2020）。

結　語

インダス文明遺跡で発掘された人骨にかんする研究は，その社会と住民のあり方についての理解を深めることに大きく貢献し得るはずである。考古学はとくに社会文化・政治経済的な側面に着目した研究に重点をおくが，医科学と人類学的手法を駆使した出土人骨についての研究も，その成果を人文科学的に再解釈できる可能性をもつため，人類史の復元に大いに役立つ。これまでのインダス文明に関連する人骨研究は，住民の人種的特徴の究明を目的としたものが多く，医科学的なアプローチを採用した研究はまだ少ない。ハラッパー期の墓地で発見された都市民の人骨についての生物人類学的研究こそが，都市化が人類史に及ぼしたさまざまな影響を科学的に推定するための重要な手法となる（Dibyopama *et al.* 2015）。

インダス文明の都市がどのような社会的アレンジメントによって統治されていたかについてはさまざまな見解があるが，かなり高度な体系でもっ

て管理されていた可能性もあるだろう。インダス文明の人びとは，栄養バランスも良く，質的にも量的にも豊富な食物を摂取していた可能性が高い。このような状況は当時の生存基盤が安定的かつ豊かであり，必要な物品を入手するための交易活動も効率的に管理されていたことを示唆するのではないだろうか。

　考古学的発掘の成果にもとづけば，インダス都市においては上下水施設をはじめとするさまざまな衛生設備をともなう建物の存在も確認されており，それらは計画的に管理されていた可能性もある。都市の公共衛生水準が高かったのであれば，都市民の伝染病罹患率も必然的に低くなるだろう（Shin et al. 2018）。インダス文明の都市生活はそれなりに快適なものであったことが考古学的に推察できるが，都市解体期にはさまざまなストレスが都市民に加えられたであろうことが人類学的研究によって明らかになった。すなわちインダス都市が正常に機能しなかったり，都市民が安定した生活を享受できない場合には，住民間の暴力沙汰に起因する外傷痕や伝染病の罹患率がいっそう増加したようである（Robbins et al. 2009, Lovell 2014, Schug et al. 2012・2013）。こうした不健康な状況こそが，インダス文明の人びとが都市を放棄し，農村などに移住せざるを得なかった大きな理由かもしれない。

註

1) 本稿の執筆責任者・問い合わせ先：Shinde V.（vshinde.dc@gmail.com），Shin D.H.（cuteminjae@gmail.com）。本研究はソウル大学病院の支援により行なわれた。また小茄子川は本稿執筆責任者の依頼にもとづき，送られてきた本稿邦訳版の最終確認のみを行なった。その際，個人的な見解を反映することは避け，本稿執筆責任者の見解をそのままに最優先としたことを明記しておく。

2) インダス文字は，その祖型が紀元前3300年頃に初めて出現すると理解されることもある。文字の多くは凍石製印章などに陰刻されてあらわされる。この文字は現在においても未解読であり，その解読にはロゼッタ・ストーンのような画期的な発見が待たれる。

3) ハラッパー期の人びと全員が都市に住んでいた

はずはなく，多くの人びとは都市後背地としての中・小規模村落に居住し，各地の環境にもとづいた農耕などのさまざまな生業に従事していたものと考えられる。

4) 前述したように，モヘンジョダロは無主・無住の処女地に新たに建設されたものと推察される。

5) インダス文明の社会構造についてはさまざまな見解があるが，統一性に特徴づけられる計画都市の存在は，その背景に国家段階にあるような強力な政体を想起させる（Shinde 2016）。こうした理解に対しては異論も存在する。社会的統一性と大衆動員力を備えた権力の存在を完全に否定することはできないとしても（Schug et al. 2013, Shinde 2016），研究の進展により，エジプト，メソポタミア，中国などほかの古代文明と比較すると，インダス文明には構造化された国家的暴力や確固たる中央集権的権力の存在が明確でないという主張も提出されている。つまりインダス文明は，戦争や征服，住民に対する暴力を認めることのできないタイプの社会であったとの理解である（Possehl 2002, Green 2021）。

6) メソポタミア地域では，貿易パートナーとしてインダス文明を「メルッハ（Meluhha）」と呼称していたと推定されている（Ratnagar 1981）。

7) モヘンジョダロで発見された人骨が代表的な例だが，多数の人骨が都市内から埋葬されていない状態で確認された。これをアーリア人によるインダス文明の征服の痕跡だとする見解もあったが，現在では完全に否定されている。

8) インダス文明成立以前の埋葬遺構として最古の事例。土坑墓を基本とし，泥レンガで補強された例もある。

9) デリーから北西に310キロほど離れたところに位置するインダス文明の都市遺跡。

10) グジャラート州に位置する都市遺跡。合葬墓も発見されたが，夫婦関係を示す事例ではないという。

11) グジャラート州に位置する都市遺跡。

12) ハリヤーナー州に位置する大規模集落遺跡。

13) パキスタンに位置する，最初に発見されたインダス文明の都市遺跡（1922年）。

14) パキスタンのシンド州に位置し，ハラッパーとともに1922年に発見された最大級のインダス文明の都市遺跡。モヘンジョダロでは埋葬遺構は未確認であるが，上述のとおり都市内の住居址から人骨がまとまったかたちで発見されている。

15) ハリヤーナー州に位置する中規模集落遺跡。発掘調査が都市遺跡に集中しているインダス考古学において，こうした村落遺跡の発掘は数少ない事例であり，学術的意義も大きい。この遺跡では集団埋葬遺構が確認され，多数の人骨が報告されている。

16) 集団埋葬遺構で認められた墓制にはある程度の統一性を見出せるが，インダス文明の都市住民が多様な背景をもっていたということは否定できない。

17) インダス都市民の故地がさまざまであったことは，同位体分析からも立証されている。同位体分析の結果は，R-37墓地に埋葬された人びとについて，男性は外部からの移住民が多く，女性は土着民が多いというあり方を示しており，都市内にはさまざまな地を故地とする人びとが共存していたことを立証した（Kenoyer et al., 2013）。

18) H墓地の帰属年代は，紀元前1900-1300年頃と推定される。

19) G区域埋葬においても感染性疾患の感染率がかなり高いが，これは都市解体の結果というよりは，当区域に埋葬された人びとが社会的に疎外されていた集団（犯罪者など）であった可能性を考慮し，H墓地における推察とは異なる解釈が必要である（Schug et al. 2013）。

20) 頭骨の陥没骨折をはじめ，外部からの衝撃・攻撃に起因する傷の治癒痕なども確認されている。

参考文献

Dibyopama, A., Kim, Y. J., Oh, C. S., Shin, D. H., & Shinde, V.（2015）. Human skeletal remains from ancient burial sites in India: with special reference to Harappan civilization. *Korean Journal of Physical Anthropology*, 28（1）, 1-9.

Durrani FA. 1986. Rehman Dheri and the origins of Indus civilization. Unpublished PhD dissertation. Philadelphia: Temple University.

Fairservis WA. 1956. Excavations in the Quetta Valley, West Pakistan. *Anthropology Papers of the American Museum of Natural History*, 45（2）.

Gordon DH, Gordon ME. 1940. Mohenjo Daro: some observations on Indian prehistory. Iraq 7: 1-12.

Green, A.S. Killing the Priest-King: Addressing Egalitarianism in the Indus Civilization. *J Archaeol Res* 29, 153–202（2021）. https://doi.org/10.1007/s10814-020-09147-9

Hemphill BE, Lukacs JR, Kennedy KAR. Biological adaptations and affinities of Bronze Age Harappans.

In: Meadow RH, editor. Harappa excavations 1986-1990: a multidisciplinary approach to third millennium urbanism. Monographs in World Archaeology. Madison（WI）: Prehistory Press; 1991: pp. 137-182.

Jansen M. 1989. Some problems regarding the Forma Urbis Mohenjo Daro. In: Frefelt K, Sorensen P, editors. South Asian archaeology, 1985. London: Curzon Press. pp 247-254.

Jarrige JF and Meadow RH. 1980. The antecedents of civilization in the Indus Valley. *Scientific American* 243（2）: 122-133.

Jarrige JF. 1984. Towns and villages of hill and plain. In: Lal BB, Gupta SP, editors. Frontiers of the Indus civilization. New Delhi: Books and Books. pp 289-300.

Kenoyer JM（1997）Early city-states in South Asia: comparing the Harappan phase and Early Historic period. Archaeol City-States Cross Cult Approaches: 51-70.

Kenoyer JM, Price TD, Burton JH. A new approach to tracking connections between the Indus Valley and Mesopotamia: initial results of strontium isotope analyses from Harappa and Ur. *Journal of Archaeological Science* 2013; 40（5）: 2286-2297.

Lee, H., Waghmare, P., Kim, Y., Hong, J. H., Yadav, Y., Jadhav, N., *et al.*（2019）. Traumatic injury in a cranium found at Rakhigarhi cemetery of Harappan civilization as anthropological evidence of interpersonal violence. *Journal of Archaeological Science: Reports*, 23, 362-367.

Lovell NC. 2014. Additional data on trauma at Harappa. International Journal of Paleopathology 6（1）: 1-4.

Mackay EJH. 1928-1929. Excavations at Mohenjo Daro. Annual Report of Archaeological Survey of India（1928-1929）: 67-75.

Marshall JH. 1931. Mohenjo Daro and the Indus civilization. New Delhi: Indological Book House.

Meadow RH（1991）Harappa excavations 1986-1990: a multidisciplinary approach to Third Millenium urbanism. Madison: Prehistory Press. p. 275

Mughal MR. 1974. New evidence of Early Harappan culture from Jalilpur, *Pakistan. Archaeology* 27（1）: 106-113.

Piggot S. 1950. Prehistoric India. London: Penguin Books.

Possehl GL. 2002. The Indus civilization: a contemporary perspective. Oxford: Rowman & Littlefield.

Ratnagar S（1981）Encounters: The Westerly Trade of the Harappa Civilization. Delhi; New York: Oxford

University Press. p. 294

Robbins G, Mushrif V, Misra VN, Mohanty RK, Shinde VS, … Schug MD. 2009. Ancient skeletal evidence for leprosy in India (2000 bc). *PLOS ONE* 4(5): e5669.

Sankalia HD. 1974. The prehistory and protohistory of India and Pakistan. Poona: Deccan College.

Schug GR, Blevins KE, Cox B, Gray KM, and Mushrif-Tripathy V. 2013. Infection, disease, and biosocial process at the end of the Indus civilization. *PLOS ONE* 0084814. DOI:10.1371/journal.pone.0005669.

Schug GR, Gray KM, Mushrif-Tripathy V, Sankhyan AR. 2012. A peaceful realm? Trauma and social differentiation at Harappa. *International Journal of Paleopathology* 2(1): 136-147.

Schug GR. A Hierarchy of Values: The Bioarchaeology of Order, Complexity, Health, and Trauma at Harappa, Bones of Complexity: Osteological indicators of emergent heterarchy and hierarchy (eds. Klaus H, Harvey AR, Cohen MN): UPF; 2017. pp.263-289.

Schug, GR. (2020). Ritual, Urbanism, and the Everyday: Mortuary Behavior in the Indus Civilization. In: Betsinger, T.K., DeWitte, S.N. (eds) The Bioarchaeology of Urbanization. Bioarchaeology and Social Theory. Springer, Cham. https://doi.org/10.1007/978-3-030-53417-2_3.

Schug, GR. and Blevins, K.E. (2016). The Center Cannot Hold. In A Companion to South Asia in the Past (eds G.R. Schug and S.R. Walimbe). https://doi.org/10.1002/9781119055280.ch16.

Shaffer JG. 1982. Harappan culture: a reconsideration. In: Possehl GL, editor. Harappan civilization. New Delhi: Oxford & IBH. pp 41-50.

Shin, DH, Kim, YJ, Bisht, RS, Dangi, V, Shirvalkar, P, Jadhav, N, Oh, CS, Hong, JH, Chai, JY, Seo, M and Shinde, V. 2018. Archaeoparasitological Strategy Based on the Microscopic Examinations of Prehistoric Samples and the Recent Report on the Difference in the Prevalence of Soil Transmitted Helminthic Infections in the Indian Subcontinent. *Ancient Asia*, 9: 6, pp. 1-6, DOI: https://doi.org/10.5334/aa.166

Shinde V, Narasimhan VM, Rohland N, Mallick S, Mah M, Lipson M, Nakatsuka N, Adamski N, Broomandkhoshbacht N, Ferry M, Lawson AM, Michel M, Oppenheimer J, Stewardson K, Jadhav N, Kim YJ, Chatterjee M, Munshi A, Panyam A,

Waghmare P, Yadav Y, Patel H, Kaushik A, Thangaraj K, Meyer M, Patterson N, Rai N, Reich D. An Ancient Harappan Genome Lacks Ancestry from Steppe Pastoralists or Iranian Farmers. Cell. 2019 Oct 17;179 (3):729-735.e10. doi: 10.1016/j.cell.2019.08.048. Epub 2019 Sep 5. PMID: 31495572; PMCID: PMC6800651.

Shinde V, Sinha-Deshpande S, Osada T, Uno T. 2006. Basic issues in Harappan archaeology: some thoughts. *Ancient Asia*, 1: 63-72.

Shinde VS. 2016. Current perspectives on the Harappan Civilization. In : Schug GR, Walimbe SR, editors. A Companion to South Asia in the Past. Chichester: John Willey & Sons, Inc. pp. 127-144.

Shinde, V. S., Kim, Y. J., Woo, E. J., Jadhav, N., Waghmare, P., Yadav, Y., Munshi, A., Chatterjee, M., Panyam, A., Hong, J. H., Oh, C. S., & Shin, D. H. (2018). Archaeological and anthropological studies on the Harappan cemetery of Rakhigarhi, India. *PLOS ONE* 13(2), e0192299.

Valentine B, Kamenov GD, Kenoyer JM, Shinde V, Mushrif-Tripathy V, Otarola-Castillo E, Krigbaum J. Evidence for patterns of selective urban migration in the Greater Indus Valley (2600-1900 bc): a lead and strontium isotope mortuary analysis. *PLOS ONE* 2015; 10: e0123103. https://doi.org/10.1371/journal.pone.0123103 PMID: 25923705

Wallimbe SR, Tavares A. Human Skeletal Biology: Scope, Development and Present Status of Research in India, in Recent Studies in Indian Archaeology, Paddayya K (eds.). Indian Council of Historical Research, New Delhi: Munshiram Manoharlal; 2002. pp. 367-402.

Wheeler REM. 1947. Harappa 1946: the defences and cemetery R-37. *Ancient India* 3(1): 58-130.

Wheeler REM. 1968. Indus civilization (third edition). Supplementary volume to The Cambridge history of India. Cambridge: Cambridge University Press.

Woo, E. J., Waghmare, P., Kim, Y., Jadhav, N., Jung, G. U., Lee, W. J., *et al.* (2018). Assessing the physical and pathological traits of human skeletal remains from cemetery localities at the Rakhigarhi site of the Harappan Civilization. *Anthropological Science*, 126(2), 111-120

Wright RP (2010) The Ancient Indus: Urbanism, Economy, and Society. New York: Cambridge University Press. p. 396

人類史における都市化と寄生虫感染症

申 東勳，藤田 尚[1]，洪 宗河
Dong Hoon SHIN　　Hisashi FUJITA　　Jongha HONG

1　人類史における寄生虫感染

　生活史の大部分を宿主に依存して生存する寄生虫は，非常に多様な生物種から構成される。現在の野生動物でも多種多様な寄生虫感染が確認される事実から，人類史における寄生虫感染症は，文字通り人類の出現まで遡るであろうことは容易に推測できる。寄生虫感染は全世界的な視点からは有病率が未だ非常に高く，マラリアは，現在でもなお，全世界の死亡原因の第1位を占めており，人々の生活と衛生にとって深刻であるため，医学者の大きな関心を引くテーマとなっている。しかし，寄生虫感染はただ人間と寄生虫の生物学的関係だけでは解釈できない部分がある。人類における寄生虫疾患は，人間の社会的行動と周辺環境の相互作用の結果として絶えず流動的に変化し，衛生，教育，生活様式，経済水準など，その時々の文化的要素が影響を与えるため，過去の人類社会を探る考古学者や人類学者にとっても興味深い研究対象となった（Reinhard *et al.* 2018）。

　寄生虫感染の様相は，時代と地域によって常に異なる姿で現われる。長期間人類と共生してきた寄生虫は，抗寄生虫剤の普及や駆虫事業，経済発展による各種インフラ整備による生活水準の向上などの理由で，数十年前には先進国でも非常に高かった感染率が激減した事例が，各国の医学界に

図1　考古寄生虫検査を実施するための発掘現場試料の収集（ソウル，世宗路）

おいて確認されている。国や地方自治体による駆虫事業を要因とせず，開発によって自然環境が変化することでも寄生虫感染の様相が大きく変化することが，20世紀の世界各地で医学的に証明されつつある（Shin *et al.* 2018）。このように寄生虫感染の様相は，多様な外部要因の影響を受けて絶えず変化する。これこそ古代の寄生虫に対する研究が単に医学だけでなく，人類史研究において極めて重要且つ利用価値が高い研究対象でもあることを意味する。

　しかし，変化に富んだ寄生虫の歴史を人類史の側面から検証する作業は容易ではないため，このテーマについての完全理解には，今後多くの時間と研究労力が割かれねばならない。寄生虫感染に対する国家統計事業が進められたのは20世紀半ば以降のことで，それ以前の寄生虫感染を正確に推論できる根拠は断片的な臨床記録以外にはほとんどない。寄生虫感染は前近代にはまったく医学や政治経済学の歴史記録者の関心事では無かったため，非常に断片的な記録だけが残っており，その記録さえ，歴史学的検証と寄生虫に対する知識の不足によって，あるいは寄生虫検出・鑑別の技術や統計自体の正確性において疑わしい場合が多く，科学的エビデンスを考慮するとほとんど役に立たない。それでは人類史の発展における寄生虫疾患の諸様相はいかなる方法論によって解明が可能なのだろうか。考古寄生虫学は，このような必要性と，人類史の構築における重要な必然性と共に人類学・考古学，さらには現代の公衆衛生学や医科学の学問領域に提供しうる担い手として出現することになったとも言い得るのである。

　考古寄生虫学は，一般的に社会的な認知度があまり高くない分野と思われるが，1990年代から考古学界では急速に且つ広範囲に知られるようになった。考古寄生虫学を一言で述べるとすれば，寄生虫研究において確立された技法を発掘現場で収集された様々な考古試料に適用して（図1），過去の社会における寄生虫感染率の変遷や現代社会とは異なる寄生虫感染のメカニズムを明らかにする学問であるといえよう。

図2　遺跡の土壌を採取し乾燥させていく
（東京大学理学部）

図3　乾燥した土壌をメッシュにかける
（東京大学理学部）

　ここで，少し古代寄生虫の抽出方法について触れておきたい。土中には，様々な物資が含まれるが，その中から寄生虫卵を抽出すること自体はそれほど難しいことではない。まず，土壌は湿っていることが多いので乾燥させる（図2），そしてメッシュであらかじめ大きな物質は除去しておく（図3），その後，寄生虫卵よりも比重の高い

図4　比重の大きな溶液で遠沈管上部のカバーグラスに寄生虫卵（など）を付着させる（東京大学理学部）

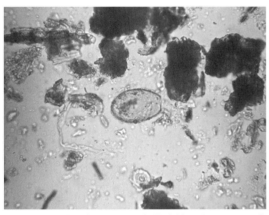

図5　顕微鏡観察により考古学試料で確認された寄生虫卵（Diphyllobothrium latum）
（写真提供＝ロシア科学院の Sergey Slepchenko）

溶液を作り，浮遊した寄生虫卵を捕らえるのである（図4および図5）。遠心分離器にかけたり，土壌を採取した状態で，そのまま浮遊させることもある。いずれにしても，考古寄生虫卵の抽出は，浮遊法と生物顕微鏡による透過観察によってなされる。一例をあげれば，数百年あるいは数千年前の糞便試料を親水化させ，顕微鏡検査を行い，そ

の中に含まれた古代の寄生虫卵を研究することが基本となる（Araújo *et al.* 2000, Seo *et al.* 2014, Kim *et al.* 2016, Seo *et al.* 2017, Reinhard *et al.* 2017）。寄生虫の種同定は虫卵の形と大きさによって区別できるが，時には遺伝的分析によって確定する場合もある。例えば，寄生虫卵が半分破壊された状態であっても，著しく発展した近年のパレオゲノミクスの研究手法を通じて考古寄生虫学者は，古代の寄生虫を同定し，その感染に関する具体的な情報を収集することができるようになっている（Ferreira *et al.* 2000, Horne 2002, Harter *et al.* 2003, Reinhard *et al.* 2003, Aufderheide *et al.* 2004, Fernandes *et al.* 2005, Seo *et al.* 2007）[2]。

2　定住生活のパラドックス

考古寄生虫学から見ると人類史における寄生虫感染の様相が必ずしも一律ではなかったことは先にも述べた（Ferreira *et al.* 2000, Reinhard and Araújo 2008）。例えば，狩猟採集民と農耕民の寄生虫感染はかなり異質だったと推定される。世界的視野で俯瞰した場合，農業革命（Agricultural Revolution）以前は人々が定住生活を営むことができず，狩猟採集が可能なところに従って移動せざるを得なかった場合が多ったと考えられ，これは寄生虫感染が多発する生活様式ではあり得ないと考えられる。一方，農耕が普遍化すれば一ヶ所に定着し，居住地の土壌も虫卵により汚染されやすく，寄生虫感染に脆弱な状態になる（Reinhard & Araújo 2008）。

定住生活と人口密度，寄生虫感染の歴史的・医学的因果関係については，本稿で言及する都市民の高い寄生虫感染率を理解する上でも重要である。人口が急増し，人口密度が高まるのは農業革命時点だけの現象ではなく，都市の出現直前の一時期でも類似した状況だったと考えられる。都市は狭い場所に多くの人が密集して住んでいたため，人口密度の低い地方より寄生虫感染により脆弱にならざるを得ないからだ。

3 日本の古代都市

日本の「トイレ考古学」は，1990 年代から急速に発展し，過去の人々がどのような寄生虫に感染していたのか，そこから推定される当時の食事の解明，また糞便を歴史的にどのように処理したのかについて，トイレと推定される遺構の試料を分析解明する分野として（大田区立郷土博物館 1997，藤田ら 2023），発展した。

恐らく日本の弥生時代は稲作と金属器に代表される時代だが，人口が急増し，争いがたびたび発生し，防御用環濠に囲まれた狭い空間に多くの人が集まって暮らし始めた時代でもある。このように縄文時代と比較して人口密度が高いと推定される弥生時代の環濠集落は，寄生虫卵が周辺環境を汚染し，集落の人々を感染させるのに最適ともいえる環境なのだ。

大阪府和泉市の池上・曽根遺跡の環濠内の堆積物から回虫や鞭虫の虫卵が多数確認されたのも，環濠集落住民が寄生虫感染に非常に脆弱だった事実を意味するものである[3]（Matsui *et al.* 2003）。弥生時代の環濠遺跡こそ，初期的な都市と判断するならば，遺跡内の土壌が寄生虫卵に多く汚染されているのは，人口密集地が寄生虫感染に脆弱だという理論が，この時代にも適用できることを示している（藤田ら 2023）。

一方，弥生時代に先立つ縄文時代においては，トイレ遺構がどこに作られたか，解明されているとは言い難い。縄文集落の大きさも時期によって異なるが，農耕が開始された弥生時代よりは，はるかに人口密度は低く，隣接する集落との距離が離れていたであろう。それでは，弥生時代より縄文時代の方が寄生虫感染症の発症頻度は少なかったのか，という疑問が生じる。確かに，都市化に起因するような寄生虫感染症とは様相を異にしただろうが，淡水の魚類などから引き起こされる横川吸虫症，モクズガニや沢蟹に寄生する肺吸虫症，タニシに寄生する広東住血線虫や肝吸虫などは，加熱が十分でない場合，縄文人も寄生虫感染を生じていた可能性がある。人類 700 万年の歴史自体が，寄生虫症との関連性を抜きには考えられない訳なのである。

4 非都市部の日本における 寄生虫卵検出の現状

これまでの記述で，古寄生虫卵はたやすく検出されるものと考えた読者もおられると想像するので，その実際を紹介する。新潟県埋蔵文化財調査事業団に依頼した，丘江遺跡IV，坂之上遺跡，六日町遺跡，そして著者（藤田）自らがサンプリングを行った前田遺跡，加曾利貝塚遺跡，萩平遺跡について紹介すると，各遺跡からは最低 10 か所以上の土壌サンプリングを行っているが，研究室へ持ち帰って分析したところ，古寄生虫卵は全く見つけられなかった。これらの遺跡は，旧石器時代から縄文時代，古墳時代，室町時代に亘るヒトが住んだか，もしくは人に関わる遺物が出土している遺跡である。それでも寄生虫卵は発見されなかった。この事実は，ヒトがある程度集まって生活を営んでいた場所であっても，容易に古寄生虫卵は見つからないことを示している。詳述はしないがこの事実は，前述の論旨と一見矛盾するかのようにみえるが，古寄生虫卵検出の際に，留意すべき点である。

表 1　遺跡ごとの虫卵の検出結果

遺 跡 名	所 在 地	時 代	寄生虫卵の有無
丘江遺跡IV	新潟県柏崎市田塚	室町時代	無
坂之上遺跡	新潟県南魚沼市余川	古墳時代-古代	無
六日町藤塚遺跡	新潟県南魚沼市余川	古墳以前-古墳時代	無
前田遺跡	福島県伊達郡	縄文時代（中-晩）	無
加曾利貝塚遺跡	千葉県千葉市	縄文時代（中-後）	無
萩平遺跡	愛知県新城市	縄文時代（早・草創）～旧石器時代	無

さて，都市化の問題に話を戻す。大陸の影響を受けて整備された宮城跡こそ，古代日本の都市生活をより明確に示すことができるが，トイレも一層洗練された構造の遺構であることが確認された。藤原京跡では最も古い汲み取り式のトイレの存在が報告され，類似の事例は太宰府の鴻臚館と12世紀の奥州平泉の柳の御所跡でも発見されている（Matsui *et al.* 2003）。水洗トイレも平城京で確認され，大通り沿いの側溝から水を受け，トイレを通過した後，再び側溝に排水する構造が確認された（Matsui *et al.* 2003）[4]。このような都市遺跡で発見されたトイレ遺構では寄生虫卵が多数確認されたが，これは当時の宮城に住んでいた住民たちが思ったより多様な寄生虫に感染していたことを示している（藤田ら 2023）。

日本の「トイレ考古学」の研究は人糞の処理が時代の変遷によってにどのように行われたかを実証できるため，学問的価値が非常に高かった。しかし，研究の対象がトイレ遺構である可能性がある施設物だけに集中し，都市遺跡の全般に対する検討はまだ十分になされていないと言える。とくに古代都市の寄生虫卵の汚染状態が非都市部とはどのような違いがあるのかについては体系的な報告は無く，都市化が寄生虫感染に及ぼす影響についての重要な議論は，まだ十分ではない状態だと言えるだろう。

5　寄生虫に脆弱だった都市民

最新の海外研究ではトイレと推定される都市の遺構についてのみ調査を行ったものではなく，様々な施設遺構について広範な調査を行うのが一般的な傾向である。古代都市は糞便が集まっているトイレでない場所の土壌も寄生虫卵に汚染されている状況に遭遇することもある。韓半島の新羅が6～7世紀頃の地方行政治所として建設した火旺山城の貯水池試料から寄生虫卵（回虫，鞭虫，条虫）が多く発見されたのはおそらく山城に居住していた人たちの糞便が雨水に沿って低地帯に位置した貯水池に流れたためではないかと想像される（図6）。山城の内部には多くの人が住んでいた

が，彼らは寄生虫に高頻度で感染していた可能性が高いのだ（Kim *et al.* 2016）。

では，人口密度が低かった地域と，古代の都市部の寄生虫感染率はどの程度異なっていたのだろうか。百済の首都である泗沘城（扶余）とその周辺地域に対する調査は，都市と非都市部の遺構土壌の寄生虫汚染の様相の違いを確認するために行われた。泗沘城は120年間（西暦538～660年）にわたって百済の首都として存在したため，この地域の人口密度は非常に高かったと考えられる（図7）。これに対して対照群の泗沘城外部の遺跡は，いずれも人口密度は高くなかったと推定される地域だった。

都市と非都市部の土壌の検査結果，泗沘城内で収集したサンプルの場合には回虫，鞭虫，肺吸虫，肝吸虫，犬回虫などの虫卵が多く発見されたのに対し，泗沘城外の遺跡を見ると，寄生虫卵が

図6　新羅の火旺山城と貯水池発掘遺跡（右）

図7　考古寄生虫検査が行われた扶余・双北里遺跡

ほとんど確認されなかった（Seo *et al.* 2020, Shin *et al.* 2015）。この事実は、前述の藤田によって行われた、日本の各時代の遺跡から、全く寄生虫卵が検出されなかった事実と呼応していると言える（藤田ら 2021）。百済の都市と非都市部の土壌汚染の違いを考察すると、結局、人口密度の差に帰結すると考えざるを得ない[5]。都市は非都市部より多くの人々が集まり、人口密度が高かったので、寄生虫卵が土壌を汚染する可能性も一層高くなった。この事実は、該当地域の住民が寄生虫疾患に非常に脆弱な状況下に置かれていたことを意味する。

6　18世紀の新大陸都市

都市の人々が寄生虫感染にどれほど脆弱かという点については、18世紀のカナダに建設されていたルイスバーグ要塞跡（Fortress Louisburg, Nova Scotia, Canada）に対する調査でも確認できる。1713年に建てられたルイスバーグ要塞は、18世紀半ばにはすでに総人口が6500人を超えたため、都市化による過密状態のために各種問題を抱えていた。

このルイスバーグ要塞に付属する墓地に埋められた被葬者に対しては、寄生虫検査が行われ、回虫と裂頭条虫症を患っていることが確認された。とくに回虫は被葬者全員の試料から発見され、100％の感染率を示した。では、ルイスバーグの人々はなぜこんなに高頻度に寄生虫に感染していたのだろうか。

ルイスバーグ要塞の寄生虫感染こそ急激な都市化による人口の増加と衛生状態の悪化ためだという見方がある（Fonzo *et al.* 2020）。18世紀のルイスバーグは限られた空間で多くの人が無秩序に暮らしている悲惨な状況だった（Blake and Blake 1959, Duffy 1992, Cole 2010, Gallagher 2014, Fonzo *et al.* 2020）。当時の記録を見ると、捨てられて腐っていく動物の死体とこれによって汚染された水たまりが都市に散在していた（DeForest 1932）。街にはゴミがあふれ、井戸は正規に管理されず、汚物が簡単にその中に流れ込んだという。ルイス

バーグ全体が腐敗臭に満ちていたので（Fonzo *et al.* 2020）[6]、戦争や飢饉が起これば、都市の環境はさらに劣悪になり、感染性疾患が頻発するようになった（Greer 1979）。

ルイスバーグは冬がとても寒かったため、人々がさらに密集して過ごす。そしてそれは寄生虫感染の可能性が高くなることを意味する[7]（Donovan 1982）。この要塞では人が居住する空間で家畜を飼育したり、糞便を野菜栽培の時に肥料として使用もしたため、寄生虫感染をさらに悪化させた。

ルイスバーグ要塞に駐屯していた軍人の状況も劣悪で、彼らはとても狭い空間で汚れた寝具と食器を一緒に使用し（Greer 1979）、衣服は頻繁に着替えることができなかった。ルイスバーグには飲み屋が多く、人々が遅くまで狭い居酒屋で酒を飲みながら互いに接触する頻度が高い状況下にあった。（Donovan 1982, Greer 1979, Johnston 1984）。

病院すら寄生虫感染から安全なところではなかった。当時の病院の劣悪な衛生は、ここに入院する患者が寄生虫に感染しやすい原因となった（Fonzo *et al.* 2020）。ルイスバーグの人口が増えるにつれ病院が増設されたが、当時の病院はあらゆる種類の虫とネズミで満たされた不潔な環境だった。患者は適時に入浴不可能だったのはもちろん、入浴は健康に良くないという見方さえあった（Fonzo *et al.* 2020）[8]。結論的に、18世紀のルイスバーグは狭い場所に人々が集まって暮らし、寄生虫感染に脆弱になったことは否定できない（O'Lorcain and Holland 2000, Fonzo *et al.* 2020）。

7　17～19世紀の東アジアの状況

新大陸都市の寄生虫感染状況が非常に深刻だったことは、ルイスバーグの例からも明らかになったが、同時期の東アジアはどうだっただろうか。よく知られている通り、日本の江戸時代は京、大坂、江戸など、数十万～百万人を包括する巨大都市が出現し、多くの人々が都市生活を営んでいた時代だった。このような巨大な人口が消費する農産物を供給するためには、農作物の成長促進のための肥料が必要になったのは必然的現象だっ

た。急増した肥料の需要を満たすために人糞が野菜畑の肥料として利用されたことはよく知られている。人糞を肥料として使用することは，多くの都市民の農産物を確保するために不可避な側面があるが，逆にこの慣習が高い寄生虫感染率を誘発する原因になったことは否定できない（藤田ら2023）。

　日本の場合，1947年には回虫の感染率は60％に達したが，その後激減して60年代末まではほとんど寄生虫が確認されない水準に達した（藤田ら2023）。このように寄生虫感染率が激減したのには，治療剤の普及と医学の発展と共に，人糞を肥料として使用しなくなったこともその主たる原因として考慮しなければならない。寄生虫感染の歴史的推移は明確な記録が残っていないため正確には分からないが，20世紀前半の高い回虫感染率を考えると（藤田ら2023），江戸時代の都市の住民は寄生虫感染にかなり脆弱な状態であったことは十分推定可能なのである。

　このように都市民の需要を満たすために農作物に人糞肥料を大量に施肥する方法は，日本だけで行われたことではなかった。人糞肥料を農作物に使う伝統は中国もその歴史が非常に長く，17〜19世紀の朝鮮でも都市民の人糞を購入し，これを都市外郭の野菜畑に施肥した後，ここで得た収穫物を再び都市に転売する行為が確認されている。韓国も1960年代後半まで非常に高い寄生虫感染率が政府の統計記録として存在する。この傾向が決定的に減少に転じたのは国家的な駆虫事業とともに人糞肥料の使用が激減したことによる。寄生虫感染が激減した日本とほぼ同じ軌跡をたどったと言えよう。韓国の発掘現場では，考古寄生虫調査が高頻度で行われた。人口密集度が非常に高かった17-19世紀の漢城地域の試料でも寄生虫卵が高い頻度で確認されたという事実は，朝鮮王城に居住する人々が寄生虫感染に対して非常に脆弱であったことを意味する（Shin *et al.* 2020）[9]。

結　語

　人類史において都市化がその住民に対して肯定

的な影響を与えたのか，それとも否定的だったのかについては多様な意見がある。時代と地域によって都市化の様相は非常に複雑で，都市に住んでいる人々の健康と疾病状態もバリエーションが非常に大きい。ある都市では周辺の非都市部よりはるかに安全で，良質な生活が保障され，社会的ストレスが低くなる状況が生じたが，一方で都市生活が極度に劣悪な環境を造成し，このため疾病に罹患する可能性がむしろ高くなる場合も多かった（DeWitte and Betsinger, 2020）。特定の病気が都市化にどう反応するかということは，結局，多様な時代に対する古病理学的研究を通じて確認していく努力を積み重ねるしかない。

　本稿の主題となる寄生虫疾患の場合，ほかの疾患では見られない特異な様相を見せることは興味深い。考古寄生虫学の報告を見ると，どのような前近代社会でも都市化によって寄生虫疾患が減少するケースはほとんどなかったと思われる。都市化によって人口密度が高くなり，周辺環境も劣悪になり，寄生虫感染が蔓延することがもっとも一般的な説明になりそうだ。本稿でも都市地域の住民は，そうでない地域に比べて寄生虫感染に様々な面で脆弱だったことを提示することができた。

　しかし，一方では寄生虫感染は，前近代の都市に巨大人口を維持するためにはやむを得ないのかもしれない。前述したように，東アジアで人糞を肥料として使う限り，寄生虫の感染率は減少しにくかったはずだからだ。都市化によって急増した人口を維持するためには多量の農産物が必須だが，これは寄生虫感染の危険を冒しても，人糞を肥料に使わなければならない状況だったと言える[10]。このように都市化がもたらした寄生虫疾患は単純に劣悪な衛生環境によって促進された後進的現象ではなく，巨大人口の生存様式と結合され，非常に複雑な様相を帯びていると言えよう。実際，21世紀の近代都市では，寄生虫の蔓延という事象は，ほとんど解決されている。近世のアジアにおける都市化と寄生虫感染症の問題は，衛生的な近代都市に至る「過程」であったと取られることも間違いではないだろう。

時代の変遷とともに絶えず変化する寄生虫感染症の様相は考古寄生虫学によって科学的に究明されつつあるが，考古寄生虫学がもたらす情報は考古学者にもその社会を理解するための重要な学術的根拠となる（Ferreira *et al.* 2000, Horne 2002, Harter *et al.* 2003, Aufderheide *et al.* 2004, Fernandes *et al.* 2005, Seo *et al.* 2007）。これは考古寄生虫学による都市部と非都市部の調査が今後も引き続き大きな成果を上げることによって，考古寄生虫学と古病理学が都市化が人類に与えた多様な影響をより忠実に再現し得ることを示唆するものである。

註

1) 本稿の交信著者：申東勲（cuteminjae@gmail.com），藤田尚（rxh05535@nifty.com）。本稿の研究はソウル大学病院の一部支援を受けた。また本論文の成果は，日本国科研費課題番号 18K19690（代表藤田尚）および 18H03590（代表高橋龍三郎）の研究の一部である。

2) 東アジアでも発掘で収集した試料を用いて寄生虫を研究はなされていた。日本の「トイレ考古学」は，松井章が発掘現場のトイレ遺跡の調査法をヨーク大学で学び，これを日本の遺跡にも応用して始まった。遺構試料から寄生虫卵を検出すれば，これをトイレと確かめることができ，この技法を「トイレ考古学」と呼ぶきっかけになった（藤田ら 2023）。

3) 環濠が寄生虫卵に汚染されたのは，おそらく村落内部の排泄物が雨によって周辺の環濠に流入したことを示すものと考えられる（Matsui *et al.* 2003）。弥生時代の環濠は軍事防御施設としてのみ認識されていたが，排水・汚物処理の役割も果たしていたことを示唆する。

4) この遺構がトイレであることを確証する上で，寄生虫卵が土壌から確認されたことが決定的な証拠となった（Matsui *et al.* 2003）

5) 人口密度と寄生虫感染の関連性は，北米のコロラド州に住んでいたプエブロ原住民に対する研究で確認された。Reinhard and Araújo（2008）によると，プエブロ地域の原住民は非常に多様な生存戦略を持っていたが，そのうち狩猟採集に依存する集団は低い人口密度と頻繁な移動のせいで感染率が非常に低い反面，農業を経営しながら定着生活をする集団は高い人口密度のため土壌と飲用水が虫卵によって汚染され，寄生虫感染にそれだけ脆弱だという。結局，人口密度と寄生虫感染率との密接な関係は，どの地域の歴史にも共通していた可能性が高い。これは結局，都市生活をすることになる人々は農村や漁村に住む人より寄生虫感染により脆弱であった事実を意味する。

6) 当時は汚い環境が病気を起こすという概念が成立しておらず，汚物はきちんと処理されなかった（Bloom 1965, Karamanou *et al.* 2012）。

7) 回虫卵は人々が使う食器，金銭，果物，野菜，家具などどこでも簡単にくっついていて人に感染しやすいので，狭い区域に隙間なく建てられた住宅区域に居住する人々の回虫感染率が高いのは，当然だと言える

8) 汚染された水で入浴を頻繁にしない方が感染性疾患の防止に役立つほど劣悪な状況だったかもしれない（Fonzo *et al.* 2020）。

9) 韓国の朝鮮王城区域発掘調査で確認した土壌汚染の実態は，東アジア近世の都市民の寄生虫感染を把握するのに重要な情報である。朝鮮の首都である漢城（ソウル）は 17 世紀以降，急増する人口に伴なう都市化の副作用（寄生虫感染症）が現れた。当時の土壌試料に対する検査で多くの寄生虫卵が確認された（Shin *et al.* 2020）。

10) このような状況は現代医療の発展と都市衛生の管理，化学肥料の普及という様々な理由によって終息することができた（藤田ら 2023）。

参考文献

大田区立郷土博物館「トイレの考古学」東京美術，1997

藤田　尚・洪宗河・申東勲「トイレ考古学と考古寄生虫学」Anthropological Science (Japanese Series)，論文 ID 230217，[早期公開] 公開日 2023/04/14，Online ISSN 1348‐8813, Print ISSN 1344‐3992, https://doi.org/10.1537/asj.230217, https://www.jstage.jst.go.jp/article/asj/advpub/0/advpub_230217/_article/‐char/ja

藤田　尚・Shin Dong Hoon，第 77 回日本人類学会抄録集，https://www.tohoku‐kyoritz.jp/asn2023/pdf/syourokusyu.pdf（令和 5 年 11 月 7 日），2023

Araújo A, Reinhard KJ, Ferreira LF (2000) The role of mummy studies in paleopathology. *Chungara* 32（1）: 111-115.

Aufderheide AC, Salo W, Madden M, Streitz J, Buikstra J, Guhl F, Arriaza B, Renier C, Wittmers LE Jr, Fornaciari G, Allison M (2004) A 9,000-year record of Chagas' disease. *Proc Natl Acad Sci U S A* 101 (7): 2034-2039.

Blake, J. B., & Blake, J. B. (1959). Public health in the town of Boston, 1630-1822. Massachusetts: Harvard University Press.

Bloom, B. L. (1965). The "medical model," miasma theory, and community mental health. *Community Mental Health Journal*, 1(4), pp. 333-338.

Cole, L. (2010). Of mice and moisture: Rats, witches, miasma, and early modern theories of contagion. *Journal of Early Modern Cultural Studies*, 10(2), 65-84.

DeForest, L. E. (1932). Louisbourg journals, 1745 (No. 44). New York: Heritage Books.

DeWitte, S.N., Betsinger, T.K. (2020). Introduction to the Bioarchaeology of Urbanization. In: Betsinger, T.K., DeWitte, S.N. (eds) The Bioarchaeology of Urbanization. Bioarchaeology and Social Theory. Springer, Cham. https://doi.org/10.1007/978-3-030-53417-2_1

Donovan, K. (1982). Communities and families: Family life and living conditions in eighteenth century Louisbourg. Material Culture Review/Revue de la Culture Matérielle, 15.

Duffy, J. (1992). The sanitarians: A history of American public health. Illinois: University of Illinois Press.

Fernandes A., Ferreira L.F., Gonçalves M.L., Bouchet F., Klein C.H., Iguchi T., Sianto L., and Araujo A. (2005) Intestinal parasite analysis in organic sediments collected from a 16th-century Belgian archeological site. *Cadernos de Saúde Pública*, 21: 329-332.

Ferreira LF, Britto C, Cardoso MA, Fernandes O, Reinhard K, Araújo A (2000) Paleoparasitology of Chagas disease revealed by infected tissues from Chilean mummies. *Acta Trop* 75 (1): 79-84.

Fonzo, M., Scott, A.B., Duffy, M. (2020). Eighteenth Century Urban Growth and Parasite Spread at the Fortress of Louisbourg, Nova Scotia, Canada. In: Betsinger, T.K., DeWitte, S.N. (eds) The Bioarchaeology of Urbanization. Bioarchaeology and Social Theory. Springer, Cham. https://doi.org/10.1007/978-3-030-53417-2_12.

Gallagher, D.S. (2014). "Cleanly in their persons and cleanly in their dwellings": an archaeological investigation of health, hygiene, and sanitation in eighteenth- and nineteenth-century New England (Doctoral dissertation, Boston University).

Greer, A. (1979). The soldiers of isle Royale 1720-45. Ottawa: Parks Canada.

Johnston, A. J. B. (1984). Religion in life at Louisbourg, 1713-1758. McGill-Queen's Press-MQUP.

Harter S, Le Bailly M, Janot F, Bouchet F (2003) First paleoparasitological study of an embalming rejects jar found in Saqqara, Egypt. *Mem Inst Oswaldo Cruz* 98 (Suppl 1): 119-121.

Horne PDJ (2002) First evidence of enterobiasis in ancient Egypt. *J Parasitol* 88: 1019-1021.

Karamanou, M., Panayiotakopoulos, G., Tsoucalas, G., Kousoulis, A. A., & Androutsos, G. (2012). From miasmas to germs: A historical approach to theories of infectious disease transmission. *Le Infezioni in Medicina,* 20(1), 58-62.

Kim, M. J., Seo, M., Oh, C. S., Chai, J. Y., Lee, J., Kim, G. J., *et al.* (2016). Paleoparasitological study on the soil sediment samples from archaeological sites of ancient Silla Kingdom in Korean peninsula. *Quaternary International*, 405, 80-86.

Matsui A., Kanehara M., and Kanehara M. (2003) Paleoparasitology in Japanese discovery of toilet features. *Memórias do Instituto Oswaldo Cruz*, 98: 127-136.

O'Lorcain, P., & Holland, C. V. (2000). The public health importance of Ascaris lumbricoides. *Parasitology*, 121(S1), S51-S71.

Reinhard K.J. and Araújo A. (2008) Archaeoparasitology. In: Pearsall D.M. (ed.), Encyclopedia of Archaeology. Academic Press, New York, pp. 494-501.

Reinhard KJ, Milanello do Amaral M, Wall N (2017) Palynological investigation of mummified human remains. *J For Sci* 63: 244-250

Reinhard, K., Slepchenko, S., Shin, D.H. (2018). Archaeoparasitology. In: Encyclopedia of Global Archaeology. Springer, Cham. https://doi.org/10.1007/978-3-319-51726-1_3335-1.

Seo M, Oh CS, Chai J-Y, Jeong MS, Hong SW, Seo Y-M, Shin DH (2014) The changing pattern of parasitic infection among Korean populations by paleoparasitological study of Joseon Dynasty mummies. *J Parasitol* 100 (1): 147-150.

Seo M, Oh CS, Hong JH, Chai J-Y, Cha SC, Bang Y, Cha IG, Wi YG, Park JM, Shin DH (2017) Estimation of parasite infection prevalence of Joseon people by paleoparasitological data updates from the ancient feces of pre-modern Korean mummies. *Anthropol Sci* 125 (1): 9-14

Seo, M., Hong, J.H., Reinhard, K.J., Shin, D.H. (2021). Archaeoparasitology of Korean Mummies. In: Shin, D.H., Bianucci, R. (eds) The Handbook of Mummy Studies. Springer, Singapore. https://doi.org/10.1007/978-981-15-3354-9_14.

Seo, M., Shim, S.-Y., Lee, H. Y., Kim, Y., Hong, J. H., Chai, J.-Y., & Shin, D. H. (2020). Ancient echinostome eggs were discovered in the archaeological strata specimens from a Baekje capital ruins of South Korea.

Journal of Parasitology, 106 (1), 184-187.

Shin DH, Seo M, Hong JH, Lee E. Paleopathological Considerations on Malaria Infection in Korea before the 20th Century. Biomed Res Int. 2018 May 9;2018:8516785. doi: 10.1155/2018/8516785. PMID: 29854798; PMCID: PMC5966694.

Shin, D. H., Shin, S. Y., Jeong, H. J., Kim, M. J., Lee, M. H., Kim, K. Y., *et al.* (2015). A paleoparasitological study on the capital area of the ancient Korean kingdom. *Journal of Parasitology*, 101 (4), 458-461.

Shin, D.H., Seo, M., Shim, SY., Hong, J.H., Kim, J. (2020). Urbanization and Parasitism: Archaeoparasitology of South Korea. In: Betsinger, T.K., DeWitte, S.N. (eds) The Bioarchaeology of Urbanization. Bioarchaeology and Social Theory. Springer, Cham. https://doi.org/10.1007/978-3-030-53417-2_4.

健康，人口，都市化の生物考古学

トレーシー・ベッシンガー，シャロン・ドウィット
T. K. Betsinger　　　　　　　　　　S. DeWitte

都市とは，多数の人々を収容するために必要なインフラストラクチャー，統治機構，社会組織を備えた大規模な居住地を指す。また，都市化とは国あるいは地域の全体人口の中で都市に住む人々の割合が増加する現象を意味する。都市化は人類史において数千年という短い期間の現象だが，現在の都市に居住する世界人口は 55％ に達し，2050 年頃にはその割合が 70％ を上回ると予想される。

都市は人々だけでなく，周辺の環境，動植物，

図1　中世ヨーロッパの十字軍時代に地中海のローデス島に栄えた都市 (George Burton Adams, Medieval and Modern History: An Outline of Its Development, 1903) Wikimedia Commons：https://commons.wikimedia.org/wiki/File:Medieval and modern history; an outline of its development (1903) (14773721984).jpg

そして病原体との間にも様々な相互作用が絶えず起こる空間だと考えられる (Cabrera - Cruz *et al.* 2019)。そのため，都市は時には新たな伝染病の発生と拡散の中心地となり，様々な社会的変動の原因を提供することもある (Neiderud 2015)。都市化は人類史の中で極めて重要な位置を占めるため，都市化が与えた具体的な影響は，考古学の重要な研究テーマになっている (図1)。

1　生物考古学と都市化

人類史に存在したさまざまな都市が住民の生活に与えた影響を明らかにするため，経済学者や歴史人口学者らは，出生率や兵役記録などの統計データを使用して，都市化のプロセス，都市と農村の格差，住民の健康状態の変化の歴史的変遷を推定している (Woods 2003)。彼らの研究は過去の都市化現象を把握する上で非常に客観的で効率的だが，文献の制約により，産業革命前後の時期に研究が限られている。都市の状況について記述した個人の記録も歴史学の研究に利用されることがあるが，これには主観的見解が多く含まれており，合理的な結論を導き出すのは容易ではない。

考古学は歴史学とは異なる視点から都市化のテーマに取り組んでいる。都市化の要因，都市の中心部と周辺部の居住パターン，都市を支える生産システム，都市の社会的不平等などを，発掘データを利用して再構築しようとした (Smith 2014) (図2)。

生物考古学は考古学の一分野であり，発掘人骨を人類学，生物学，医学の手法で分析し，文献だけでは明らかにできない都市の住民の健康や疾病情報を詳細に収集することが可能である。

安定同位体分析は，都市化が住民の食生活に

図2　紀元前 7400 年頃にトルコで繁栄した都市 Çatalhöyük の発掘状況（Murat Özsoy：2019 年 11 月）
Wikimedia Commons：https://commons.wikimedia.org/wiki/File:Çatalhöyük, 7400 BC, Konya, Turkey-UNESCO
World Heritage Site, 08.jpg

どのような変化をもたらしたかを証明する。Toso
ら（2021）は，中世末のポルトガルの都市民が陸
上の食料を主に摂取していた食習慣から脱し，よ
り多様な海産物を摂取するようになったことを確
認し，中世都市民の食生活の変化を示すことがで
きた。また，安定同位体分析は，9〜16 世紀のオ
ランダの都市と農村住民の間で食生活に相違が
あったことを解明し（Schats *et al.* 2021），個々の
都市ごとに異なる食物を摂取していたことも古代
ベルギー遺跡（紀元前 3000〜1800 年頃）に対する
調査で証明された（Pezo‐Lanfranco *et al.* 2022）。

　都市民のストレス指数や病気の分析も注目に値
する。商王朝の都である殷墟で見つかった人骨に
は，当時の中原王朝の都市民が高いストレス状態
に置かれていたことを示す骨学的証拠（エナメル
質減形成，多孔性骨症，骨膜炎）が残っていること
を確認したのである（Zhang *et al.* 2016）。

　都市と田舎の遺跡で収集された人骨の研究が世
界各国で行なわれたが，都市化がもたらす変化を
正確に分析することは未だにとても難しいと言わ
ざるを得ない。都市化が良好に進行した場合には
住民に肯定的な影響を及ぼすが，そうでない場合
には否定的な効果を生む場合があるからだ。これ
は，周辺環境，性別，年齢，社会的地位など，都

市民や周辺環境に関連する様々な要素が複雑な役
割を果たし，都市化の様相を微妙に変化させるこ
とに因ると考える（Harpham 2009）。

　生物考古学は現在，都市化の具体的様相を推定
できるもっとも重要な技法であることは明らかだ
が，これさえも異なる時代の異なる都市で多様な
結果が観察されるため，都市化を一般化して理解
することは非常に難しい。本稿でも都市化が触発
した都市住民への複雑な反応をできるだけ包括的
に理解するため，これを肯定的側面と否定的側面
に分けて論述しようと思う。

2　都市化の肯定的側面

　都市民の生活水準が非都市部の住民よりも優れ
ている事実は多くの学者によって報告された。平
均的に見ると，都市部の貧民でさえ田舎の人々よ
りは色々な面で生活が良いという報告があるほど
だ（Fang and Sakellariou 2013, Sahn and Stifel 2003,
Thu Le and Booth 2014）。

　都市生活はなぜ農村に比べて豊かなのか。都
市は平均収入，教育，乳幼児死亡率，母性健康，
栄養など，さまざまな側面で農村地域よりも優
位な状態にあるからだ（Sahn and Stifel 2003, Fang
and Sakellariou 2013, Thu Le and Booth 2014）。都市

は各種施設へのアクセスが容易であり（Harpham 2009, Headey *et al.* 2018），上下水道や各種の衛生施設も整備されている（Galea and Vlahov 2005, McMichael 2000）。教育や経済活動の機会も農村よりも都市が非常に有利である（McMichael 2000）[1]。

都市が農村よりも優れているのは，集団の包括的な健康状態を反映する人口統計指標（平均余命，生存率，年齢別死亡率）によく現れている。都市の死亡率は農村よりも低く，都市の傾向が強い地域ほど乳児死亡率が低い傾向がある（Harpham 2009）。現在の通説では，人々の平均寿命は都市化の程度と比例するとされている（Long *et al.* 2018）。

都市化が人類史に肯定的な影響を及ぼした事例を歴史的に明らかにした報告がある。例えば，南米のインカ帝国の首都であるクスコ遺跡に対する生物考古学の研究は，帝国の首都及び首都に近い地域に住む人々ほど，ストレスと病気の頻度が低かった事実を確認し，インカ帝国の都市と田舎の住民は健康状態に差があり，都市化が進んだ地域の住民ほど優れた健康状態を維持していたことを報告した（Andrushko 2021）。

19世紀の都市化がもたらした変化は，都市が人類史に及ぼした肯定的な側面をよく示している。第二次疫学転換（The Second Epidemiological Transition）とも呼ばれる変化が，19世紀中頃，多くの国の都市部を中心に発生するようになった（Gage 2005）[2]。その原因は産業化による現代医学の普及，衛生水準の向上，栄養の改善を含むいくつかのメカニズムが取り上げられるが，都市化が進んだ地域ほど，こうした現象はより顕著に促進されたことが明らかになった（Omran 1971, McKeown 1976; 2009, Gage 2005）。

都市化とともに疫学転換が起こると，感染性疾患は発生率を大幅に減少させ，主要な病気の原因として地位を失うことになる。農業の導入以来，感染性疾患はほかの病気よりも多数の死者を引き起こす主要な疾患であったが，疫学転換期を経て，慢性疾患の発生率が伝染性疾患をむしろ圧倒する現象が見られるようになった（Omran 1971,

Gage 2005）。非感染性疾患による死亡者の割合が増加したことは，伝染病の流行が以前より減ったために生じた現象であり，すなわち都市の衛生状態と生活水準が好転したことを意味する（Gage 2005）。その結果，住民の平均寿命が増加し，健康の側面と共に，人口統計学的側面，すなわち平均寿命の伸長，乳児死亡率の減少などからも大きな変化が起きることをもたらした。これは都市化の肯定的な側面を示す，人類史上の重要な事例と言える。

3 都市化の否定的側面

都市化は，人類史において肯定的な影響を与えるだけではないことが，別の生物考古学者から報告されている。古代ガリア地域（ローマ時代：1-3世紀，ポストローマ時代：4-7世紀）の都市と農村に住んでいた住民に関する研究から，当時の都市が人口過密であり，ストレス頻度が高く，成長も円滑でなかったことが示されている（Quade and Gowland 2021）。

中世ヨーロッパの都市化とともに，人々の健康状態が低下していたことも報告されている。中世イングランドの都市と農村の死亡率パターンの分析では，都市に住む女性の死亡リスクが農村の女性よりも高いことが報告された。さらに，中世ポーランドでは都市化が進むにつれて死亡率が増加する傾向が報告されている（Betsinger and DeWitte 2017）。

類似の現象は，近世の都市でも確認されている。17-19世紀のオランダの遺跡から発掘された人骨の中で，都市民のビタミンD欠乏症の所見が多く報告された。また，南米アルゼンチンにおける結核の歴史に関する研究では，19-20世紀の都市化や産業化が結核の発生率を増加させることが確認された（Suby 2021）。日本の死亡率パターン（12-20世紀）の研究でも，都市化によって住民の健康が長期間にわたって悪化する現象が指摘されている（Nagaoka & Nakayama 2021）（図3）。

このように都市には住民の健康に対して否定的な効果を引き起こす要素が多くある。例えば，人

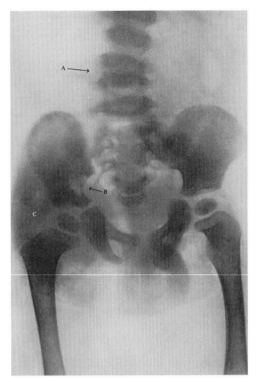

図3　結核によって第3-第4腰椎（A），右側腸骨（B），
　　　左側股関節に引き起こされた変化を示すX線写真
Thomas Morgan Rotch：Living Anatomy and Pathology,
1910）。Wikimedia Commons：https://commons.
wikimedia.org/wiki/File:Living anatomy and pathology;
（1910）（14571590259）.jpg

図4　管理されていないインドのゴミ捨て場とその
　　　周辺をうろつく家畜（McKay Savage, 2008年4月）
Wikimedia Commons：https://commons.wikimedia.org/
wiki/File:India-Sights %26 Culture-Common garbage dump
outside a temple（2566331277）.jpg

口密度が高い都市では，ゴミの処理が限界を超えてしまい，適切に処理されずに放置される状況が生じる。ゴミがあちこち放置されているので，ネズミや害虫が繁殖することになり，シャガス病，デング熱，レプトスピラ病，ペスト，ティーブースなどの感染症の媒介者が大量発生することになる（Tong *et al.* 2015）。都市化が進むほど，感染症の媒介者がほかの種を圧倒し，優占種として繁殖する傾向があり，それによって疾病の発生リスクがさらに高まると言われている（図4）[3]。

　人口密度の高い都市では，上水源の汚染に注意する必要があるが，前近代の都市ではそれは容易なことではなかった。上水源が人々の排泄物によって汚染されている場合，コレラ，赤痢，ジアルジア症などの水因性伝染病が発生する可能性が高くなる（Galea and Vlahov 2005）。都市では，人々が狭い空間に密集しているため，インフルエンザや結核など，呼吸器感染の伝染病の拡散も容易になる（Santos - Vega *et al.* 2016）。都市部は，寄生虫感染も頻繁に発生する傾向がある。

　都市は感染症の発生地であり，伝染病が急速に広がる経路としても機能する。都市は旅行者が出入りするゲートウェイとなり，彼らによって新たな伝染病が流入する可能性も高くなる（Hassell *et al.* 2017）。

　都市は感染症の発生だけが問題になったわけではない。都市は多くの人が活動する一方で，樹木の存在が少なく，建物による熱発生が円滑な大気循環を妨げるため，平均気温が上昇し，温室効果によって熱波などに脆弱な地域となる（McMichael 2000, United Nations HABITAT 2011）。

　都市部では，環境汚染物質による暴露の危険性も高い。居住地がゴミ捨て場に近すぎる場合，土壌は廃棄物由来の有害な物質を高濃度で含む（Ma *et al.* 2016, Yu *et al.* 2019），その結果，さまざまな健康上の問題が発生することになる。とくに，都市部では鉛による汚染が高い水準を保っており，障害を引き起こす可能性がある（He *et al.* 2018, Tong *et al.* 2000, McMichael 2000）。環境汚染物質への曝露リスクが高いことは，工業化された

現代の都市に限られるものではない。ローマ帝国の遺跡（1世紀から4世紀）では，鉛の曝露が乳幼児と児童の健康に悪影響を与え，早期死亡につながった可能性が推定されている（Moore *et al.* 2021）。

　都市部は大気汚染にも弱いことがある（Strosnider 2017）。Davies‐Barrett ら（2021）は，ナイル川中流域の古代都市民（紀元前4900〜1500年頃）の人骨から上顎洞炎の発生率が高いことを発見し，古代エジプトの都市が大気汚染の悪影響を受けていた可能性を提起した。大気汚染への曝露は，都市住民の各種疾患による死亡率を増加させ，平均寿命を縮める効果があったと予想される（Zhou *et al.* 2014, Romieu *et al.* 2012）。

　一般的に都市では農村に比べて外傷事故が多く発生し，人々の間での暴力事故のリスクも高まる傾向がある（Dahly and Adair 2007）。中世ロンドン遺跡から出土した頭蓋骨の外傷を調査した結果，都市の男性は同時代の田舎と比較して暴力の頻度が高かった可能性を確認した（Krakowka 2017）。

　都市では，農村よりも運動量が減少し，高カロリーの食品を摂取する傾向があるため（Mathieu and Karmali 2016），肥満や慢性疾患のリスクも高まる（McMichael 2000, Oyebode *et al.* 2015）。さらに食品安全性の問題もあり，食中毒などの問題に多くさらされる傾向がある（Codjoe *et al.* 2016）。

　このように都市化が引き起こす否定的効果については多くの研究報告があるが，人類史で都市の役割を単に否定的に判断するのは正しくないと思う。否定的効果の報告と共に肯定的な効果についても多くの報告があるため，発掘で確認される多様な時代の都市が実際に肯定的および否定的な効果の中でどの部分がより大きかったのか，そしてこのような効果はどのメカニズムによって再生産されていたのかを解明することは今後の考古学者が取り組まなければならない使命だと言える。

おわりに

　私たちはなぜ過去の都市に対する研究を進めなければならないのか。人類を数千年間繰り返し

図5　人骨に関する生物考古学研究を行っている著者のシャロン・ドウィット教授

て威嚇してきた様々な事件（それは主として新興感染症であるが）が21世紀にも依然として都市を中心に展開されているからだ。過去に都市を混乱に追い込んだ事件は，その姿を変えたものの，依然として我々に近接して存在し，我々を危険に陥れている。このような意味において，過去の都市に対する研究を単純な歴史的事実の理解という側面だけで見ることはできない。都市が難関を克服し，絶えず継続し続けるという歴史的過程を究明する作業こそ，現代人にも大きな示唆を与えうる作業になるだろう。

　しかし，このような成果は適切な努力なしに得られるものではない。過去の都市を理解する上で私たちが共有している現代の都市生活の経験はあまり役に立たない。現代都市は衛生，栄養，疾病の伝播に関する最新の概念が確立され，それを具現するための基盤施設が整備された。人口の移動が急増し，病原体の伝播も増加したが，これを予防し統制する医学技術も世界中に普及した。私たちが住んでいる現代都市は，20世紀以前の都市とはまったく違う世界かもしれない。そのような意味で，私たち，現代人が過去の都市化を正確に

理解することは容易ではない。

　幸いなことは，過去の都市は完全に消えたわけではなく，都市化の痕跡は人類史に明確な証拠として残っているという事実だ。生物考古学は，発掘された人骨とその埋蔵状況に基づいて，過去に出現した都市が非都市地域とどれだけ異なっていたのか，議論することが可能な水準に達している（図5）。都市が非常に多様な形態で存在したため，その複雑な展開の様相を完全に究明することは，生物考古学の研究が今後もこのテーマについて包括的に進められなければならないことを意味するのである。

謝辞　本稿は，著者の出版論文「The Bioarchaeology of Urbanization：The Biological, Demographic, and Social Consequences of Living in Cities」（Betsinger and DeWitte 2020）に基づいて執筆された（Springer Nature Customer Service Centre の承認済み）。著者たちは英語の原稿を日本語に翻訳してくれたことに対し，申東勲，藤田尚両博士に深い謝意を表する。

註

1)　もちろん都市民は経済的水準，年齢，性別，職業，出身地などが均一より異質的（多面的）側面がはるかに強い集団であるため（Harpham 2009），このような肯定的側面は都市全体に一般化して説明することはできない。例えば，都市部だとしてもスラム地域に住んでいる時は田舎より生活水準が決して良いとは言えないからだ（Ezeh *et al.* 2017）。

2)　人類史で病気の様相は大きく変化する時期が数回あった。農業と家畜飼育の導入とともに第一次疫学転換（The First Epidemiological Transition）」と呼ぶヒトと疾病の関係性における大きな変化が生じたが，大幅に向上した生産性のため人口が急増し，高い人口密度によって感染病が頻繁に起きるようになった。人々の周辺で家畜が飼育され始めたため，人獣共通感染の頻度も狩猟採集期よりはるかに高くなった。農業の導入とともに高まった感染性疾患の頻度は近代に至るまで大きな変化なくそのまま維持された。

3)　これを「生物学的均質化（Biotic homogenization）」という（Wilke *et al.* 2019）。

参考文献

Andrushko, V.A. (2021). Health in the Inca heartland: A paleopathological analysis of burials from the Cuzco region of Peru. *International Journal of Osteoarchaeology*, 31, 583-592. https://doi.org/10.1002/oa.2973

Betsinger, T. K., & DeWitte, S. (2017). Trends in mortality and biological stress in a medieval polish urban population. *International Journal of Paleopathology*, 19, 24-36. https://doi.org/10.1016/j.ijpp.2017.08.008

Cabrera-Cruz, S. A., Smolinsky, J. A., McCarthy, K. P., & Buler, J. J. (2019). Urban areas affect flight altitudes of nocturnally migrating birds. *The Journal of Animal Ecology*. https://doi.org/10.1111/1365-2656.13075

Codjoe, S. N. A., Okutu, D., & Abu, M. (2016). Urban household characteristics and dietary diversity: An analysis of food security in Accra, Ghana. *Food and Nutrition Bulletin*, 37 (2). 202-218.

Dahly, D. L., & Adair, L. S. (2007). Quantifying the urban environment: A scale measure of urbanicity outperforms the urban-rural dichotomy. *Social Science & Medicine* (1982). 64 (7). 1407-1419. https://doi.org/10.1016/j.socscimed.2006.11.019

Davies-Barrett, A.M., Roberts, C.A., & Antoine, D. (2021). Time to be nosy: Evaluating the impact of environmental and sociocultural changes on maxillary sinusitis in the Middle Nile Valley (neolithic to medieval periods). *International Journal of Paleopathology*, 34, 182-196. https://doi.org/10.1016/j.ijpp.2021.07.004

Ezeh, A., Oyebode, O., Satterthwaite, D., Chen, Y.-F., Ndugwa, R., Sartori, J., ... Lilford, R. J. (2017). The history, geography, and sociology of slums and the health problems of people who live in slums. *The Lancet*, 389 (10068). 547-558.

Fang, Z., & Sakellariou, C. (2013). Evolution of urban-rural living standards inequality in Thailand: 1990-2006. *Asian Economic Journal*, 27 (3). 285-306. https://doi.org/10.1111/asej.12015

Gage, T. B. (2005). Are modern environments really bad for us?: Revisiting the demographic and epidemiologic transitions. *Am J Phys Anthropol, Suppl*

41, 96-117.（16369962）.

Galea, S., & Vlahov, D.（2005）. URBAN HEALTH: Evidence, challenges, and directions. *Annual Review of Public Health*, 26（1）. 341-365. https://doi. org/10.1146/annurev.publhealth.26.021304.144708

Harpham, T.（2009）. Urban health in developing countries: What do we know and where do we go? *Health & Place,* 15（1）. 107-116. https://doi. org/10.1016/j.healthplace.2008.03.004

Hassell, J. M., Begon, M., Ward, M. J., & Fèvre, E. M.（2017）. Urbanization and disease emergence: Dynamics at the wildlife-livestock-human interface. *Trends in Ecology & Evolution*, 32（1）. 55-67.

Headey, D., Stifel, D., You, L., & Guo, Z.（2018）. Remoteness, urbanization, and child nutrition in sub-Saharan Africa. *Agricultural Economics*, 49（6）. 765–775.

He, L., Chen, Z., Dai, B., Li, G., & Zhu, G.（2018）. Low-level lead exposure and cardiovascular disease: The roles of telomere shortening and lipid disturbance. *The Journal of Toxicological Sciences*, 43（11）. 623-630.

Krakowka, K.（2017）. Patterns and prevalence of violence-related skull trauma in medieval London. *American Journal of Physical Anthropology,* 164（3）. 488-504. https://doi.org/10.1002/ajpa.23288

Long, A. S., Hanlon, A. L., & Pellegrin, K. L.（2018）. Socioeconomic variables explain rural disparities in US mortality rates: Implications for rural health research and policy. *SSM-Population Health*, 6, 72-74. https://doi.org/10.1016/j.ssmph.2018.08.009

Ma, Y., Egodawatta, P., McGree, J., Liu, A., & Goonetilleke, A.（2016）. Human health risk assessment of heavy metals in urban stormwater. *The Science of the Total Environment*, 557-558, 764-772.

Mathieu, K., & Karmali, M.（2016）. Vector-borne diseases, climate change and healthy urban living: Next steps. *Canada Communicable Disease Report = Releve Des Maladies Transmissibles Au Canada*, 42（10）. 219-221.

McKeown, R. E.（2009）. The epidemiologic transition: Changing patterns of mortality and population dynamics. *American Journal of Lifestyle Medicine*, 3（1 Suppl）. 19S-26S-19S-26S.

McMichael, A. J.（2000）. The urban environment and health in a world of increasing globalization: Issues for developing countries. *Bulletin of the World Health Organization*, 78（9）. 1117-1126.

Monn, Ch., Braendli, O., Schaeppi, G., Schindler, Ch., Ackermann-Liebrich, U., & Leuenberger, Ph.（1995）. Particulate matter < 10 μm（PM10）.nd total suspended particulates（TSP）.n urban, rural and alpine air in Switzerland. *Atmospheric Environment*, 29（19）. 2565-2573.

Moore, J., Filipek, K., Kalenderian, V., Gowland, R., Hamilton, E., Evans, J., & Montgomery, J.（2021）. Death metal: Evidence for the impact of lead poisoning on childhood health within the Roman Empire. *International Journal of Osteoarchaeology, 31*, 846-856.

Nagaoka, T., & Nakayama, N.（2021）. Influences of industrial development and urbanization on human lives in Premodern Japan: Views from paleodemography. *International Journal of Paleopathology*, 33, 103-112.

Neiderud, C.-J.（2015）. How urbanization affects the epidemiology of emerging infectious diseases. *Infection Ecology & Epidemiology*, 5. https://doi. org/10.3402/iee.v5.27060

Omran, A. R.（1971）. The epidemiologic transition. A theory of the epidemiology of population change. *The Milbank Memorial Fund Quarterly*, 49（4）. 509–538.

Oyebode, O., Pape, U. J., Laverty, A. A., Lee, J. T., Bhan, N., & Millett, C.（2015）. Rural, urban and migrant differences in non-communicable disease risk-factors in middle income countries: A cross-sectional study of WHO-SAGE data. *PloS One*, 10（4）. e0122747.

Quade, L., & Gowland, R.（2021）. Height and health in Roman and Post-Roman Gaul, a life course approach. *International Journal of Paleopathology*, 35, 49-60.

Romieu, I., Gouveia, N., Cifuentes, L. A., de Leon, A. P., Junger, W., Vera, J., … HEI Health Review Committee.（2012）. Multicity study of air pollution and mortality in Latin America（the ESCALA study）. *Research Report（Health Effects Institute）*.（171）. 5-86.

Sahn, D. E., & Stifel, D. C.（2003）. Urban-rural inequality in living standards in Africa. *Journal of African Economies*, 12（4）. 564-597.

Santos-Vega, M., Martinez, P. P., & Pascual, M.（2016）. Climate forcing and infectious disease transmission in urban landscapes: Integrating demographic and socioeconomic heterogeneity. *Annals of the New York Academy of Sciences*, 1382 (1). 44-55.

Schats, R. van Hattum, I.Jk., Kootker, L.M., Hoogland, M.L.P., & Waters-Rist, A.L. (2021). Diet and urbanisation in medieval Holland. Studying dietary change through carious lesions and stable isotope analysis. *International Journal of Osteoarchaeology,* 32, 142-155.

Smith, M. L. (2014). The archaeology of urban landscapes. *Annual Review of Anthropology*, 43 (1). 307-323.

Strosnider, H. (2017). Rural and urban differences in air quality, 2008-2012, and community drinking water quality, 2010-2015-United States. *MMWR. Surveillance Summaries*, 66.

Suby, J.A. (2021). The pathway of tuberculosis in Argentina: Historical (19th and 20th Centuries). epidemiological, and paleopathological data. *International Journal of Paleopathology*, 34, 82-89.

Thu Le, H., & Booth, A. L. (2014). Inequality in Vietnamese urban-rural living standards, 1993-2006. *Review of Income and Wealth*, 60 (4). 862-886.

Tong, M. X., Hansen, A., Hanson-Easey, S., Cameron, S., Xiang, J., Liu, Q., ... Bi, P. (2015). Infectious diseases, urbanization and climate change: Challenges in future China. *International Journal of Environmental Research and Public Health*, 12 (9). 11025-11036.

Tong, S., von Schirnding, Y. E., & Prapamontol, T. (2000). Environmental lead exposure: A public health problem of global dimensions. *Bulletin of the World Health Organization*, 78 (9). 1068-1077.

Toso, A., Schifano, S., Oxborough, C., McGrath, K., Spindler, L., Castro, A., ... Alexander, M. (2021). Beyond faith: Biomolecular evidence for dhanging urban economies in multi-faith medieval Portugal. *American Journal of Physical Anthropology*, 176, 208-222.

United Nations HABITAT. (2011). Cities and Climate Change: Global Report on Human Settlements 2011 (1 edition). Washington, DC: Routledge.

Wilke, A. B. B., Beier, J. C., & Benelli, G. (2019). Complexity of the relationship between global warming and urbanization-An obscure future for predicting increases in vector-borne infectious diseases. *Current Opinion in Insect Science*, 35, 1-9.

Woods, R. (2003). Urban-rural mortality differentials: An unresolved debate. *Population and Development Review*, 29 (1). 29-46.

Yu, S., Chen, Z., Zhao, K., Ye, Z., Zhang, L., Dong, J., ... Fu, W. (2019). Spatial patterns of potentially hazardous metals in soils of Lin'an City, Southeastern China. *International Journal of Environmental Research and Public Health*, 16 (2). https://doi.org/10.3390/ijerph16020246

Zhang, H., Merrett, D. C., Jing, Z., Tang, J., He, Y., Yue, H., ... Yang, D. Y. (2016). Osteoarchaeological studies of human systemic stress of early urbanization in Late Shang at Anyang, China. *PloS One*, 11 (4). e0151854. https://doi.org/10.1371/journal.pone.0151854

Zhou, N., Cui, Z., Yang, S., Han, X., Chen, G., Zhou, Z., ... Cao, J. (2014). Air pollution and decreased semen quality: A comparative study of Chongqing urban and rural areas. *Environmental Pollution*, 187, 145-152.

医学的見地からみた都市化とヒトの疾病

藤田 尚, ピアーズ・ミッチェル, 申 東勳
Hisashi FUJITA   Piers Mitchell   Dong Hoon SHIN

はじめに

本稿では, 人類史における都市化はどのように始まったのか。その過程をヨーロッパの事象について概観するとともに, 都市化によるさまざまな疾病の出現, またストレス痕の農村部との比較などから, 都市化を医学的見地からどうとらえるべきかを論ずる。

1 中世ヨーロッパの都市の形成過程

ヨーロッパでは, 人々は新石器時代から小さな集落に住んでおり, 新石器時代はギリシャでは紀元前 6500 年, ヨーロッパの最北端では紀元前 2500 年に始まった。住民は作物を栽培し, 羊, 豚, 牛を放牧し, 野生動物や鳥を捕獲していた (Shennan 2018, Chapman 2020)。当時トイレや井戸はなく, 糞尿はゴミ捨て場に捨てられていた。ヨーロッパにおける田舎の村落から大規模で密集した都市人口への人口の移動 (都市化と呼ばれる) は, 青銅器時代のギリシャで始まったと考えられている。ギリシャのクレタ島に住むミノア人は, 紀元前 2500 - 1600 年までに, 町に雨水で洗い流される道路, 下水道, 排水溝, トイレのよく組織されたシステムを開発していた (Angelakis *et al.* 2005, Antoniou 2007)。これらのアイデアはその後ギリシャ全土に広がっていくことになる。ヨーロッパのほかの地域では, 鉄器時代 (紀元前 1000 年頃から) に都市化が始まっている。紀元前 6 世紀から 5 世紀にかけて, アルプスの北に都市と呼べる大きな中心地が設立された。しかし, この時点ではまだトイレは開発されていなかった。これらの都市中心部の位置は, 多くの場合, 主要道路の交差点, 川の合流点, 宗教的に重要な場所などの有利な生存戦略的な場所に立地していた (Fernández - Götz 2018)。ローマ人は, 古代ギリシャ人の都市工学の成果の多くを採用し, ヨーロッパ全土に導入していくことになる (Lintott 2000, Kershaw 2013)。ローマ帝国 (紀元前 31 年 - 西暦 476 年) のもとでは, 多くの都市の人口規模が増加した。ローマ自体は, 紀元 4 世紀頃に約 100 万人の住民がいたと考えられている (Mandich 2016)。ヨーロッパではローマ帝国が崩壊した後, 中世 (西暦約 500 - 1500 年), ルネサンス, そしてその後の産業革命時代を迎えていくのである。

過去何世紀にもわたって, 農村地域に住む人々の大多数は農業で生計を立てていた。対照的に, 都市中心部の人々の大多数は, 貿易, 製造, 行政, 教育, 宗教機関に携わっていた。1700 年代半ばの英国の産業革命とその後 1 世紀にかけて産業革命が波及したヨーロッパ地域では, 石炭火力機械の使用により製造業が大幅に拡大し, 長距離の海上移動が高速化された (Glenn 2019, Stearns 2020)。しかし, 工場での窮屈な労働環境, 機械による怪我の危険性, 大気と河川の汚染, 劣悪な住宅, 低い衛生状態, 有効とは言い難い都市整備計画, 田舎からの食料の供給, そして高い人口密度は, いくつかのしかし重要な健康被害をもたらすことになるのである。

2 都市化による疾病

中世ポーランドの巨大都市は地方行政の中心地となり, その多くは近隣にさらなる小中規模の都市を形成した。ポーランド中西部には, ポズナン, グニェズノ, オストロフ・レドニツキ, ギーツを含む 4 つの主要な集落があった (Betsinger *et al.* 2020)。中世の都市住民はおもに非農業生産に

図1　中世ヨーロッパの都市（絵画）

（https://collections.vam.ac.uk/item/O1262354/view-of-
florence-from-the-painting-rosselli-francesco/）
城壁に囲まれた都市に密集して人々は暮らしていた。

図2　中世ヨーロッパの田園地帯（絵画）

（https://collections.vam.ac.uk/item/O1262354/view-of-
florence-from-the-painting-rosselli-francesco/?carousel-
image=2015HU5361）
人口密度も低く住宅同士が離れている。

従事しており，都市中心部の機能は市場交換に依存していた。したがって，都市の構成は，各種の職業と商業，そしてそれを生業とした人々とその家族によって特徴づけられる。また，その特徴は，壁によって外部と隔離された空間的な境界を持ち，それが人口密度の増加につながったという点でも地方とは様相を異にしていた（Cesaretti *et al.* 2016）。Kozak（1997）は，封建制度の全期間（西暦9世紀から19世紀）におけるポズナン都市部と農村部のギーツの人口を分析している。彼の研究は，田舎の住民は都市住民よりも安定した寿命と高い身長を示したと結論付けた。Betsingerと DeWitte（2017）は，初期，中期，後期の都市化の段階におけるポズナンの骨格サンプルにおいて，多孔性骨症（*Osteoporosis*），クリブラ・オルビタリア，エナメル質減形成，骨膜骨髄炎などの骨格に現れるストレスマーカーの骨格への出現頻度を調査し，都市化の増加に伴って生物学的ストレスの程度を評価した。その結果は，都市化の進行に伴い死亡リスクが大幅に増加することを実証したのだった。Agnew ら（2015）は，農村部（ギーツ）と都市部（ポズナン）の人口の間で骨折パターンを比較し，農村部のサンプルではケガによる骨折と疲労骨折が著しく多いことを報告した。Krenz-Niedbała と Łukasik（2016）は，西暦10世紀から17世紀までの農村部と都市部の非成

人における気道感染症の一つである副鼻腔炎の罹患率を比較した。彼らの結果は，2つの場所の間で副鼻腔炎に有意な差がないことを示している。中世ヨーロッパの都市は，空間的，政治的，経済的，社会的条件の点で田舎の村落とは異なっており，それは農村部と都市部の住民が異なる環境ストレスにさらされていたことが反映されている（Cesaretti *et al.* 2016，Mitchell 2007）。

　中世のポーランドでは，都市人口が密集し，木造の建物（住宅，店舗，作業場）が密集して並ぶ狭い通りのネットワークの中に住んだ。家の中で暖炉が使用され，照明，調理，暖房のために薪が燃やされていたため，屋内の空気の質は健康に悪影響を及ぼしていたと考えられる。金属製錬場，皮なめし工場，洗濯場，肉屋，製麦工場，蒸し工場などの作業場は，都市における工芸品，美術品の創作をもたらす一方，木炭市場とともに煙と粉塵を発生させ，屋外の空気の質の悪化の一因となった（Chwalba 2005，Dowiat 1985，Miśkiewicz 2010，Samsonowicz 2001a・b，Tyszkiewicz 1983）。さらに，都市の居住地にはさまざまな地理的多様性を持つ人々が集まったことによって，彼ら自身がその出身地から持ち込む細菌やウイルスは潜在的に病原体の集団発生源となる可能性を持ち，地元の人々はそれらに対して免疫を獲得していなかったのである。もう一つ考えられるシナリオは，都

市中心部への移民が，ほかの場所では人生の早い段階で経験したことのない病気にさらされたということだ。これらの要因により，都市化の過程で感染症の伝播が促進した。感染症は間違いなく地域社会全体にとって危険であり，その中でも乳児や幼児の死亡リスクは高かった（Roberts and Manchester 2005, Sundman and Kjellström 2013b）。

　次にスウェーデンの事例を紹介しよう。バイキング時代（西暦 750 - 1050 年），スウェーデンでは人口が密集している地域はほとんどなく，内陸部は広大であった。10 世紀後半，バイキング時代後期から中世初期にかけて王室および宗教行政が行なわれた町シグトゥーナがスウェーデンに現われた。町の創設に関する文書が存在しないため，考古学的資料はシグトゥーナの発展の歴史や過程を理解する上で非常に重要である。1920 年代から 2016 年にかけてシグトゥーナでは 1,000 体以上の人骨が発掘され，そのうち約 850 体は考古学的背景が十分に裏付けられたものであった。シグトゥーナの都市化プロセスは，近年いくつかの研究で報告されている。現場での一般的な性別分布は男性が優位であることを示唆しており，これは都市部に住む男性がより多く，時間の経過とともに性別の不均衡が拡大することを意味する。都市では，社会階層（王から奴隷まで）や社会経済的地位に関連した異なる生物学的諸特性が見られる。都市部の人々の長距離移動，国際的な性格，ジェンダーに関連した活動や暴力などの証拠は明らかに存在した。初期の都市居住地は不衛生であると見なされ，生物考古学的分析では都市化に関連して健康状態が悪化していることが示されているシグトゥーナから出土した古人骨の古病理学的調査により，生前のさまざまな外傷と病理が明らかになった。都市環境にいくつかの都市特有の健康被害とでもいうべきものがあり，住民はそれらの影響下におかれたことは明らかだった。簡単に言えば，一部の都市住民は劣悪な衛生状態と過密状態に苦しんでいた。タウンハウスの床は土張りで，狭く，煙が立ち込めていて，じめじめしていた。糞や排泄物は玄関の外に捨てられており，寄

生虫が繁殖し，感染症が伝播しやすい環境が整っていることを示している。都市の作業場や家庭の煙からの汚染により大気スモッグが発生し，これが住民の副鼻腔の健康状態を悪化させる主な原因だったと考えられる。まさにポーランドの事例と酷似していると言えよう。さらに，シグトゥーナでは，結核とハンセン病の説得力のある症例も存在する。結核は，とくに呼吸器エアロゾルが多数の人に到達する可能性がある混雑した環境で感染が起こった場合，より容易に流行を引き起こす。シグトゥーナの骨学的結果は，ビルカおよび農場墓地に埋葬された個人と比較され，非常に興味深い（Kjellström 2020）。

　墓地からの生物人類学的証拠と行政調査記録からの歴史的証拠の両方が，中世イギリスでは田舎に住む人々の平均寿命が町に住む人々よりも長かったことを示している。平均寿命は，過去のさまざまな環境においてどの程度健康的な生活状態であったかを広範かつ総合的にに示す（Kowaleski 2014, Lewis 2003）。同様に，19 世紀から 20 世紀

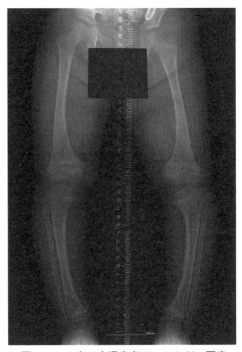

図3　クル病の小児患者のレントゲン写真
（写真提供：大田乙支大学病院金廈容教授）
四肢骨が湾曲している状況が良く示されている。

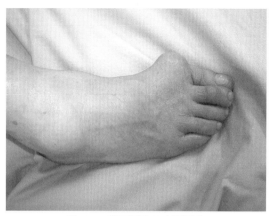
図 4-a　外反母趾の肉眼写真
（写真提供：大田乙支大学病院金廈容教授）

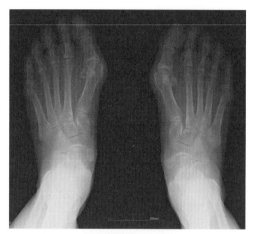
図 4-b　外反母趾のレントゲン写真
（写真提供：大田乙支大学病院金廈容教授）

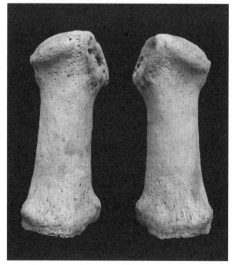
図 4-c　英国ケンブリッジの中世の個人の右足と左足
の第一中足骨（写真提供：Jenna Dittmar）

初頭のポーランド政府の記録では，ポズナン市の平均寿命がもっとも短く，小さな町では中程度，田舎の村では平均寿命がもっとも長かったことが示されている（Budnik and Liczbinska 2006）。イギリスの事例では，中世イギリスの農村部と都市部の人口における上顎洞炎の比較をした結果，都市（ヨーク）に住む人々のほうが副鼻腔炎の有病率が著しく高いことが判明した。この違いは，都市の人口密度の高さによる大気汚染，都市部の家庭での調理用たき火での石炭の使用，都市の建築用セメントを製造する石灰窯などの産業に起因するものである可能性が指摘されている（Lewis *et al.* 1995）。くる病は，小児期のビタミン D 欠乏により骨の発達が障害される病気である。ヒトは日光を皮膚で受容しビタミン D を生成しなければならないため，子供が日光にほとんどさらされない環境ではくる病が発生する可能性が高まる。1700 年代後半から 1800 年代の産業革命の間，石炭火力産業による大気汚染と，日中の工場での児童労働が重なり，くる病がより一般的になったのである。これは，手足，骨盤，肋骨の長骨の形状の変化，および骨格全体の骨の多孔性の増加などの特徴を，古人骨から知ることができる（Mays *et al.* 2006）。英国居住の 11〜17 世紀の 1154 人の骨格と，産業革命時代（18〜19 世紀）に住んでいた 4157 人の骨格を比較した大規模な研究では，骨の形状に恒久的な変化を引き起こすほど深刻であることが判明したくる病罹患率は，11 - 17 世紀の古人骨と 18 - 19 世紀の古人骨を比較した結果，0.5 % から 6 % へと 10 倍に増加したことが明らかとなった（Buckberry and Crane-Kramer 2022）。

　熟練した職人や事業主の賃金が，農業労働者に比べて高かったため，都市に住む人々は田舎に住む人々よりも収入が高い傾向にあった。考古学的記録から検出できるこの富の不一致の結果の一つは，靴のデザインの流行の変化による健康への影響に示されている。10〜13 世紀のイギリスの靴は一般に丸いつま先だったが，14 世紀にフランスから尖ったつま先を備えた靴が流行した（Fizzard 2007）。現代の患者を対象とした研究で

は，尖った靴は親指が横に傾き，外反母趾を引き起こすことが示されている（Menz *et al.* 2016）。この変形は足の親指の付け根に痛みを引き起こすだけでなく，高齢者では転倒しやすくなり，それに応じて骨折率も増加する（Mickle *et al.* 2009）。この時期にケンブリッジとその周辺に住んでいた古人骨を利用してさまざまなグループを調査したところ，ケンブリッジ郊外の農村地域に住む人々のうち，外反母趾を患っている人は全体のわずか3％であるのに対し，都市部に住む人々の10-45％が外反母趾を患っていたことが示されている。また，外反母趾のある人の骨折はそうでない人よりも有意に多く発生することも判明しており，これは転倒リスクの増加について我々の既存の知識と一致している（Dittmar *et al.* 2021）。これは，農村部と都市部の間の収入の違いと，最新のファッションへのアクセスが過去にどのように健康への悪影響をもたらしたかを浮き彫りにした一つの事例と言えよう。

3　医学的見地から中世都市住民の健康

　中世初期（西暦10〜13世紀）は，人口密集による感染症の発生率の上昇など，健康への悪影響を伴なう都市化に関して，ポーランドの歴史における大きな変革期であることを意味する。ほかの中世ヨーロッパ全般と同様，衛生レベルは低かった。ゴミ箱やチャンバーポットの中身が，路上を流れる開放下水道に捨てられたため，水は廃棄物や糞便によって汚染された。そしてトイレは主要な水道の近くに掘られることが多かった。比較的高い人口移動は，病原体への曝露の増加に寄与した（Tyszkiewicz 1983）。都市の汚染された水は，ヒトアデノウイルスの伝播の媒介となった可能性が高い。ヒトアデノウイルスは，人に影響を与えるもっとも一般的な病原体の一つであり，下水中にもっとも豊富に存在するヒトウイルス病原体の一つであり，上気道感染症を引き起こす（Bibby and Peccia 2013, Okoh *et al.* 2010）。このことが，農村部の住民と比較して都市部の住民の死亡率の上昇と生存率の低下につながった可能性があ

る（Betsinger *et al.* 2020）。

　中世のポーランドの都市部および農村部の住民からの骨格標本は，都市部の住民が農村部の住民に比べて生存率が低く，病的状態の罹患率が高かったか否かを調査する機会を提供した。これらすべての研究は，定住パターン，都市化プロセス，「健康」とそのすべての順列の間の複雑な関係を実証している（Betsinger *et al.* 2020）。生物学的ストレスのマーカー（すなわち，骨膜反応，多孔骨症，およびクリブラ・オルビタリア）を地方のギーツと都市部のポズナンの間で比較し，生存分析を使用して2つの集団の異なるパターンを評価した（Betsinger *et al.* 2020）。彼らは，都市部のサンプルは農村部のサンプルよりもストレス指標の割合が高く，生存率が低いという仮説を検証したのである。応力マーカー分析の結果は，沈下パターンと応力源との複雑な関係を反映している。ポズナンはギーツよりも骨膜反応の割合が有意に高かったが（成人男性を除くすべての場合），ギーツはクリブラ・オルビタリアと多孔骨症の割合が有意に高かった。しかし，カプラン・マイヤー法による生存曲線分析の結果は，定住パターンに基づく成人の生存率に差がないことを示した。都市部の未成年だけが農村部の未成年よりも生存率が低かったが，これはおそらく都市部の居住地を特徴付ける病原体負荷の高さが関連している可能性がある。ストレス指標は，地方ギーツと都市部ポズナンの間の2つの異なる現象を反映していると考えられた。それは，ポズナンでは病原体負荷と炎症反応が増加しており，ギーツでは潜在的な栄養上の問題である。一見矛盾しているようだが，ストレス指標の結果は，都市部のポズナンと農村部のギーツでは異なる健康リスクを示唆している。古人口学的パターンでは，都市ポズナンの非成人は地方の非成人と比べて生存率が低いが，これは都市部で病原体への曝露が増加し，感染症が蔓延しやすいことの影響である可能性がある。一方，地方のギーツの研究では，成人女性は成人男性よりも肉の摂取量が大幅に少ない可能性があり（Reitsma *et al.* 2010），その結果ビタミンB12欠乏

症（クリブラ・オルビタリアおよび多孔骨症の割合が高くなる）を引き起こした可能性が示唆された。都市民ポズナンの肉摂取量にそのような性別による肉料摂取の違いがあるという証拠は今のところ無い。農村部のギーツと都市部のポズナンにおける生物学的ストレス指標と生存率を比較すると，解釈が極めて難しい複雑な結果が得られた。

Krenz-Niedbała and Łukasik（2020）は，中世の都市部は人間の呼吸器の健康に影響を与える可能性を指摘している。これらの影響は，廃棄物の処理，下水の排出，大気循環の低下による汚染物質の除去に問題となる高い防御壁に起因する空間的制約に関連していた（Roberts 2007）。これらの研究者の疑問は，原始的都市ともいえる中世都市における空間の制約が，呼吸器疾患を引き起こすほど深刻な生活環境に影響を与えるか否かであった。この仮説を検証するために，上顎洞炎，中耳炎，肋骨病変などの呼吸器疾患の指標となりうる有病率における都市部と農村部の違いを古人骨で検証した。筆者らは，研究の中で，都市部の非成人（幼時から思春期）では農村部の非成人よりも気道感染症の症例が多いことを発見し，中世の都市中心部の発展に関連した文化的要因により，農村部の子供たちと比較して都市部の未成年の呼吸器疾患の罹患率が高かったことを明らかにした。都市化の初期段階では工芸品の生産はまだ専門化されていなかったが，城壁に制約された地域での生活は人口密度の増加により呼吸器感染症の増加を引き起こした可能性が高い。農村部と比較して初期の都市部では人口の流動性が高いことも，気道感染症を引き起こす病原体への曝露の増加に寄与した可能性がある。田舎の環境は，建築構造物の密度が低く，水質汚染が少なく，周囲の大気汚染も少ないため，呼吸器の健康への悪影響は少ない（Dowiat 1985, Miśkiewicz 2010）。中世ポーランド最大の集落は地方行政の中心地となり，その多くは近隣にさらなる集落を形成させた。ポーランド中西部には，ポズナン，グニェズノ，オストロフ・レドニツキ，ギーツを含む4つの主要な集落が存在していた（Betsinger et al. 2020）。生物考

古学的研究は，都市と農村の比較の複雑さとその発見の矛盾を実証した（Betsinger et al. 2020）。研究中の2つの骨格サンプルは異なる年代と生態学的背景に由来しているため，結果の解釈には困難が伴なう。しかし，人間の健康に対する都市化の影響に関する生物考古学的研究は，現代の変化する農村社会において，都市化されたライフスタイルが健康と幸福に与える影響についての歴史的背景を解明できる可能性があると指摘する研究もある。（Krenz-Niedbała and Łukasik 2020）。

都市部と農村部の居住パターンの主な違いは，人口密度の増加（病原体の蔓延を促進する），衛生環境の悪化，都市部における大気汚染と水質汚染の増加，都市化された町にほかの場所および国外から移住した人々によって持ち込まれる病原体への曝露の多さに関連していた。（Buko 2008, Samsonowicz 2001b, Tyszkiewicz 1983）。

さらに，地方の農耕生活から都市生活への移行に伴い，衛生とし尿の管理が課題になった。古代ギリシャでは青銅器時代にトイレが開発されていたが（Angelakis et al. 2005, Antoniou 2007），ヨーロッパの多くの地域ではローマ人によってトイレと下水道が導入されて初めて，人々が公の場所に糞便を捨てるのをやめ，ゴミエリアを形成していく。時間の経過とともに，都市化の始まりに伴う腸内寄生虫感染の変化が見られる。新石器時代や青銅器時代，鉄器時代の湖畔の村に住んでいた人々には，野生動物や魚を食べることで感染する人獣共通寄生虫と，人間による飲食物の汚染によって広がる回虫や鞭虫が糞便中に混在しているのが見られる。しかし，ローマ時代までに，そして中世まで続くと，都市部では回虫，鞭虫，赤痢（細菌性と原虫によるアメーバ赤痢）が蔓延していることが明らかとなった（Mitchell 2015, Mitchell 2017）。これは，人口密度の高さと町を流れる川の糞便汚染が，いかに主な寄生虫を非効果的な衛生設備によって蔓延させたかを示している。

しかし，人々の健康におけるある部分は，過去の都市部での健康悪化のパターンには従っていないようだ。中世デンマークの都市部と農村部にお

ける結核の有病率を比較すると，目立った違いは見られず，結核が町や村に住む人々に同様に感染したことを示唆している（Kelmelis and Pedersen 2019）。工業化期のイングランド北部の都市部と農村部の子どもたちの病気を評価したところ，同レベルの貧血と歯科疾患が示された一方，田舎の生活習慣をもつ子どもたちは低身長と呼吸器疾患の証拠がより多く示された（Gowland *et al.* 2018）。

まとめ

本稿では，都市の形成過程と都市と地方の人々の医学的見地からの健康状態の相違，またその相違の原因について論じた。

農村環境と比較して都市部の衛生上の劣悪な住宅条件に関連する要因は，農村部と比較して，彼らの健康にさらに深刻な影響を与えた可能性がある。より汚染された都市環境は，おそらく田舎の子供たちと比較して，都市部の子供たちの健康状態に大きな悪影響を及ぼしたと考えられる。田舎の子供たちはほとんどが比較的汚染されていない環境に留まり，単純な日常生活を営んでいた（Dowiat 1985，Miśkiewicz 2010，Nowakowski 2015）。

例えば，水質も都市部よりも農村部の方が良好だったと考えられる。地方では，近くの泉，川，湖から水が容易に入手できたが（Tyszkiewicz 1983），都市部の集落ではきれいな水を常に利用できるわけではなかった（Krenz-Niedbała and Łukasik 2020）。また，気道疾患は，人口増加や都市化などの多くの要因に関連している（Roberts 2007，WHO 2008）。考古学的集団では，呼吸器疾患は，一般的に地方よりも都市部でより蔓延していたことを示している（Roberts 2007，Roberts and Lewis 2002）。生物考古学的研究は，すでに中世の時代に，急性気道感染症のみならず，手工芸品の制作に伴なう，いわば慢性的ともいえる都市集落における大気汚染が人間の健康を損なったことを示している（Lewis *et al.* 1995，Roberts and Lewis 2002，Sundman and Kjellström 2013a）。ただ，都市民と農村民で感染率に有意差を示さなかった例もあることから，より多角的な検討が継続される必要がある。

このようにヨーロッパにおける都市化と疾病の関係をみると，都市化はむしろ人類にとって不利益な状況をもたらした，と考えてしまうかもしれない。しかし，都市はその後，公衆衛生学的側面からも整備が進み，大学や大病院の設立などをもたらした。都市に集まる多くの人口は，新たな生業（それは第1次産業から第3次産業までを含むが）を作り出し，文化や技術の発信地ともなったのである。そのように考えると，都市化も「進化史」ともいうべきものを持っており，過去の劣悪な環境から各種のインフラが整った現代社会とを単純に比較はできない。抗生剤を手に入れ，衛生環境が整った現代都市では，むしろ平均寿命において，都市部の方が非都市部を上回る現象も生じている。古病理学者は，常に疫学要因を把握しつつ，過去から現代にいたるヒトの古健康（paleohealth）の再構築を注意深く遂行していくことが必要だ。

引用・参考文献

Agnew, A. M., Betsinger, T. K., & Justus, H. M. (2015). Post-cranial traumatic injury patterns in two medieval polish populations: The effects of lifestyle differences. *PLoS One*, 10(6), e0129458. https://doi.org/10.1371/journal.pone.0129458.

Angelakis, A.N., Koutsoyiannis, D., Tchobanoglous, G. (2005) Urban wastewater and stormwater technologies in the ancient Greece, *Water Research* 39: 210-220.

Antoniou, G.P. (2007). Lavatories in ancient Greece, *Water Science and Technology, Water Supply* 7: 155-164.

Betsinger, T. K., & DeWitte, S. (2017). Trends in mortality and biological stress in a medieval polish urban population. *International Journal of Paleopathology*, 19, 24–36. https://doi.org/10.1016/j.ijpp.2017.08.008.

Betsinger, T.K., DeWitte, S.N., Justus, H.M., Agnew, A.M. (2020). Frailty, Survivorship, and Stress in Medieval Poland: A Comparison of Urban and Rural Populations. In: Betsinger, T.K., DeWitte, S.N. (eds) The Bioarchaeology of Urbanization. Bioarchaeology and Social Theory. Springer, Cham. https://doi.org/10.1007/978-3-030-53417-2_9

Bibby, K., & Peccia, J. (2013). Prevalence of respiratory adenovirus species B and C in sewage sludge. *Environmental Science: Processes & Impacts*, 15(2), 336–338. https://doi.org/10.1039/c2em30831b.

Buckberry, J., Crane-Kramer, G. (2022). The dark satanic mills: Evaluating patterns of health in England during the industrial revolution. *International Journal of Paleopathology* 39: 93-108.

Budnik, A., Liczinska, G. (2006). Urban and rural differences in mortality and causes of death in historical Poland. *American Journal of Physical Anthropology* 129: 294-304.

Buko, A. (2008). The archaeology of early medieval Poland: Discoveries–Hypotheses–Interpretations. Leiden: Brill.

Cesaretti, R., Lobo, J., Bettencourt, L. M. A., Ortman, S. G., Smith, M. E., & Rozenblat, C. (2016). Population-area relationship for Medieval European cities. *PLoS One*, 11(10), e0162678.

Chapman, J. (2020). *Forging Identities in the Prehistory of Old Europe: Dividuals, Individuals and Communities, 7000-3000 BC*. Leiden: Sidestone Press.

Chwalba, A. (2005). Obyczaje w Polsce: od średniowiecza do czasów współczesnych. Warszawa: Wydawnictwo Naukowe PWN.

Crabtree, P. J. (2000). Medieval archaeology: An encyclopedia. New York: Garland.

Dittmar, J.M., Mitchell, P.D., Cessford, C., Inskip, S.A., Robb, J.E. (2021). Fancy shoes and painful feet: Hallux valgus and fracture risk in medieval Cambridge, England. *International Journal of Paleopathology* 35: 90-100.

Dowiat, J. (1985). Kultura Polski średniowiecznej X-XIII w. Warszawa: Państwowy Instytut Wydawniczy.

Ewert, U. C. (2007). Water, public hygiene and fre control in medieval towns: Facing collective goods problems while ensuring the quality of life. *Historical Social Research*, 32(4), 222–251.

Fernández-Götz, M. (2018). Urbanization in Iron Age Europe: Trajectories, patterns and social dynamics. *Journal of Archaeological Research* 26: 117-162.

Fizzard, A.D. (2007). Shoes, boots, leggings and cloaks: the Augustinian Canons and dress in later medieval England. *Journal of British Studies* 46: 245-262.

Gamble, J.A. (2020). The Bioarchaeology of Urbanization in Denmark. In: Betsinger, T.K., DeWitte, S.N. (eds) The Bioarchaeology of Urbanization. Bioarchaeology and Social Theory. Springer, Cham. https://doi.org/10.1007/978-3-030-53417-2_8

Glenn, R. (2019). *Urban Workers in the Early Industrial Revolution*. London: Routledge.

Gowland, R.L., Cafell, A., Newman, S., Levene, A., Holst, M. (2018). Broken childhoods: rural and urban non-adult health during the industrial revolution in northern England (Eighteenth-Nineteenth centuries). *Bioarchaeology International* 2: 44-62.

Kaupová, S., Brůžek, J., Velemínský, P., & Černíková, A. (2013). Urban-rural differences in stature in the population of medieval Bohemia. *Anthropologischer Anzeiger*, 70(1), 43–55. https://doi.org/10.1127/0003-5548/2012/0276.

Kaupová, S., Herrscher, E., Velemínský, P., Cabut, S., Poláček, L., & Brůžek, J. (2014). Urban and rural infant-feeding practices and health in early medieval Central Europe (9th–10th Century, Czech Republic). *American Journal of Physical Anthropology*, 155(4), 635–651. https://doi.org/10.1002/ajpa.22620.

Kelmelis, K.S., Pedersen, D.D. (2019). Impact of urbanization on tuberculosis and leprosy prevalence in medieval Denmark. *Anthropolischer Anzeiger* 76: 149-166.

Kershaw, S. (2013). *A Brief History of the Roman Empire*. London: Robinson

Kjellström, A. (2020). Bioarchaeological Aspects of the Early Stage of Urbanization in Sigtuna, Sweden. In: Betsinger, T.K., DeWitte, S.N. (eds) The Bioarchaeology of Urbanization. Bioarchaeology and Social Theory. Springer, Cham. https://doi.org/10.1007/978-3-030-53417-2_6

Kowaleski, (2014). Medieval people in town and country: perspectives from demo-graphy and bioarchaeology. *Speculum* 89: 573-600.

Kozak, J. (1997). Mortality structure of adult individuals in Poland in the feudal period. *Variability and Evolution*, 6, 81–91.

Krenz-Niedbała, M., & Łukasik, S. (2016). Prevalence of chronic maxillary sinusitis in children from rural and urban skeletal populations in Poland. *International Journal of Paleopathology*, 15, 103–112. https://doi.org/10.1016/j.ijpp.2016.10.003.

Krenz-Niedbała, M., Łukasik, S. (2020). Urban-Rural Differences in Respiratory Tract Infections in Medieval and Early Modern Polish Subadult Samples. In: Betsinger, T.K., DeWitte, S.N. (eds) The Bioarchaeology of Urbanization. Bioarchaeology and Social Theory. Springer, Cham. https://doi.org/10.1007/978-3-030-53417-2_10

Lewis, M. E., Roberts, C. A., & Manchester, K. (1995). Comparative study of the prevalence of maxillary sinusitis in later Medieval urban and rural populations in northern England. *American Journal of Physical Anthropology*, 98(4), 497–506. https://doi.org/10.1002/ajpa.1330980409.

Lintott, A. (2000). *The Roman Republic*. Stroud: Sutton.

Mandich, M.J. (2016). Urban scaling and the growth of Rome. *Theoretical Roman Archaeology Journal* 2015: 188-203.

Mays, S., Brickley, M., Ives, R. (2006). Skeletal manifestations of rickets in infants and young children in a historic population from England. *American Journal of Physical Anthropology* 129: 362-374.

Menz, H.B., Roddy, E., Marshall, M., Thomas, M.J., Rathod, T., Peat, G.M., Croft, P.R. (2016). Epidemiology of shoe wearing patterns over time in older women: associations with foot pain and hallux valgus. *Journal of Gerontology series A* 71: 1682-1687.

Miśkiewicz, M. (2010). Życie codzienne mieszkańców ziem polskich we wczesnym średniowieczu. Warszawa: Wydawnictwo Trio.

Mickle, K.J., Munro, B.J., Lord, S.R., Menz, H.B., Steele, J.R. (2009). Toe Weakness and deformity increase the risk of falls in older people. *Clinical Biomechanics* 24: 787-791.

Mitchell, L. E. (2007). Family life in the Middle Ages. Westport: Greenwood Press.

Mitchell, P.D. (2015). Human parasites in medieval Europe: lifestyle, sanitation and medical treatment. *Advances in Parasitology* 90: 389-420.

Mitchell, P.D. (2017). Human parasites in the Roman world: health consequences of conquering an empire. *Parasitology* 144: 48-58.

Nowakowski, P. (2015). Architektura i ergonomia kuchni domowych na tle ewolucji zwyczajów kulinarnych. Wrocław: Ofcyna Wydawnicza Politechniki Wrocławskiej.

Okoh, A. I., Sibanda, T., & Gusha, S. S. (2010). Inadequately treated wastewater as a source of human enteric viruses in the environment. *International Journal of Environmental Research and Public Health*, 7(6), 2620–2637.

Redfern, R. C., DeWitte, S. N., Pearce, J., Hamlin, C., & Dinwiddy, K. E. (2015). Urban-rural differences in Roman Dorset, England: A bioarchaeological perspective on Roman settlements. *American Journal of Physical Anthropology*, 157(1), 107–120. https://doi.org/10.1002/ajpa.22693.

Reitsma, L. J., Crews, D. E., & Polcyn, M. (2010). Preliminary evidence for medieval polish diet from carbon and nitrogen stable isotopes. *Journal of Archaeological Science*, 37(7), 1413–1423. https://doi.org/10.1016/j.jas.2010.01.001.

Ribot, I., & Roberts, C. (1996). A study of non-specifc stress indicators and skeletal growth in two Mediaeval subadult populations. *Journal of Archaeological Science*, 23(1), 67–79.

Roberts, C. A. (2007). A bioarcheological study of maxillary sinusitis. *American Journal of Physical Anthropology*, 133(2), 792–807. https://doi.org/10.1002/ajpa.20601.

Roberts, C. A., & Cox, M. (2003). Health and disease in Britain: From prehistory to the present day. Stroud: Sutton Publishing Ltd.

Roberts, C. A., & Lewis, M. (2002). Ecology and infectious disease in Britain from prehistory to the present: The case of respiratory infection. In P. Bennike, E. Bodzsar, & C. Susanne (Eds.), Ecological aspects of past human settlements in Europe (pp. 179–192). Budapest: Eotvos University Press.

Roberts, C. A., & Manchester, K. (2005). The archaeology of disease. Stroud: The History Press.

Samsonowicz, H. (2001a). Złota jesień polskiego średniowiecza. Poznań: Wydawnictwo Poznańskie.

Samsonowicz, H. (2001b). Życie miasta średniowiecznego. Poznań: Wydawnictwo Poznańskie.

Shennan, S. (2018) *The First Farmers of Europe: An Evolutionary Perspective*. Cambridge: Cambridge University Press.

Stearns, P.N. (2020) *The Industrial Revolution in World History*. London: Routledge

Steckel, R. H., & Rose, J. C. (2002). The backbone of history: Health and nutrition in the Western Hemisphere.

New York: Cambridge University Press.

Sundman, E. A., & Kjellström, A. (2013a). Signs of sinusitis in times of urbanization in Viking age-early medieval Sweden. *Journal of Archaeological Science*, 40(12), 4457–4465. https://doi.org/10.1016/j.jas.2013.06.010.

Sundman, E. A., & Kjellström, A. (2013b). Chronic maxillary sinusitis in medieval Sigtuna, Sweden: A study of sinus health and effects of preservation. *International Journal of Osteoarchaeology*, 23(4), 447-458.

Tyszkiewicz, J. (1983). Ludzie i przyroda w Polsce średniowiecznej. Warszawa: Państwowe Wydawnictwo Naukowe.

Walter, B. S., & DeWitte, S. N. (2016). Urban and rural mortality and survival in Medieval England. *Annals of Human Biology*, 44(4), 338–348. https://doi.org/10.1080/03014460.2016.1275792.

WHO. (2008). Practical approach to lung health: Manual on initiating PAL implementation. Geneva : WHO.

日本における産業化と都市化が健康に与えた影響
—生物考古学の視点—

長岡朋人
Tomohito NAGAOKA

1 序論

日本では 1185 年から 1867 年にかけて武士による封建社会が築かれた。江戸時代（1603〜1867）は軍事政権下であるものの平和で経済的な発展があった時代である。封建制度が崩壊後，明治時代（1868〜1912）には産業革命が起こり，殖産興業や富国強兵を目的に著しい経済発展を遂げた。電報，鉄道，郵便制度，力織機などが日本に導入され，文明開化がスローガンとされた。この時期の産業の発展は技術革新や産業構造の変化を伴うものであり，明治維新と呼ばれる。しかし，産業の発達が人々の生活や健康に与えた影響については分かっていない。その理由は，産業革命の黎明期の健康状態の調査は江戸時代や 20 世紀以後と比較して少ないからである。

本研究は，古人骨の死亡年齢分布の分析から，近代以前の日本の産業化や都市化が人々の健康状態に与えた影響を明らかにすることである。中世（1185〜1573），江戸時代（1603〜1867），明治時代（1868〜1912）の古人骨を対象に，死亡年齢分布の時代変化を明らかにすることで，産業化や都市化と人々の健康状態の相関関係を明らかにしたい。

寿命は健康の指標であり，寿命が延びることは過去の生活環境の改善が関係している。国勢調査によると，日本人の平均寿命が 50 歳を超えるようになったのは 1947 年であり，2020 年には 80 歳を超えるようになったのは私たちの身近な例である。本研究は産業化や都市化が人々の健康状態に与えた影響を調べるために死亡年齢構成を調査することとする。古人骨から平均寿命を求めるのは静止人口を仮定するなどの様々な前提が必要であるため，死亡年齢構成を用いた。

なお，本稿は著者が国際古病理学雑誌に掲載した論文の解説である[1]。詳しくはそちらを参照されたい。

2 仮説

産業化が生活環境に与えた影響は単純ではない。産業化が人々の死亡率や身長の改善に寄与するためにはマクロ経済学的な成長が公衆衛生，医療サービスに投資される場合に限る[2]。ここで，本研究の仮説は日本の産業化や都市化が人々の生活環境を悪化させたということである。もしこの

表 1　資料

集団	地域	時代	年代	遺跡・由来	個体数				所蔵
					男性	女性	不明	全体	
由比ヶ浜南	鎌倉	中世	14 世紀	由比ヶ浜南	81	74	11	166	聖マリアンナ医科大学
一橋高校	東京	江戸	17 世紀	都立一橋高校地点	64	31	4	99	聖マリアンナ医科大学
八丁堀	東京	江戸	17 世紀	八丁堀三丁目	24	7	0	31	国立科学博物館
崇源寺	東京	江戸	18〜19 世紀	崇源寺・正見寺跡等	81	41	0	122	国立科学博物館
米倉山	山梨	江戸	17〜19 世紀	米倉山 B	41	39	10	90	聖マリアンナ医科大学
久米島	沖縄	江戸	17〜19 世紀	ヤッチのガマ，カンジン原	115	105	1	221	沖縄県立埋蔵文化財センター
明治	京都	明治	19 世紀後半〜20 世紀初頭	解剖遺体	111	41	0	152	京都大学
合計					517	338	26	881	

仮説が正しければ，江戸時代の都市部や産業化が進んだ明治時代の若年の個体数の割合が多くなることになる。

3　資料

本研究の資料は15歳以上の881体の古人骨である。中世（166体），江戸時代（563体），明治時代（152体）の資料である（表1）。本研究の資料に14歳以下の未成人を含めなかった理由は，子どもの骨は小さくて壊れやすく，死亡年齢構成を復元するときに未成人骨を過小評価する可能性があるためである。

中世の資料（166体）は鎌倉市の由比ヶ浜南遺跡から出土した人骨である。鎌倉市は鎌倉幕府が置かれていた政治や経済の中心である。鎌倉市では武士はやぐらに埋葬されることが多いため，由比ヶ浜海岸から出土した本資料は庶民に属するものと推察される。由比ヶ浜南遺跡は13〜14世紀に属する遺跡である[1]。

江戸時代の資料はいくつかの地域から出土した人骨である。江戸時代は江戸に幕府が置かれ，社会が階層化されていた時代である。都立一橋高校地点遺跡（一橋高校と略す）は東京都に位置し，17世紀後半に属する。高頻度のエナメル質減形成やクリブラオルビタリアから，当時の都市江戸の住民は劣悪な栄養環境のもとで生活していたと考えられた[1]。東京都の八丁堀三丁目遺跡（八丁堀と略す）は16世紀後半から17世紀半ばの遺跡である。17世紀前半までは江戸時代の社会階層が確立していなかったことから社会階層は不明である。江戸時代後半（18〜19世紀）の都市部の資料は東京都の崇源寺・正見寺跡などの複数の遺跡（崇源寺と略す）のものである[1]。江戸時代後半では，墓の位置，墓地の特徴，副葬品と社会階層には相関があることから，本資料は武士と庶民が含まれていると推測される[1]。

米倉山B遺跡（米倉山と略す）は山梨県甲府市の農村部に位置する。人骨は17世紀から18世紀にさかのぼるものであり，出土地点から農村部の人々であると推測される[1]。一方，久米島の資料は，沖縄県久米島のヤッチのガマやカンジン原から出土した17世紀から19世紀の人骨である。沖縄本島から100kmほど西に位置する。出土人骨は遺跡の近くに住んでいた稲作を生業としていた人々である[1]。

江戸時代の資料は都市部と農村部の人々を含んでおり，前者は一橋高校，八丁堀，崇源寺，後者は米倉山と久米島である。全体で563体である。

明治時代は産業化が進んだ時期である。明治時代の標本は江戸時代末期から明治時代に生まれた人々の遺骨であり，その由来は解剖遺体である[1]。

4　方法

古人骨の死亡年齢推定をするときに，骨の加齢変化はどの時代においても同じ変化をたどることを前提とした[3][4][5][6]。

対象としたのは15歳以上の個体であり，腸骨耳状面（バックベリー[7]の方法とラブジョイ[8]の方法）と恥骨結合面（スーシー[9]の方法）から死亡年齢分布の推定を行った。まず，古人骨の死亡年齢の推定は，個体ごとの腸骨耳状面や恥骨結合面の年齢指標段階（以後骨年齢段階とする）を求めた。次に，集団における骨年齢段階の個体数分布の集計を行い，その分布を遺跡間で比較を行った。

八丁堀と崇源寺の資料はラブジョイ[8]の方法とスーシー[9]の方法のみで分析されていた。また，米倉山は恥骨の保存状態が悪いため，スーシー[9]の方法の分析はできなかった。

古人口学において，未成人骨を過小評価するという資料の残存度における問題以外に，成人の死亡年齢推定法にも問題がある。成人を対象にした分析では若年個体を実際よりも多く見積もり，老年個体を過小評価するという問題が指摘されている[3][4][6][10]。老年個体の少なさについて，かつては古代社会における生活環境の厳しさが原因であると解釈されたが，この問題は時代や地域を問わずに古人骨集団全体に共通する問題である。その解決を目指して，古人口学者はロストック・マニフェストを提言し，ベイズ推定を用いることで解決を試みた[5]。従来の死亡年齢推定法の問題は年齢段

階と推定年齢を1対1で対応させていたため，高齢者の形態的特徴を兼ね備えた典型個体だけが老年であると推定されたが，ベイズ推定を行うことで骨年齢段階と年齢を確率分布で示すことができる。死亡年齢推定にベイズ推定を用いた先駆的研究が腸骨耳状面を用いたバックベリー[7]の方法である。バックベリー[7]はラブジョイ[8]の方法を改良し，腸骨耳状面の横線，テクスチャー，小孔，大孔，骨棘の状態を点数化し，7段階に分けた。その後，イギリスの年齢既知の標本を参照標本に，ベイズ推定を用いて死亡年齢分布を求めたのである[7]。

本研究はバックベリー[7]の方法を応用し，現代日本人の参照標本を用いて，日本の古人骨の人口構造の復元を行った。ベイズ推定を行うときに，前提となる事前確率は均一分布とモデル生命表分布（$e_0 = 20$ と $e_0 = 50$）[11]を用いた。本研究では，ベイズ推定を古人骨標本に応用し，複数の事前確率（均一分布とモデル生命表分布）により，若年（15～34歳），中年（35～54歳），老年（55歳以上）に分けた。

一方，ラブジョイ[8]の方法はバックベリー[7]の方法と同様に腸骨耳状面を用いた従来の死亡年齢推定法である。腸骨耳状面の横線，テクスチャー，小孔，大孔，骨棘の状態を総合的に判断し，骨年齢段階を8段階に分けて，20～24歳，25～29歳，30～34歳，35～39歳，40～44歳，45～49歳，50～59歳，60歳以上に対応させた。しかし，後の検証論文では年齢推定の幅が狭く，的中したのはわずか33％であるという結果が得られた[12]。本研究では，段階1～3を若年，段階4～7を中年，段階7～8を老年とした。段階7については中年と老年にわたるためその個体数を半分は中年，半分は老年に振り分けた。

スーシー[9]の方法は恥骨結合面の骨年齢段階を用いた死亡年齢推定法である。恥骨結合面の横線，骨塊，縁の形成，骨棘を総合的に判断し，6段階に分けたものである。日本人を資料に検証をした研究[13]では，ステージ1からステージ6までの平均年齢は，男性では19.0歳，25.3歳，28.1

歳，32.8歳，46.4歳，58.4歳，女性では18.4歳，23.5歳，32.7歳，36.2歳，48.1歳，59.9歳であった。本研究ではステージ1～4を若年，ステージ5を中年，ステージ6を老年とした。

各手法で算出した年齢段階分布を集団間で検定する方法は，ボンフェローニ補正を用いたフィッシャーの直接確率検定である。

5 結果

表2と図1～3は，中世から明治時代の各集団におけるバックベリー[7]の7段階，ラブジョイ[8]の8段階，スーシー[9]の6段階の個体数分布を示したものである。表3はフィッシャーの直接確率検定の結果である。バックベリー[7]の方法では次の結果が得られた。すなわち，（1）中世人は農村部の江戸時代人に比べて骨年齢段階が低い個体が多かった。（2）明治時代人は中世人や江戸時代人と比べて骨年齢段階が低い個体が多かった。（3）都市部の江戸時代人は農村部に比べて骨年齢

表2　腸骨耳状面と恥骨結合面を用いた死亡年齢推定法による骨年齢段階の個体数分布

段階	由比ヶ浜南	一橋高校	八丁堀	崇源寺	米倉山	久米島	明治
バックベリーの死亡年齢推定法							
段階1	18	6			0	7	9
段階2	25	5			7	18	27
段階3	23	14			7	28	44
段階4	35	31			15	57	42
段階5	37	28			25	53	18
段階6	19	11			21	35	8
段階7	9	4			15	23	2
合計	166	99			90	221	150
ラブジョイの死亡年齢推定法							
段階1	42	16	6	14	6	25	32
段階2	24	14	1	5	6	26	34
段階3	20	10	4	24	8	33	30
段階4	24	15	5	20	13	37	34
段階5	26	16	4	32	17	31	15
段階6	20	12	11	23	17	34	3
段階7	7	9	0	4	11	25	1
段階8	3	7	0	0	12	10	1
合計	166	99	31	122	90	221	150
スーシーの死亡年齢推定法							
段階1	18	6		14	2	19	23
段階2	4	1	1	4	0	3	13
段階3	7	9	1	19	1	6	27
段階4	21	11	9	26	3	49	44
段階5	15	18	12	58	7	37	35
段階6	11	22	2	1	2	46	10
合計	76	67	31	122	15	160	152

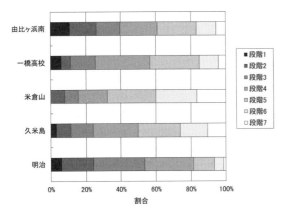

図1 腸骨耳状面を用いたバックベリーの死亡年齢
推定法による骨年齢段階の個体数分布

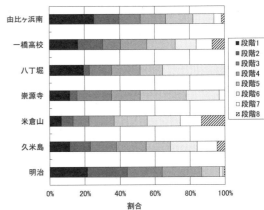

図2 腸骨耳状面を用いたラブジョイの死亡年齢
推定法による骨年齢段階の個体数分布

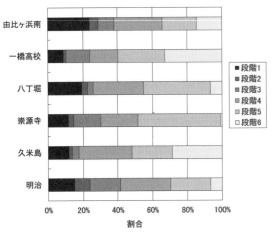

図3 恥骨結合面を用いたスーシーの死亡年齢
推定法による骨年齢段階の個体数分布

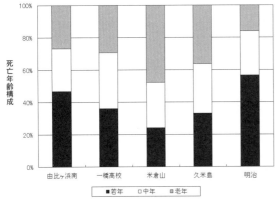

図4. バックベリーの死亡年齢推定法とベイズ推定に
よる死亡年齢構成の復元（参照標本は日本人である）

表3 表2の骨年齢段階の個体数分布に関する
フィッシャーの直接確率検定

バックベリーの死亡年齢推定法

	由比ヶ浜南	一橋高校	米倉山	久米島		
一橋高校	ns					
米倉山	**	**				
久米島	**	ns	**			
明治	*	**	**	**		

ラブジョイの死亡年齢推定法

	由比ヶ浜南	一橋高校	八丁堀	崇源寺	米倉山	久米島
一橋高校	ns					
八丁堀	ns	*				
崇源寺	**	**	ns			
米倉山	**	ns	*	**		
久米島	**	ns	*	**	ns	
明治	**	**	**	**	**	**

スーシーの死亡年齢推定法

	由比ヶ浜南	一橋高校	八丁堀	崇源寺	久米島	
一橋高校	**					
八丁堀	ns	**				
崇源寺	**	**	ns			
久米島	**	*	*	**		
明治	ns	**	ns	**	**	

ns: 有意差なし *:P<0.05; **: P<0.01

表4 バックベリーの死亡年齢推定法とベイズ推定
による死亡年齢構成の復元

事前確率	由比ヶ浜南	一橋高校	米倉山	久米島	明治
均一分布					
若年	0.467	0.361	0.241	0.331	0.566
中年	0.264	0.346	0.281	0.306	0.273
老年	0.268	0.294	0.478	0.364	0.161
モデル生命表, $e_0=20$					
若年	0.470	0.364	0.243	0.333	0.571
中年	0.249	0.327	0.263	0.288	0.259
老年	0.281	0.309	0.494	0.379	0.171
モデル生命表, $e_0=50$					
若年	0.383	0.253	0.163	0.237	0.460
中年	0.167	0.218	0.156	0.188	0.202
老年	0.451	0.529	0.681	0.575	0.338

参照標本は日本人である。

段階が低い個体が多かった。次に，ラブジョイ[8]の方法では，(1) 都市部の江戸時代人は農村部に比べて骨年齢段階が低い個体が多かった。(2) 明治時代人は中世人と比べて骨年齢段階が低い個体が多かった。第3に，スーシー[9]の方法では，(1) 都市部の江戸時代人は農村部に比べて骨年齢段階が低い個体が多かった。(2) 明治時代人は都市部・農村部の江戸時代人と比べて骨年齢段階が低い個体が多かった。

以上，江戸時代人では都市部が農村部よりも短命傾向があり，明治時代人はいずれの時代よりも短命傾向があることが明らかになった。

表4と図4はバックベリー[7]の方法とベイズ推定によって算出した各集団の死亡年齢構成である。ベイズ推定の前提となる事前確率によって死亡年齢構成は大きく変動する。死亡率が低いモデル生命表（$e_0 = 50$）による事前確率を用いた死亡年齢構成は，均一分布や死亡率が高いモデル生命表（$e_0 = 20$）による事前確率を用いた死亡年齢構成と比べて老年個体の割合が高かった。しかし，いずれの事前確率によっても一貫した結果が得られた。すなわち，(1) 中世から江戸時代にかけて若年個体の割合は減ったが，江戸時代から明治時代にかけてその割合は増えた。(2) 明治時代では中世や江戸時代と比べて若年個体の割合が高かった。(3) 江戸時代の都市部では農村部と比べて若年個体の割合が高かった。

6 考察

(1) 明治時代の短命傾向

古人骨から成人の死亡年齢構成を復元する問題点は，25〜45歳の個体数の過大評価と60歳以上の個体の過小評価である[3,4,6,10]。古人骨では老年の個体が皆無である場合が多く，歴史人口学やモデル生命表で推定される人口構造と大きく異なっているという[3,4,6,10]。この問題点はベイズ推定による解決が試みられてきた[5,14]。著者[15]は，バックベリー[7]の方法とベイズ推定によって，古人骨集団においても老年個体が含まれることを示したが，老年個体の割合は事前確率や参照標本によっ

て大きく変動するという問題点を指摘した。これは古人口学的研究の限界である。一方で，古代人の死亡年齢構成の現実は検証しようがないものの，本研究では方法論に問わず一貫した成果が得られている。すなわち，日本人は中世以降，明治時代で最も短命であるという点と江戸時代の都市部では農村部よりも短命であるという点である。

この結果は日本人の身長の時代的な変化を明らかにした平本[16]の研究と矛盾しない。古人骨から身長を推定した平本[16]の研究は，明治時代（男性155.3cm，女性144.8cm）が日本人の身長の中でも最も低身長であることを示した。身長は栄養状態の指標であり，それが明治時代でもっとも低身長であった。これは本研究で得られた結果と矛盾しない。明治時代の短命傾向は3つの異なる年齢指標やベイズ推定の結果でも一貫しており，これらの結果は明治時代における劣悪な生活環境を示唆する証拠である。しかし，ここで留意しておかなければいけないことは，明治時代の人骨資料は医学部での解剖遺体に基づくものであり，その時代を代表しているかという問題である。

1891〜1898年の第1回国勢調査による明治時代の平均寿命は男性で35.3歳，女性で35.9歳である[17]。一方，宗門改帳に基づく江戸時代（19世紀初頭）の平均寿命は男性36.8歳，女性36.5歳である[18]。次に，15歳時点での平均余命を比較すると，明治時代では男性41.6歳，女性42.4歳である一方[17]，江戸時代では男性43.9歳，女性45.0歳である[18]。すなわち，江戸時代から明治時代にかけて日本人が短命化していることが分かる。したがって，本研究で得られた結果は，歴史人口学や国勢調査による調査結果とも一致しているため，明治時代の短命化は妥当な結果であると推察される。本研究の資料が明治時代の日本人を代表するかどうかは分からないものの，現時点では当時の健康状態を反映する資料であると結論付けることができる。

(2) 産業革命と健康状態の関係

興味深いことに，産業化が身長の低下を導いたのはイギリス，アメリカ，ドイツにおいても

確認されており，いずれも産業革命の黎明期に起きた[19]。これは産業化に伴う都市の人口集中，未知の病気への曝露，環境汚染が契機であり，欧米のみならず日本でも当てはまるということになる。

ここで，産業化や都市化はどのように日本人の健康状態を悪化させたのであろうか。力織機が1880年代にイギリスから輸入されたことが日本の産業革命の始まりであるが，日本の産業化の始まりは江戸時代の流通網の発達や問屋制家内工業の導入までさかのぼることができる[20]。明治時代の短命傾向の直接の原因であるかは分からないものの，明治時代には移動性の増大により頻繁に感染症の流行が見られたという[21]。繊維産業に従事する女工の劣悪な生活環境を取り上げるまでもなく，農村部から都市部への労働力の移動によって，感染の機会が少ない人々へも結核が広がる契機となった[22]。明治時代は日本の産業革命の始まりでありながら，西洋化した医学の導入や発展は庶民の生活環境の改善には貢献せず，産業革命はむしろ人々の健康を悪化させていった。19世紀末に行われた国勢調査から分かるのは，出生率は高くなったものの乳幼児死亡率が高く，平均寿命は短いということである[23]。高い出生率と低い平均寿命の関係は産業革命が進んだ明治時代においても生活環境が劣悪であるということを示すものである。それゆえに明治時代において若年個体の死亡率の高さと低身長が現れたと推察することができる。

(3) 都市部と農村部の比較

本研究で明らかになったもう一つ重要な知見は都市部と農村部の地域差である。江戸時代において，若年個体の割合が農村部と比べて都市部で高かった。これは歴史人口学の都市蟻地獄説と一致する結果である[24]。都市蟻地獄説は，農村部から都市部へ人口が流れる一方で，都市部の死亡率が農村部より高く，それがあたかも蟻地獄のように農村部からヒトを引き寄せていると譬えた説である[24]。医史学では，江戸の都市部では天然痘，赤痢，チフス，梅毒，コレラ等が流行していたと

いう[25]。産業革命の黎明期は都市部のほうが農村部よりも死亡率が高く，この傾向は江戸時代から続いてきたが，1920年代になると都市部における公衆衛生や医療の発達の影響が見られるようになった[20]。劣悪な生活環境は江戸時代から明治時代まで連続していることから，明治時代においても農村部から都市部（東京，大阪，京都）にヒトが移動することで都市部の高い死亡率を補っていたことを想定することができる。産業革命黎明期には産業化や都市化は人々の健康状態を悪化させたことが示唆され，1920年代以降と様相を異にする。

以上，明治時代の産業化や都市化が人々の生活環境を悪化させたという本研究の仮説は成立することが明らかになった。

謝辞 イギリス・ブラッドフォード大学Jo Buckberry博士には本研究のお力添えを賜りました。金沢大学藤田尚博士には本稿の執筆の機会をいただきました。深く御礼を申し上げます。

参考文献

1) Nagaoka, T., Nakayama, N., 2021. Influences of industrial development and urbanization on human lives in premodern Japan: views from paleodemography. *Int. J. Paleopathol.* 33, 103-112.

2) Tang, P., 2015. The engine and the reaper: the impact of industrialization on mortality in Early Modern Japan. RCESR Discussion Paper Series DP15-10, Research Center for Economic and Social Risks, Institute of Economic Research, Hitotsubashi University.

3) Weiss, K.M., 1973. Demographic models for anthropology. *Memoirs of the Society for American Archaeology* 27. Am. Antiq. 38, part 2.

4) Howell, N., 1976. Toward a uniformitarian theory of human palaeodemography. *J. Hum. Evol.* 5, 25-40.

5) Hoppa, R.D., 2002. Paleodemography: looking back and thinking ahead, in: Hoppa, R.D., Vaupel J.W. (Eds.), Paleodemography: Age Distributions from Skeletal Samples. Cambridge University Press, Cambridge, pp. 9-28.

6) Chamberlain, A., 2006. Demography in Archaeology. Cambridge University Press, Cambridge, pp. 81-132.

7）　Buckberry, J.L., Chamberlain, A.T., 2002. Age estimation from the auricular surface of the ilium: A revised method. Am. J. Phys. Anthropol. 119, 231-239.

8）　Lovejoy, C.O., Meindl, R.S., Pryzbeck, T.R., Mensforth, R.P., 1985. Chronological metamorphosis of the auricular surface of the illium: a new method of determining adult age at death. *Am. J. Phys. Anthropol.* 68, 15-28.

9）　Brooks, S., Suchey, J.M., 1990. Skeletal age determination based on the os pubis: A comparison of the Acsádi-Nemeskéri and Suchey-Brooks methods. *Hum. Evol.* 5, 227–238.

10）　Storey, R., 2007. An elusive paleodemography? A comparison of two methods for estimating the adult age distribution of deaths at late Classic Copan, Honduras. Am. J. Phys. Anthropol. 132, 40-47.

11）　Coale, A.J., Demeny, R., 1983. Regional Model Life Tables and Stable Populations, second ed. Princeton University Press, Princeton.

12）　Osborne, D. L., Simmons, T. L., Nawrocki, S. P., 2004. Reconsidering the auricular surface as an indcator of age at death. *J. Forensic Sci.* 49: 905-911.

13）　Sakaue, K., 2006. Application of the Suchey-Brooks system of pubic age estimation to recent Japanese skeletal material. *Anthropol. Sci.* 114, 59-64.

14）　Konigsberg, L.W., Frankenberg, S.R., 1992. Estimation of age structure in anthropological demography. *Am. J. Phys. Anthropol.* 89, 235-256.

15）　Nagaoka, T., Ishida, H., Shimoda, Y., Sunagawa, Y., Amano, T., Ono, H., Hirata, K., 2012. Estimation of skeletal adult age distribution of Okhotsk people in northern Japan. *Anthropol. Sci.* 120, 103-113.

16）　平本嘉助「縄文時代から現代に至る関東地方人身長の時代的変化」『人類学雑誌』80, 1972, 221-236.

17）　水島治夫「わが国初期（統計局第1〜4回）生命表の改作」『民族衛生』28，1962，64 - 74

18）　Kobayashi K., 1956. On the expectation of life in the late Tokugawa period. *J. Anthropol. Soc. Nippon.* 65, 32–43.

19）　Steckel, R.H., Floud, R., 1997. Conclusions, in: Steckel, R.H., Floud, R. (Eds.), Health and welfare during industrialization. National Bureau of Economic Research, Chicago, pp. 423-449.

20）　Honda, G., 1997. Differential structure, differential health: industrialization in Japan, 1868–1940, in: Steckel, R.H., Floud, R. (Eds.), Health and Welfare During Industrialization. National Bureau of Economic Research, Chicago, pp. 251-284.

21）　酒井シズ『病が語る日本史』講談社，2002

22）　青木國雄「女性の結核の消長とその要因」『結核』70，1995，483 - 490

23）　高橋眞一「明治前期の地域人口動態と人口移動」『国民経済雑誌』194，2006，31 - 46

24）　鬼頭　宏『人口から読む日本の歴史』講談社，2000

25）　富士川游『日本疾病史』平凡社，1969

第2章　韓半島・日本列島の都市化と疾病
最新の発掘調査で明らかになった古代韓国の都市の発展と都市民の生活

李 陽洙・申 東勳
Yangsu YI　　Dong Hoon SHIN

1　都市とは何か

　現在，地球上の住民のうち43％が都市に住んでおり，東アジアでは都市民の割合はなんと90％に達する。韓国では人口が5万以上の場合，法律上都市と定義しているが，この基準をそのまま考古学に適用することは難しい。では，考古学では人口以外にどのような側面を都市の基準とすることができるだろうか。ゴードン・チャイルド（1950）は都市の特徴として次の10の指標を掲げた。要約すると，1.人口の集住，2.王と官吏と手工業者の登場，3.租税，4.記念物，5.知識人階層の登場，6.文字の使用，7.暦法の使用，8.専門的芸術家の出現，9.長距離交易，10.手工業者の定住などである。もちろん，ラテンアメリカには文字のない都市が存在し，戦争も都市化の主要な要因の一つと指摘されるなど異見も存在するが（都出 2005），依然として関連研究者の間でチャイルドの主張は意味ある指標として受け止められている[1]。本論考でもこのような側面に留意して韓半島の古代都市を定義し記述しようとした。

　また，この論考では都市が都市民の生活に及ぼした影響を韓国史の側面から見ていこうとしたが，このテーマに対する議論は日本と同様に韓国でもまだ十分に行なわれていないのが実情である。ただし，これまでの発掘報告と歴史記録などを基に，韓国では古代都市の成立後，どのような部分で問題が発生したのか，そしてこれを克服するために当時の人々はどのように努力したのかについて大まかに理解できるようになった。したがって，この論考では青銅器時代から統一新羅時代までの古代韓半島南部地域の都市発達史を考古学的報告に基づいて先に調べ，その中から当時の

図1　本論考で扱う遺跡の分布

1：晋州 大坪　　2：蔚山 検丹里　　3：扶余 松菊里・泗沘城　　4：泗川 勒島　　5：光州 新昌洞　　6：金海 鳳凰台　　7：漢城 風納土城・夢村土城　　8：熊津城（公州）　　9：世宗 羅城洞　　10：益山 王宮里　　11：慶州 月城

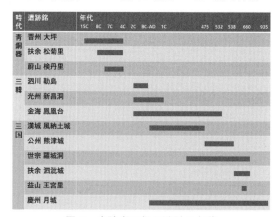

図2　本論考で扱う遺跡の年代

住民の暮らしの変化について推論できる事実を抽出し，これを疾病史的側面から議論したい。

2 韓半島南部都市の萌芽：
   青銅器時代の環濠集落

　三国時代の王都である新羅の慶州，百済の漢城・熊津・泗沘などは考古学的観点から見れば確実に都市と呼べるだろう。しかし，チャイルドの基準をすべて満たさなくても，三国時代以前の人口密集地域の中には古代都市の萌芽と見なすことができるところが確かにあったはずだ。韓国の青銅器時代には稲作基盤の定着村が環濠集落に発展するようになったが，その規模や機能が同一ではなく相互間で序列化する現象が考古学的に確認される。例えば，韓半島で初めて確認された環濠集落である蔚山検丹里の場合，出土する道具はほとんど石器一辺倒であり，晋州大坪遺跡も韓半島南部の最大の青銅器時代の環濠集落だが，青銅器は1点だけが確認された[2]。検丹里や大坪遺跡のような村はその規模面では注目に値するが，専門工人の存在や交易ネットワークの成長など細部的側面から見れば都市化とは依然として距離があると言える。これに対し，同時期の扶余松菊里の場

合，蔚山検丹里や晋州大坪遺跡とは質的に異なる成長を遂げていたことがわかる根拠が多く確認された。まず威信財である玉器と青銅器は別の工房で製作されたものと見られ[3]，遼寧式銅剣とそれを再加工した銅鑿，銅斧の鎔范まで出土したため，松菊里では当時青銅器が内部で直接製造されていたことが立証された[4]（国立扶余博物館 2017）。青銅器の製作は専門的な工人集団とこれを所有し分配できる支配者が松菊里の中にすでに君臨していたことを意味する。したがって，松菊里はチャイルドが指摘した都市の条件すべてを満たしていないが，人口の集住程度，遼寧式銅剣を所有する支配者の登場，手工業者の登場と定住，53，54，57地区などで確認された敷地造成のための共同の労働（租税），大型地上建物（記念物・知識人−宗教的神官），青銅器原料である銅と錫を受給できる長距離交易ネットワークの痕跡などが確認されるという点で韓半島南部で都市化への第一歩を踏み出したと言える。要約すると，韓国の青銅器時代には環濠集落が発生して定着村が成長し始めるが，村の規模，優越した墳墓群，環濠や木柵の

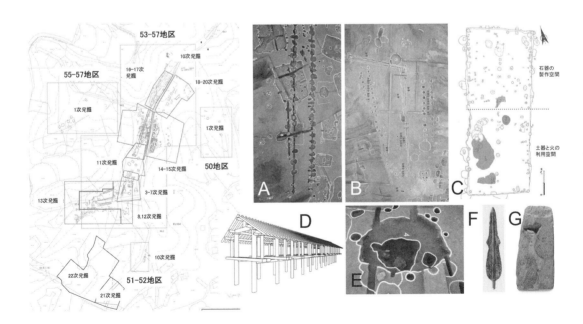

図3　扶余松菊里遺跡（左）と遺構（右）（国立扶余博物館 2017 再編集）
A：木柱列（儀礼用建物）　　B：大型地上式建物跡と柵　　C：住居址内の石器製作空間　　D：大型地上式建物の推定
復元図　　E：玉製作工房の竪穴　　F：石棺墓出土の銅剣　　G：住居址出土の銅斧鎔范

存在，立地の優越性，威信財などの側面で村落間の位階化と初歩的都市化を意味する要素が確認される。この村落間の位階秩序の頂点に位置したものが松菊里であり，これは都市の萌芽に該当する段階まで発展したと見ることができるが，その水準自体の限界もやはり明確であるため，まだ完成した形態の都市とは見られない側面も明確である。

3　三韓時代の新昌洞，勒島，鳳凰台遺跡

　三韓時代は粘土帯土器と瓦質土器が使われる時期に区分が可能だが，光州新昌洞と泗川勒島はこのうち早い時期である粘土帯土器時期の集落遺跡である。栄山江流域の平野地帯に位置する光州新昌洞で調査された遺構からは農機具，車輪，弦楽器，太鼓，扉，杭，三角帽子，靴骨，発火棒，臼棒，櫛，扇子柄など日常で使われていた多様な物が出土した。新昌洞の低湿地で確認された粗糠堆積層は当時の豊かな米穀生産を立証し，珪酸体分析で畑稲やエゴマなどの栽培と紡錘車，糸巻，筬，大麻の種，麻布と絹の破片の実物も収集さ

れ，布の生産も自主的に行なわれていたことがわかる。このように集落で消費される穀物，野菜，土器，木器，織物などは概して自家的に生産されたが，一部の肉類や塩蔵魚類などは外部から交易して消費された場合もあったようである（国立光州博物館2022）。新昌洞が三韓時代の内陸地域の

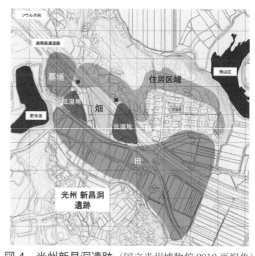

図4　光州新昌洞遺跡（国立光州博物館2012再編集）

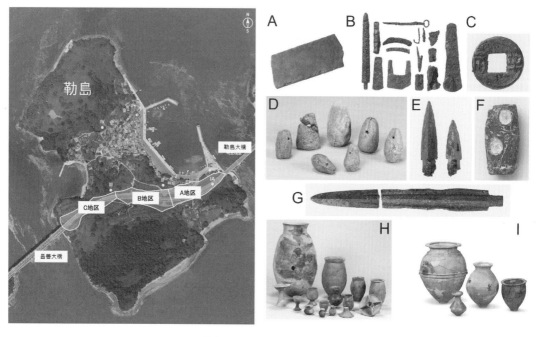

図5　泗川勒島遺跡（国立晋州博物館2016再編集）

A：硯　　B：鉄器　　C：半両銭　　D：錘　　E：鉄茎銅鏃　　F：ガラス玉　　G：銅剣　　H：粘土帯土器
I：弥生土器

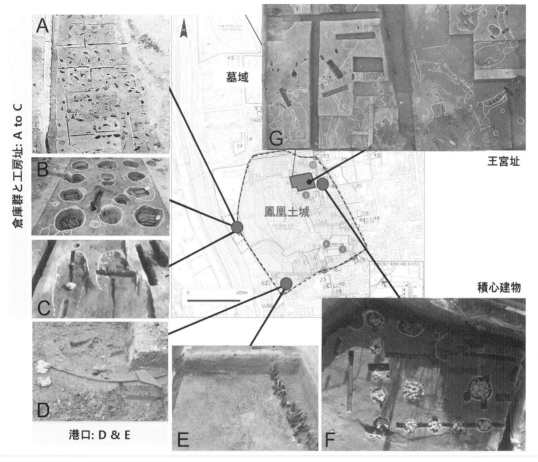

倉庫群と工房址：A to C

A

B

C

D

墓域

鳳凰土城

王宮址

積心建物

港口：D & E

E

F

G

図6　金海鳳凰台遺跡（崔景圭 2020 再編集）
A・B：倉庫群　　C：工房址　　D：木製の船の部材　　E：海岸の木柵列　　F：積心建物　　G：王宮址

農村だとすれば，勒島は島嶼地域に存在する港だった。ここでは粘土帯土器と弥生土器が大量に確認され，前漢鏡，半両銭と五銖銭，中国土器，中国江南産のガラス玉なども出土し，当時南海岸一帯の交易中心地だったと見られる。とくに，錘の出土は交換の基準となる点で重要である。勒島では鉄器製作が自家的に行なわれ，硯と推定される遺物も出土している[5]（国立晋州博物館 2016）。新昌洞と勒島は当時の人々の暮らしの姿を生々しく見せてくれた遺跡として有名であるが，結論的にこれらの村の政治的地位はそれほど高くなかったものと見られる。ここからは政治的権威を象徴する威信財はほとんど出土しておらず[6]，支配者の墓と言えるほどの遺跡も確認されていない。勒島の場合，農業生産よりは鉄器生産や海上交易の

支援のような 2-3 次産業に重点を置いたものと見られるが，遺跡の規模が大きくなく政治的地位が高かったとは見られない。青銅器時代の検丹里および大坪遺跡などと比べると，この時代の新昌洞と勒島は様々な面で発展した姿を見せているのも事実だが，考古学的に都市の基準を満たすには依然として力不足だったと言える。

　勒島人骨について，藤田らは齲蝕症，歯牙の咬耗や風習的抜歯などの古病理学的知見を報告した（Fujita and Choi 2008）。藤田によると，勒島人骨の齲蝕症は日本の縄文時代人と比べてその頻度が低いが，勒島の住民が稲作農耕民だったという点を考慮すれば，興味深い結果だった。勒島人骨の齲蝕症は後歯と上顎で発生率が高かったが，この現象も縄文人からの報告とは異なるものだった。勒

島人骨の風習的抜歯については今後の重要課題だ。風習的抜歯は，日本の縄文人での報告は多数あるが，韓国では報告例が多くない。勒島の成人女性の人骨（31号と35号）では，上顎の犬歯部の歯槽骨閉鎖痕が風習的抜歯によるものである可能性が提起されたが，これは韓国の古人骨では極めて珍しい報告例である（Fujita and Choi 2008）。風習的抜歯の意義を確定することの難しさは，藤田が指摘しているとおりであり（藤田 1997），勒島の風習的抜歯についても，今後，より深い考察をする必要がある。さらに，藤田らは勒島人骨から脊椎結核の存在も報告し，古代の日韓交流史の究明に重要な成果をあげた。勒島は弥生時代の北九州と韓半島南部の貿易交流の中心地とみなされているが，結核などの感染症もこれらの地域間で人口移動に伴い伝播された可能性が高いことを立証した（Suzuki et al. 2008）。

　一方，古金海湾の海岸線のすぐ隣接した位置にあった金海鳳凰台一帯は三韓時代から成長し始め，三国時代初期に全盛期を迎えた当時の海上貿易の最上位級終着点に該当すると言える。歴史的に見れば弁辰狗耶国の国邑であり，紀元前後の時期に韓半島南部でもっとも多くの人口が集まって暮らし，名実共に古代都市の水準まで到達したと言えるところである[7]。鳳凰台発掘調査では多様な時代の遺物と遺構が確認されたが，ここに宮が位置したことは疑いの余地がない[8]。当時，この地域の支配者の墓であった大成洞古墳は加耶の森3号墓から始まり北側丘陵に空間を広げ築造されたが，この古墳群の北側には加耶の建国神話の舞台である亀旨峰が位置しているため，その政治的地位を推察することができる。亀旨峰の西北側には倭人が集まって暮らしていたところと考えられる亀山洞遺跡があるが，これは狗耶国のもっとも大きな交易相手が倭人だったという点を示している[9]。三国時代になると鳳凰台には王城を保護するとして機能する土城が作られ，その内部では超大型建物址と積心建物址が確認される。この周辺からは祭儀と関連した土偶や器台，小型土器，鯨脊椎骨などが出土し，航海と関連した儀礼が行な

われた可能性がある。鳳凰台丘陵の東側では鉄工房施設が確認され，南側には木柵列と高床家屋，船舶部材，櫓などがみつかり港と倉庫施設と推定され，土器生産と関連した手工業生産施設も土城内で確認された（崔景圭 2020）。その他の弁韓地域の発掘事例を考慮すると，鳳凰台一帯は人口の集住程度，王，官吏，手工業者の登場，租税を保管したものと見られる倉庫，知識人階層の登場と文字の使用，専門的芸術家の出現（音楽），長距離交易，手工業者の定住などの側面で考古学的に定義する都市段階にほぼ近い遺跡と見ることができる。

4　古代都市の完成：百済と新羅の王城たち

　鳳凰台一帯は韓半島南部の都市発展史で注目に値する成就を確認できる遺跡だが，チャイルドの主張を完璧に満たすことができるほどの古代都市は三国時代になってようやく出現する。百済初期の王城である漢城は，風納土城と夢村土城が対になっている都城体制で[10]，前者は板築で積み上げた城壁の全長が3.5km，基底部最大幅43m，現在の残存高は11mで総面積が84万㎡に達し，風納土城の南側丘陵に板築と盛土を混用して作られた夢村土城の全長は2.3km，内部面積は21万㎡である。両土城とも広大な土地の上に造成された遺跡で，3世紀後葉頃には完成した形を整えるようになったと言える。風納土城内部では慶堂地区44号遺構，197番地「マ」地区建物址などが儀礼

図7　風納土城城壁の調査（金台植 提供）

図8　泗沘都城の内部遺跡からの発掘作業
（国立扶余文化財研究所 沈相六 提供）

図9　慶州王京地区

用建物と推定され，王宮跡と推定される遺構や土器工房，道路，石垣水路なども観察された。城内で発見された竪穴からは各地から運ばれた租税の存在を象徴する「大夫」銘土器が発見され，専門知識層が官僚群を形成していた可能性が高い。風納土城と夢村土城を同時期の世宗市羅城洞遺跡と比較すれば，その圧倒的地位を改めて確認することができる。羅城洞遺跡は地方の租税を首都漢城に運ぶために錦江北岸に造成した百済の地方都市だったと考えられるが（国立公州博物館 2020），風納－夢村土城とは異なり，中国系の威信財はほとんど見当たらず，内部から発掘された遺構の状況も漢城と羅城洞の間に明確な政治的序列の違いがあったことを示している[11]。風納土城と夢村土城の場合，強力な王権の裏づけがなければ，それだけの規模の土城を築造することは難しかっただろうという点で，韓半島南部の都市発展の一大画期的なものと言えるが，この地域に古代王国が完成した西暦3世紀頃こそ考古学的意味で完璧な都市が出現した時期といえる。

　高句麗の長寿王の南征（475）以後，百済は何度も遷都したが，古代都市としての発展はその後も続いた。錦江辺に位置する熊津城は公山城に囲まれていたが，その周辺には武寧王陵と王陵園，艇止山遺跡[12]などが位置している。熊津城内の王宮の位置はまだ正確に明らかになっていないが，歴史記録を検討すると，この城が完熟した都市であり首都として機能することには疑いの余

地がない。聖王は首都を泗沘城に再度遷都するが（西暦538年），これは百済最後の首都として完璧に完成した形の都市としての面貌を見せている。泗沘城周辺には羅城があり，内部には整備された道路を基準に南北113.1m，東西95.5mの大区画が見え，その内部を再び小区画に分けたようである。王城基盤施設は遷都以前からあらかじめ計画して築造していたものと見られるが，都城の背後には扶蘇山城が位置し，その前方に王宮，官庁，寺院，市場などを配置した。

　これとは別に百済武王は益山王宮里一帯にもう一つの王宮を造成した。南北490m，東西約240mの塀に囲まれた長方形の石垣城跡の南側地域には扶余官北里で調査された王宮跡の建物と大きさや築造手法がほぼ同じ大型建物跡が確認され，これをこの王宮の中心建物と推定した。城の北側一帯には後苑が位置し[13]，近くでは金・銀・ガラス製品とるつぼ，送風管など威信財を作る工房跡も確認された。しかし，ある時点でここは王宮から寺院に用途が変わることになる（金洛中 2021）。韓半島南部で百済と両立した新羅は斯盧国で成長し，三国統一に至るまで慶州を中心とした。初期の王城である金城は位置が明確ではないが，以後中心となった月城は東西幅860m，南北幅250m，城内面積55,000坪余り，城壁の長さ1841mであり東・西・北3面と西南面は土と石を混ぜて共に固め，その一番上には粘土を被せて覆った[14]。月城外郭には垓子（堀）があった

が，長さ121m，最大幅20mである。慶州一帯に対する発掘調査の結果，王京の姿は宮城の南北軸に合わせて碁盤式で道路を区画し，その内部に360個の部屋を置いて住居地を配置するなど『周礼』考工記の影響を多く受けたという[15]。月城の東側に仏教寺院[16]，西側に古墳群が位置していたが，都市計画が本格化した7世紀以降は王や貴族の墓と寺院が王京の外に移されたのは，人口増加にともなう避けられない選択だったと見る。記録によると，慶州には東市，西市，南市などの市場があったというが，防衛上から見て宮殿のある月城を中心に配置されたという[17]（李恩錫 2015）。

5 都市汚水と韓国古代都市民の暮らし

このように青銅器時代以後発展した環濠集落の時代に都市の萌芽を発見することができ，三韓時代にはチャイルドの都市にほぼ近い鳳凰台遺跡も確認されるが，名実共に古代都市が韓半島南部に完成したのは西暦3世紀頃以降と見られる。都市が成立した後に発生する社会的問題のうち，私たちが注目する部分は都市内部の人口密度が非常に高くなり，その結果各種汚物が耐えられる水準以上に多く排出されるという点である。このような汚物－汚水をどのように都市の外郭へ効果的に処理するかという問題は，当時の人々の健康な生活を維持する上で非常に重要である。汚物がまともに排出されずに都市内に放置されると，寄生虫疾患や各種の水因性伝染病などに都市民が感染する可能性が高くなることを意味するからだ。このような点から見て，都市内に汚物－汚水を処理するための施設がどのように設置されていたかという部分は，当時の都市民の暮らしを理解するうえで考古学的に必ず究明されなければならない問題である。都市内部の汚水－汚物処理のための施設として最優先確認されなければならない遺構は便所と下水路だろうが，青銅器時代の環濠集落の発掘報告ではこれに関する部分が明確に確認されたことがない[18]。したがって，その時代の韓半島南部の環濠集落内部の汚物は，平時には集落の外に流れる自然河川に沿って排出されるようにし

図10　王宮里の排水路（左）と便所（右）の遺構
（国立扶余文化財研究所 2006 再編集）

たり，雨季には大雨とともに洗い流される水準にとどまったものと判断される。当時，集落内部は人口の急増によって汚水－汚物による汚染が深刻な水準だったはずだが，これを排出する下水システムがほとんど整っていなかった可能性を考慮すれば，青銅器時代の人口密集地域で暮らしていた住民の衛生状態は劣悪だった可能性もある[19]。韓半島の都市で便所を含めた下水の排出体系がより体系的に管理され始める時期は，関連発掘報告を総合すれば三国時代からである。この時期には都市内部に便所が出現するが，百済の王城では貯留（汲み取り）式と水洗式の二種類の便所がすべて発見されたことがある[20]（Shin *et al.* 2014, Oh *et al.* 2021）。この時期に便所から都市外まで下水を排出した方法は益山王宮里遺跡の調査で明らかになった。同遺跡の工房跡の南側では東西方向に深く細長いくぼみを掘った便所遺構3つが並んで発見されたが，その中で一番大きいのは長さが10.8m，幅が1.8m，深さが3.4mにもなった。この遺構では，用便後の後始末のために使用した厠水が確認され[21]，内部土壌の寄生虫検査の結果，回虫と鞭虫卵が多数確認されたため[22]，当時王宮に居住していた宮人と官吏が使用した便所であったことは確実である。王宮里遺跡で注目すべき点は，便所から王城の外郭まで汚水を排出する水路が確認されるということである。遺構に貯留された糞便の上層液は便所の外に誘導され，水路に

沿って城外に流れ続けるように設計されたが，このような施設は便所に集まっている汚水が城内を無分別に汚染させないようにするのに大きな役割を果たしただろう（国立扶余文化財研究所 2006）。

三国時代にはこのような方式の汚水排出が普遍化していた可能性は慶州月城でも見られる。月城周辺には多数の垓子が存在するが，この垓子の堆積層では大量の寄生虫卵が確認され，垓子が人糞便によって深刻に汚染されていた可能性を示した（Shin *et al.* 2009）。おそらく月城内の糞尿と下水は最終的に垓子へと排出されたものと見られるが[23]，韓半島で戦争が激減し，都市防御の必要性が以前より減った三国統一以後，これをすぐに埋め立ててしまったのは都市周辺の垓子の清潔な管理がそれだけ難しかったためと見られる。古代都市は三国時代になると便所と下水路が作られるなど，都市内部の汚水－汚物排出の側面で一層発展した姿を見せるが，都市民の生活は依然として安全だったようではない。都市は人口密度が高く多数の便所が内部に設置され汚水と汚物が多く生産され，これを排出する水路は現代的浄化施設とは隔絶していた。したがって，当時の都市住民は多様な感染性疾患にかなり脆弱な状態だったと見られるが，百済王城である泗沘城の土壌が寄生虫卵に汚染されていたという報告が，このような当時の状況を物語っている[24]（Shin *et al.* 2020）。漏れた汚水は結局，城内の上水源まで汚染させた可能性が高く[25]，当時の都市民は水因性伝染病などにも当然非常に脆弱にならざるを得なかっただろう[26]。古代都市に定期的に襲いかかる洪水も汚水管理に大きな脅威になったと見られる。韓半島は雨季に降水量が集中しており河川沿いに建設された都市は頻繁に浸水したが，百済の漢城（風納土城），熊津，泗沘城はいずれも洪水に非常に脆弱な土地に立地しているためだった[27]。泗沘城の場合，城内遺跡が調査され土壌検査が広範囲に実施されたが，便所遺構など汚物が集積されたところだけでなく，居住地でも虫卵が多く発見された（Shin *et al.* 2020）。泗沘城は記録や考古学発掘の結果，河川が頻繁に氾濫し，城内が漂没し[28]，便所

などに貯留されていた汚物が周辺に広がる事件が頻繁だったことが分かった[29]（Seo *et al.* 2016）。このため洪水の時に河川が氾濫しないよう貯水池を築造するなどの都市整備作業で改善を図った努力が当時の住民によって不断に試みられた情況も見られる[30]。

都市の出現が都市民に安らぎを与えたのか，それとも新しい苦痛と困難の始まりになったのかという問題は，関連研究者の間で長期間議論の対象になった。韓半島でも青銅器時代以来出現した人口密集地域が完成した形態の都市に向かって発展する傾向性は明確に確認され，このような動きが最終的に結実を見るようになったのが三国時代の都市といえる。しかし，狭い場所に多くの人口が密集していただけに，三国時代以降の都市民も以前に比べて安らかな生活だけを享受していたようではない。韓国考古学界の研究によると，この時期の都市は非都市地域に比べて土壌の寄生虫卵汚染度が高く，これは都市内部で発生する汚物と汚水の処理に大きな困難を経験していた当時の状況を反映していると見る。都市の汚物－汚水処理は単純に美観上の問題ではなく，寄生虫感染および水因性伝染病など健康とも密接な関連があるため，都市民の生存がかかった問題だったとも言える。したがって，当時の都市民もこの問題を解決するために絶えず努力したが，その成果に対してはやはり疑問の余地がある。韓半島の都市が科学的に管理され始め，最終的に汚染と伝染病の危険から完全に解放されたのは本格的な近代化が進行した後になってから可能だったと言えるだろう。

註

1) ヴァン・ウィルソン（2020）によると，都市は農業生産に全面的に依存する田舎とは異なり，2～3次産業が中心となり，類似職種の人々が集まって交流し競争しながら技術革新が内部で起きるなど住民の生活に大きな変化が起きるため，これに重点を置いて分析してこそ集落と区分される都市の本質を，より正確に理解することができるという。韓国の都市発展史もこのような観点から分析すれば，その中で行なわれる住民の暮らしに大きな変化が起きていたことがわかる。

2）　玉房5地区D区域の生活面で発見された曲玉のような形の純銅に近いもので，おそらく青銅器時代の早い時期のものと考えられる。

3）　石器製作は日常生活を営む54-23号住居址内で行なわれたが，玉器と青銅器は同じ遺跡55-26号竪穴などに別途の工房があったと推定された。

4）　遼寧式銅剣と銅鑿は松菊里1号石棺墓で，銅斧の鎔范は同じ遺跡55地区8号住居址で確認された。

5）　これが硯であるかどうかについてはまだ異見があるが，同じ紀元前1世紀代の墓である昌原茶戸里1号墓から筆と削刀が出土する点を考慮すれば可能性は高い。

6）　昌原茶戸里1号墓と慶山陽地里1号墓などを見ると，華やかな鞘に入れられた韓国式銅剣は，三韓時代当時の支配者の象徴物だったが，新昌洞では刀を差し込むことができない剣鞘だけが出土しただけで，勒島ではA-カ-100号墓，B-カ-245号住居址から韓国式銅剣が出土したが，周辺の墓との差別性などがそれほど大きく認知されていない。

7）　『三国遺事』紀伊編の駕洛国記によると，首露王2年（西暦43年）に周囲1500歩の城と宮殿，殿宇，庁舎，武器庫，穀物倉庫などを備えた王城を建て始め，1年で完成したという。

8）　丘陵南側の会峴洞貝塚では紀元前後の時期の虺龍文鏡の破片，割れた貨泉などが確認されたが，航海安全のための祭儀と関連した奉献物と見られる。

9）　亀山洞遺跡で発見された弥生土器の割合が全体の50％に達するのを見ると，倭人がこの地域に長期間定住していたに違いない。王城と隣接した会峴洞D地点には，弥生時代，北部九州で流行した甕棺墓も確認されるが，これは狗耶国と北部九州の両地域間の関係がかなり密接だったことを示している。

10）　文献史料によると，漢城期百済都城は河北慰礼城から河南慰礼城（漢城）に移された後，漢山，最後は漢城だったと推定される。北城は風納土城，南城は夢村土城と見ている。両は漢江以南に位置し，風納土城から東南に約1km離れたところに夢村土城が位置する。夢村土城は自然丘陵を利用して積み上げた城で，丘陵の高さが相対的に低いところは版築法で積み上げて城壁を完成した。調査を通じて発見された遺物の中で百済初期または出現期に該当する百済土器がほとんど確認されていないことから，風納土城より一段階遅れて築造されたものと把握される。

11）　鶏首壺をはじめ，中国六朝磁器と呼ばれる中国南朝の文物は，風納土城カ-1，ハ-38号竪穴，慶堂196号，夢村土城85-3号竪穴などで確認された。百済の地方小都市といえる羅城洞や同じ性格を持つ光州東林洞遺跡など生活遺跡からはこのような磁器がほとんど発見されない。もちろん，墓の場合，天安花城里，龍院里9号石槨墓，法泉里2号墳，公州水村里Ⅱ-1，Ⅱ-4号墳，高敞鳳徳里1号墳などでも六朝磁器が発見されるが，中央から下賜されたものと説明できる（金一圭 2015）。

12）　百済王室の殯殿跡と推定される。

13）　現在残っているほぼ唯一の百済式庭園である。幅が3～7m，長さが485mに達する大型水路が東と北，西を包みながら流れるように設計され，水量調節用貯水槽と回水口，曲水路なども造成された。

14）　月城城壁の高さは大体10-20m程度になったが，南面には自然な絶壁を形成し，南川が流れており，別に城壁を築いていない。城には9ヶ所の門址が残っているが，そのうち東北側の門址には正面1間，側面2間の断層瓦葺きがあったことが確認された。

15）　6世紀中頃，月城北側の皇龍寺址周辺一帯から里坊制が施行され，次第に周辺に拡張された。王京遺跡調査によると，1坊は東西172.5m，南北167.5mの大きさで，その四方には砂利を固めて設置した道路が通り，再び中に塀を廻らした住居区域があった。慶州の里坊制は大きな変化なく高麗時代までそのまま維持された。

16）　新羅の都城内部にはこれまで確認された寺院の数だけで203ヶ所で，三国時代に築造されたという30ヶ所以外は統一新羅時代に築造されたものと見られる。三国時代初期には寺院が中心部王京内に建設されたが，その後は山地近隣の王京先端部に築造され始め，統一新羅時代には外郭地域の山谷におもに分布することになる。

17）　発掘調査の結果によると，東市は皇龍寺址の前方付近，西市は興輪寺址付近，南市は天官寺址付近と推定されている。

18）　晋州二谷里遺跡では水路が確認されたが，これは住居址と明確に連携しておらず，その用途が不明であり，晋州大坪遺跡の環濠には都市内部から汚水が排出される水路が明確に観察されなかった。居昌松亭里遺跡では双竪穴という特異な形態の遺構が確認され，便所である可能性が提起されたが，内部では寄生虫卵のような証拠が確認され

なかった。

19）　青銅器時代の環壕集落内部土壌の汚染状況を示す報告はまだないが，三韓時代の新昌洞遺跡の低湿地最下層から鞭虫卵と回虫卵の検出研究がある。これは当時の新昌洞村周辺が人糞便によってすでにかなり汚染されていた状況を示している。鞭虫と回虫は土壌媒介性寄生虫として住民の間で感染率が高くなると，一帯の土壌がその虫卵で汚染され，再感染率を一層高める方向に作用することはよく知られている。

20）　百済泗沘城では，都市内部に汲み取り（貯留）式便所と関連があるような穴が確認され，（Shin et al. 2014）流水の上に設置された水洗便所も最近報告された（Oh et al. 2021）。

21）　厠水を使用した後，水壺で洗ってリサイクルしたようだ。

22）　ここでは肉食と関連のある条虫は検出されなかったが，淡水魚を生息して感染する肝吸虫卵が発見されたため，当時百済人は肉類の中では魚をより好んだと見た。

23）　月城垓子では発見された多量のオニハスと水生植物の種が発見されたが，新羅人がこれを栽培して垓を快適に管理しようとした試みがあったと見る。

24）　韓国の考古学発掘現場に対する土壌調査では，人口密度が極めて高かった古代都市だけで選択的に寄生虫卵の汚染が激しい傾向が確認された（Shin et al. 2020）。

25）　下水による城内上水源の汚染は朝鮮時代までも都市管理において大きな問題として残っていた。

26）　病原体に汚染された人糞が上水源を汚染させると，都市は水因性伝染病に非常に脆弱になる。

27）　風納土城は漢江川辺に，熊津城と泗沘城は錦江辺に位置する。

28）　泗沘城は 612 年洪水によって大きな被害を受けたという記録があるが，その城内の関北里バ地区など当時の王城区域の随所で洪水痕が確認される。洪水に備えるために築造されたのが宮南池である。630 年代までは泗沘城宮殿も修復するなど，乱開発の様相を呈していた王城を再整備することになる。

29）　新羅でも記録によると，計 27 回の洪水が慶州で発生したが，ほとんどが明活山の麓から兄山江につながる北川が氾濫したもので，この河川は慶州盆地を東から西へ貫通するため，氾濫時に都市全体が打撃を受けただろう。新羅の場合も月城周辺など人口密集地域の土壌が寄生虫卵で汚染されていたことを見ると（Shin et al. 2009）周期的な洪水による氾濫は便所の汚水・汚物を逆流させ，都市内部の衛生状態を悪化させただろう。

30）　洪水と河川氾濫による都市汚染の問題は三国時代だけに限定されたようではなく，朝鮮時代までも重大な国家的事案として残った。朝鮮の首都漢城は数百年間，周辺山地から土砂が流れ込み，王城内河川の河床が高くなり洪水に大変脆弱になった。したがって，雨季に河川が定期的に氾濫したが，この時，便所が一緒にあふれて汚物が拡散する場合があったと推測される（Kim et al. 2014）。

参考文献

和文

都出比呂志『前方後円墳社会』塙書房，2005

藤田　尚「愛知県渥美半島出土の縄文時代人骨の抜歯―抜歯の施術年齢および加齢変化の検討を中心として―」『古代』104，1997，pp.42‑63

韓文

国立光州博物館『新昌洞／2,000 年前의 타임캡슐』光州新昌洞遺跡史跡指定 20 周年記念特別展示図録，2012

国立光州博物館『光州 新昌洞마을，서른 번째 가을의 風景』光州新昌洞遺跡 30 周年 記念学術大会発表資料集，2022

国立公州博物館『百濟의 計画都市，世宗 羅城洞』特別展示図録，2020

国立扶余文化財研究所『王宮里』Ⅴ，2006

国立扶余博物館『扶余 松菊里』特別展示図録，2017

国立晋州博物館『国際貿易港 勒島와 原の辻』特別展示図録，2016

金洛中「百濟의 益山 經營 方式의 転換과 泗沘 再整備」『文化財』54―2，国立文化財研究所，2021

金一圭『百濟考古学 編年 研究』学研文化社，2015

朴淳發「東亞細亞 都城史에서 본 百濟都城」『古代 東亞細亞 都城과 益山 王宮城』国立扶余文化財研究所，2020

李恩錫「Ⅲ. 王京과 地方都市」『嶺南의 考古学』嶺南考古学会，社会評論，2015

崔景圭「加耶 王城空間構造와 景観」『文物研究』38，東亞細亞文物研究學術財団，2020

英文

Ben Wilson. (2020). Metropolis: A History of the City, Humankind's Greatest Invention. Doubleday New York(벤 윌슨 著 박수철 번역, 박진빈 감수, 메트로폴리스 - 인간의 가장 위대한 발명품, 도시의 역사로 보는 인류문명사, 매일경제신문사)

Childe, V.G. (1950). The Urban Revolution. *The Town Planning Review*. Vol.21, No.1, Liverpool University Press

Fujita, H. and Choi J.G. (2008). Dental Information of Human Skeletal Remains from Nukdo, South Korea, and a Period Corresponding to the Yayoi Period in Japan. *J. Oral Biosci*. 50(4), 215-221.

Johnston W. (1995). The Modern Epidemic: A History of Tuberculosis in Japan (Harvard East Asian Monographs). Harvard University Asia Center: Cambridge.

Kim MJ, Seo M, Oh CS, Chai JY, Lee J, Kim GJ, Ma WY, Choi SJ, Reinhard K, Araujo A, Shin DH. Paleoparasitological study on the soil sediment samples from archaeological sites of ancient Silla Kingdom in Korean peninsula. *Quart Int* 2016; 405: 80-86

Kim, M.J., Ki, H.C., Kim, S., Chai, J., Seo, M., Oh, C.S., ... Shin, D.H. (2014). Parasitic Infection Patterns Correlated with Urban–Rural Recycling of Night Soil in Korea and Other East Asian Countries: The Archaeological and Historical Evidence. *Korean Studies* 38, 51-74. https://doi.org/10.1353/ks.2014.a594899.

Oh CS, Shim SY, Kim Y, Hong JH, Chai JY, Fujita H, Seo M, Shin DH. Helminth Eggs Detected in Soil Samples of a Possible Toilet Structure Found at the Capital Area of Ancient Baekje Kingdom of Korea. *Korean J Parasitol*. 2021 Aug;59(4):393-397.

Seo, M., Chai, J. Y., Kim, M. J., Shim, S. Y., Ki, H. C., & Shin, D. H. (2016). Detection Trend of Helminth Eggs in the Strata Soil Samples from Ancient Historic Places of Korea. *The Korean journal of parasitology*, 54(5), 555-563. https://doi.org/10.3347/kjp.2016.54.5.555

Shin DH, Shim SY, Kim MJ, Oh CS, Lee MH, Jung SB, Lee GI, Chai JY, Seo M. V-shaped pits in regions of ancient Baekje kingdom paleoparasitologically confirmed as likely human-waste reservoirs. *Korean J Parasitol*. 2014 Oct;52(5):569-73. doi: 10.3347/kjp.2014.52.5.569. Epub 2014 Oct 22. PMID: 25352710; PMCID: PMC4210744.

Shin, D.H., Oh, C.S., Chung, T., Yi, Y.S., Chai, J.Y., & Seo, M. (2009). Detection of parasite eggs from a moat encircling the royal palace of Silla, the ancient Korean Kingdom. *Journal of Archaeological Science*, 36, 2534-2539.

Shin, D.H., Seo, M., Shim, SY., Hong, J.H., Kim, J. (2020). Urbanization and Parasitism: Archaeoparasitology of South Korea. In: Betsinger, T.K., DeWitte, S.N. (eds) The Bioarchaeology of Urbanization. Bioarchaeology and Social Theory. Springer, Cham. https://doi.org/10.1007/978-3-030-53417-2_4

Suzuki, T, Fujita, H. and Choi J.G. (2008). New evidence of tuberculosis from prehistoric Korea- Population movement and early evidence of tuberculosis in far east Asia. *Am. J. Phys. Anthropol.*, 136, 357-360.

弥生時代の人口変動と暴力

中川朋美
Tomomi NAKAGAWA

はじめに

本書は人類社会の都市化と感染症というテーマで起案された。考古学，とくに先史時代の研究ではこうしたテーマにどうアプローチできるのか。

前者の「都市化」に関しては研究の蓄積があり，いくつか指標が出されている。実際に弥生時代の「都市化」の研究では，相当するレベルや「都市」自体の有無は研究者によって意見が異なるが，「都市」/「都市化」条件に集住[1] が含まれる。

後者の感染症に関しては，先史時代考古学では現状真正面から扱うにはやや限界があることを断っておきたい。まず，感染症の直接的な証拠は古人骨となるうえ，管見の限り，青谷上寺地遺跡出土人骨の結核の痕跡が列島における最古の事例である。そのため，考古学では状況証拠，すなわち感染症がもたらす社会的影響から考察する，ということになる。人の流入や増加，それによる交流は，物流・生産・技術革新，といった様々な側面でメリットをもたらす一方で，感染症が生じた際に社会への影響が拡大すると推察する[2]。また，死者が生じるような重大な感染症が生じた場合には，人口減少や遺跡の衰退といった現象が生じる可能性が考えられる。ただし，先述の資料的制限から，先史時代の考古学的研究で感染症について論じたものはほとんどなく，人口動態のシミュレーション研究において検討されるか[3]，考察で触れられるにとどまる[4] [5]。

そのため，ここでは上記の都市化条件および感染症に関係するであろう，人口変動と同時期の社会事象といった視点から貢献したい。筆者は共同研究の中で，人口変動と人口圧について研究しており，第1・2章では，おもにその内容について論述する[6]。具体的には，第1章では人口増加に関して，先行研究と照合しながら論述し，第2章では同時期の現象の一つであり死者数を押し上げる事象である暴力について整理しておく。これをまとめで照合する。

1 人口変動

考古資料から人口変動を検討する場合，遺跡の分布・数，墓や住居址などの遺構分布・数が対象とされる。このほか，古人骨や炭化物，あるいはシミュレーションモデルによって他事象との関連を検討している研究もある。いずれにしても，弥生時代の場合，大陸からの人の移動が想定できるうえに列島内で弥生文化の開始期が異なるため，時空間的スケールが大きくなるほどに人口動態の復元はやや複雑な条件設定が必要となる。加えて，2003年以降に弥生時代開始期の実年代が大幅に修正されたため，修正が必要な研究もあるだろう。これに注意しつつ，全域の人口動態について述べた研究を挙げたうえで，各地域における様相を整理する。

（1）弥生時代における人口変動

先にマクロな視点で人口動態を検討した研究について述べる。小山修三[7] は，縄文時代の人口変動を検討する中で弥生時代についても述べている。小山は各時期・各地域の遺跡数を集成し，これと奈良時代の人口データから，先史時代の人口数を算出した。さらに，各地域の地形も踏まえ，人口密度と変動を検討した。小山の用いた実年代は修正を要するであろうし，弥生時代については時期別の検討ではないが，縄文時代以後に急激な人口の増加・過密化が生じたという大枠は，一部地域において現在でも否定されない。

初期の人口増加の内訳には大陸からの人の流入も当然関わってくる。規模とその後の人口増加率に関しては研究者によって意見が異なっているが、埴原和郎は小山の算出した人口をもとにシミュレーションを行い、人口増加率を約0.2%とし、紀元前3世紀以降の1000年間に大陸から大規模な渡来があったことを提起した[8]。

人口増加率に関しては異論もあるが、中橋孝博・飯塚勝は、弥生時代中期の北部九州で渡来系形質が約80%から90%を占めることを説明するには、埴原の指摘する大規模渡来か、混血を伴う人口増加は渡来系で高率である可能性を考える必要があるとした[9]。

その後実年代にして約500年弥生時代の始まりがさかのぼる可能性が指摘された。そのため、人口増加率については実年代の修正を受けた再検証がなされており、従来よりも緩やかな増加率でも中期に渡来系形質の人々が大半を占める結果となることが示された[10]。

考古学的研究では、大陸から人やモノが流入したことは否定されないが、弥生時代初めに大規模な人の流入をうかがわせる渡来系集落やその痕跡は限られる。考古資料の様相からは緩やかな文化受容が生じたと考えられており、とくに前期末に集落が増え、中期に著しい人口増加が生じたことが指摘されている。

(2) 北部九州の人口変動

本節では、弥生時代北部九州を対象に、集落と墓を対象に人口動態について扱った、まとまった研究について取り上げる。先に共通する傾向をまとめると、集落に関しては前期末から中期に人口数あるいは密度が急増する。墓に関しては、解像度の高い時期判断を優先すると甕棺葬が大半を占める時期が分析の対象となる。そのため中期が中心となるが、中でも中期前半から中期中頃、おおよそ橋口達也の編年[11] KⅡa期からKⅢa期の範囲に、著しい人口増加が生じるとされており、集落動態の研究における中期の人口増加を裏付けている。

集落：橋口の研究[12]

橋口は相対編年に基づき、三国丘陵（小郡市、筑紫野市、筑前町などを含む宝満川上・中流域）を中心に集落遺跡の立地を住居址などの様相も加えつつ検討し人口変動を考察した。低地に集落を営んでいた集団は、板付Ⅱ（古）以後には狭隘な谷水田をひかえ谷間や丘陵地に進出するようになり、前期末には可耕地の集落は飽和状態に達し、中期前半まで丘陵部への進出は継続すると論じた。住居址は比較的大形のものが多く、こうした谷間・丘陵部への進出は、人口増加に伴う新たな土地開発のために起こったという[13]。さらに、前原市三雲遺跡と筑紫野市御笠遺跡を取り上げ、中期前半から中頃になると、集落として利用されてた丘陵地は墓地となり、代わりに近隣の低地で集落が増加し始めると指摘した。とくに中期後半には遺物・遺構も急激に増加する。中期末から後期前半に一部、一般的には後期後半に丘陵地へ再進出し、弥生終末から古墳時代初頭まで集落の増加傾向が続く。ただし、ここで丘陵地進出した集団は低地と比べると格差があり、より貧しい集団が丘陵地に移動したのではないかという（橋口1987, p.746）。こうした集落移動と規模の変動を、同時期に生じた「戦闘」（e.g., 切先共伴例）とも関連付けており、人口増加に伴う水・可耕地の不足が生じ、これが土地開発を希求した集団移動と、資源をめぐる戦いにつながったとした[14]。

集落：小澤の研究[15]

橋口の議論における、低地から丘陵地進出（前期末から中期前半）→低地進出（中期前半から中期末ごろ）→丘陵進出（中期末以降）という集落の動態とそれに伴う人口増加に関しては、小澤佳憲の研究ともおおよそ整合的である。

小澤は、2002年の論文では福岡平野・早良平野・糸島平野では三つの画期、宝満川中・上流域では四つの画期があるとした。その後2009年の論文では、福岡平野などの玄界灘周辺地域の三つの画期に従い、集落の様相と動態を再整理した。概略すると次のようになる。福岡平野・早良平野・糸島平野では、前期末～中期初頭には、低地

に変わって平野周辺の丘陵上に多く展開し，人口密度が増加する。中期末～後期初頭には大半の集落が断絶するが，大規模な中心的集落が中心となり安定的に営まれる。こうした様相について，福岡平野と糸島平野では集落構造からして周辺の集落が中心的集落へと「集住」しているのではないかとした[16]。

　三国丘陵を含む宝満川中・上流域に関しても，中期中葉以外は同様である。前期末から中期初頭に丘陵地に進出し，前期後半前後に集落数が急増する。その後の中期中葉には，丘陵地の集落は丘陵裾部河岸段丘上へと進出する。この集落を中心に，大規模な集落が成立するという。中期末から後期初頭にかけては，既存の大規模集落（e.g., 隈・西小田遺跡群）が断絶する一方で大規模化（e.g., 以来尺遺跡）あるいは新たな大規模集落（e.g., 津古東宮原遺跡）が誕生する。後期中葉以降は，一部出現する集落もある一方で，既存の大規模集落は断絶し，新たに丘陵に進出する集落の小規模化がみられる。

　先述のとおり，中期までの人口・密度の増加の様相は，橋口と小澤の両者でおおよそ一致している。小澤も 2009 年の論文では後期の特色を大規模化と格差としており，この点も橋口とも一致する。

集落：宇佐美の研究[17]

　橋口と小澤は，前期後半（あるいは末）から中期前半までに，丘陵地進出に伴い集落（人口）が増加したととらえている。また，両者ともに中期末以降は大規模集落が成立（と断絶）を指摘する。

　宇佐美智之は，弥生時代北部九州の早期から中期における集落[18]の時空間的な様相を[19]，数・密度・地形・標高・勾配から検討した。

　集落数をみると北部九州全域でも個別地域でも，橋口や小澤のいう前期末に画期があり集落数の増加がみられる。中期前半に集落は数の上では減少傾向に落ち込むが，中期前半から後半にかけて，比恵遺跡，那珂遺跡，須玖岡本遺跡，三雲遺跡などの大型集落がみられるため，単純に数をもって停滞・衰退したといえないとした[20]。

　GIS を用いて集落分布の密度を検討した結果で

は，早期では福岡平野と早良平野，佐賀平野の一部で密度が高くなり，前期前半から前半中頃には上記に筑紫平野北部が加わり，前期後半にはこれらの地域で分布密度が拡大する。前期末から中期初頭では，北部九州のほぼ全域に高密度の範囲が広がる。その後中期前半では高密度の範囲が減じるが，代わりに集落数の検討で述べたような限定的遺跡の規模が大きくなっていくと指摘した。

　地形・標高・勾配の分析に関しては，早期には低地と段丘の双方に遺跡がみられるが，前期前半から前期中頃では低地より段丘の割合が高くなる。前期後半以降は段丘上に加え丘陵の比率も増え，低地も少ないながらも一定割合を占める。すなわち，高・低地双方の利用がみられた。こうした地形の時間的変化は，標高や勾配の傾向ともおおよそ一致している。

　宇佐美の議論を，橋口と小澤の各研究と照合すると，集落が人口を反映するとした場合，やはり北部九州の前期後半から中期初頭に人口数と密度の増加があったと考えられる。ただし，三者ともに中期後半においては一部遺跡のみが大規模化していくという様相を指摘する。とくに宇佐美は集落数の分析において単純な人口の衰退減少とはとらえていない。今後の北部九州集落を対象とした定量的人口動態の研究では，一遺跡あたりの人口の測り方が課題となるだろう。

墓：中橋の研究[21]

　中期の人口増加については，中橋によって定量的に検証された。中橋は，筑紫野市の隈・西小田遺跡から出土した中期の甕棺葬の事例を対象に検討した。隈・西小田遺跡は，北に福岡平野，南に筑紫平野が広がり，東西を山に挟まれた山峡部の丘陵上に位置する。この遺跡の調査報告で，古人骨から得られた成人・未成人の割合を，出土した甕棺数と照合し，実際に弥生時代中期（橋口KⅡa期，KⅡb期，KⅢa期）の甕棺に埋葬されていただろう成人数・未成人数を算出した。これをもとに，人口規模と増加率を検討しており，隈・西小田遺跡では，弥生時代中期に著しい人口増加が生じていた可能性を指摘した[22]。さらに，周辺地域

も含めて分析し，遺跡ごとで差はあるものの全体的には人口が増加傾向にあるという[23][24]。なお，歴博の年代修正前の論考であるため，実年代幅は修正前の年代である。おそらく橋口の実年代観に則っていると推察する。

橋口は中期前半から丘陵上に進出し，中期中頃から丘陵上に墓地が増加すると結論付けているため，やはり中橋の示した丘陵上に存在する隈・西小田遺跡の人口動態も，橋口の結果と整合的である。

墓：中川らの研究[25]

中川ら研究は，中期に人口増加が生じるという点はほかの研究を支持している。ただし，分析結果をみると，中期の中でも人口（甕棺墓）が減少傾向をみせる時期がある。

この論文では，橋口編年に基づいて北部九州の各時期・各地域の甕棺数を集成し，AMS法によ

る実年代を用いて[26]，おもに北部九州中期の人口増減を算出した。対象地域は（図1），福岡平野，三国丘陵，糸島平野，早良平野，筑紫平野東域，筑紫平野中央域である。中川らは当該地域で起きた人口圧と暴力の関係性について論じており，実年代における年度・面積あたりの甕棺数を人口圧として算出し，暴力頻度と比較している。先に人口圧についてのみ論述すれば，筑紫平野東域と糸島平野を除く，福岡平野・三国丘陵・早良平野・筑紫平野中央域では中期前半中頃（KⅡb期）に人口圧が増大する（図2の下図）。しかし，その後の中期前半の終わり（KⅡc期）に，いずれの地域でも人口圧は減少しており，中期後半はじめ（KⅢa期）では，KⅡb期ほどではないものの，増加傾向を示す。

上記の結果は，対象資料の違いや分析に含まれ

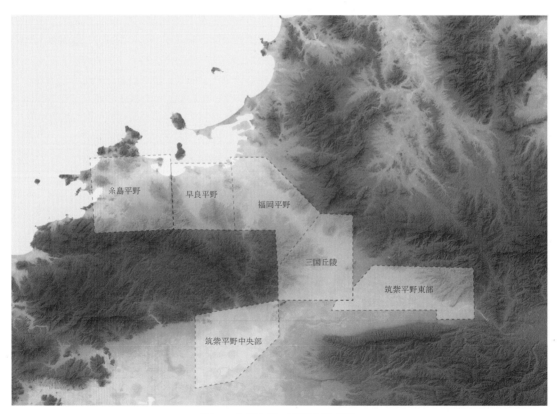

図1　北部九州の平野名模式図
地図は「基盤地図情報数値標高モデル」（国土地理院）〈https://fgd.gsi.go.jp/download/menu.php〉をもとにQGIS（3.16.4）で中川作成。これに範囲と文字を加筆した。範囲はNakagawa *et al.* 2021の図1を参照にしているが，本稿の上図は地理計算のため作成したものではないので，あくまで模式図としてとらえられたい。

る属性の違いを考慮すれば単純に先行研究と比較できるわけではない。例えば、ここで述べた人口圧は面積・実年代幅を考慮して算出しているため、実年代の修正前の研究であればその影響は否めない。実際、図3・4をみると、糸島平野と筑紫平野東部を除けばKⅢa期までは順調に増加傾向にある。住居址などの生活遺構とは違い、墓でみる人口は正確には死者数を反映していることになる。それにもかかわらず、図3・4にみえるほぼ増加傾向を示す点は、ほかの研究とも矛盾はない。また、中期後半（KⅢb・c期）の減少傾向は、小澤のいう集落の廃絶や宇佐美のいう中期前半の集落減少が部分的に当てはまるかもしれない[27]。一方で、福岡平野に関しては図3・4においてもKⅡc期で一度減少するため、この点に関しては注意が必要だろう。

以上、人口変動に関わる研究をまとめた。各研究で対象資料や分析条件はやや異なっており、とくに2000年代以前の研究を中心として実年代や年代幅には修正が必要である。しかしながら、集落および墓の双方で中期における人口増加が生じたことは一致しており、むしろ集落や墓から見える人口減少をどのようにとらえるかという点が今後の検討課題になるだろう。次章では、こうした人口減少に関わるだろう暴力に関して、人口圧の話と合わせて論述する。

2 暴力の変動

人口増加・人口圧が生じた際に、集団的暴力が生じるという説は度々論じられており、弥生時代でも人口増加と暴力が関係すると指摘されている[28]。

中川らによると、人口圧と暴力は大枠では正

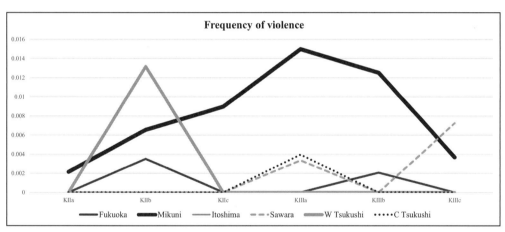

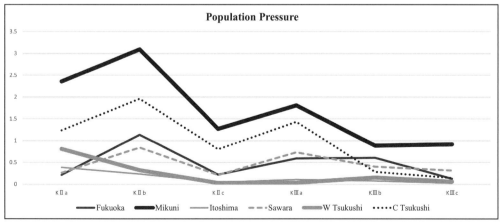

図2　暴力と人口圧の変動（Nakagawa *et al.* 2021 の図4より参照）

表1　北部九州における甕棺数の変化と人口圧 （註25の表1をもとに中川作成）

小地域	型式(橘口編年2005) 年代幅(藤尾・今村2006)	KⅡa 25	KⅡb 25	KⅡc 100	KⅢa 70	KⅢb 80	KⅢc 80	計	(1)面積 (km2)
福岡 平野	(2) 甕棺数	54	284	220	416	484	95	1553	100.062
	(3) 甕棺密度:(2)/(1)	0.540	2.838	2.199	4.157	4.837	0.949	15.520	
	(4) 受傷人骨数		1			1		2	
	(5) 甕棺数/年幅	2.160	11.360	2.200	5.943	6.050	1.188		
	(6) 人口圧:(5)/(1)×10	0.216	1.135	0.220	0.594	0.605	0.119		
	(7) 暴力頻度:(4)/(2)		0.004			0.002			
三国 丘陵	(2) 甕棺数	465	611	1003	1001	559	543	4182	78.965
	(3) 甕棺密度:(2)/(1)	5.889	7.738	12.702	12.677	7.079	6.876	52.960	
	(4) 受傷人骨数	1	4	9	15	7	2	38	
	(5) 甕棺数/年幅	18.600	24.440	10.030	14.300	6.988	6.788		
	(6) 人口圧:(5)/(1)×10	2.355	3.095	1.270	1.811	0.885	0.860		
	(7) 暴力頻度:(4)/(2)	0.002	0.007	0.009	0.015	0.013	0.004		
糸島 平野	(2) 甕棺数	81	49	40	64	53	17	304	83.886
	(3) 甕棺密度:(2)/(1)	0.966	0.584	0.477	0.763	0.632	0.203	3.624	
	(4) 受傷人骨数							0	
	(5) 甕棺数/年幅	3.240	1.960	0.400	0.914	0.663	0.213		
	(6) 人口圧:(5)/(1)×10	0.386	0.234	0.048	0.109	0.079	0.025		
	(7) 暴力頻度:(4)/(2)								
早良 平野	(2) 甕棺数	38	122	122	298	187	138	905	58.064
	(3) 甕棺密度:(2)/(1)	0.654	2.101	2.101	5.132	3.221	2.377	15.586	
	(4) 受傷人骨数				1		1	2	
	(5) 甕棺数/年幅	1.520	4.880	1.220	4.257	2.338	1.725		
	(6) 人口圧:(5)/(1)×10	0.262	0.840	0.210	0.733	0.403	0.297		
	(7) 暴力頻度:(4)/(2)				0.003		0.007		
筑紫 平野 東部	(2) 甕棺数	191	76	27	24	116	43	477	94.439
	(3) 甕棺密度:(2)/(1)	2.022	0.805	0.286	0.254	1.228	0.455	5.051	
	(4) 受傷人骨数		1					1	
	(5) 甕棺数/年幅	7.640	3.040	0.270	0.343	1.450	0.538		
	(6) 人口圧:(5)/(1)×10	0.809	0.322	0.029	0.036	0.154	0.057		
	(7) 暴力頻度:(4)/(2)		0.013						
筑紫 平野 中央部	(2) 甕棺数	312	494	808	1011	230	110	2965	100.842
	(3) 甕棺密度:(2)/(1)	3.094	4.899	8.013	10.026	2.281	1.091	29.402	
	(4) 受傷人骨数				4			4	
	(5) 甕棺数/年幅	12.480	19.760	8.080	14.443	2.875	1.375		
	(6) 人口圧:(5)/(1)×10	1.238	1.960	0.801	1.432	0.285	0.136		
	(7) 暴力頻度:(4)/(2)				0.004				

の相関を示す[25]。表1・図2を見てわかる通り，もっとも暴力頻度（表1（7））が高く受傷人骨が最多なのはKⅢa期の三国丘陵であり，同小地域ではKⅢb期まで高い値が続いている。また，比較的に暴力頻度が高い値を示すのは，受傷事例数は各一例のみであるが，KⅡb期の筑紫平野東部とKⅢc期の早良平野である。

　受傷人骨について，若干の状況整理をする。ここでは，暴力痕跡が残る古人骨および武器共伴の事例を受傷人骨としている。弥生時代の受傷人骨

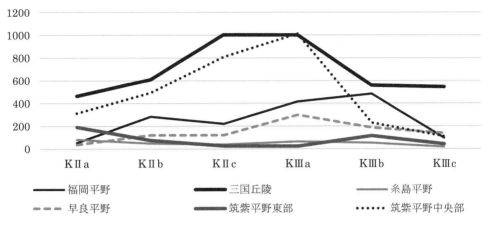

図3 「(2) 甕棺数」の変化 (表1をもとに中川作成)

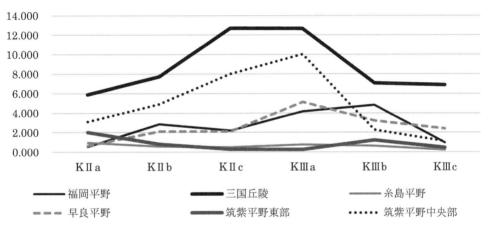

図4 「(3) 甕棺密度」の変化 (表1をもとに中川作成)

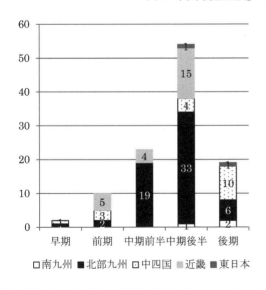

図5 弥生時代全時期における各地域の受傷人骨数

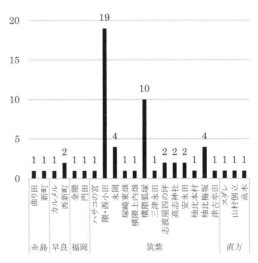

図6 弥生時代北部九州における遺跡ごとの
受傷人骨数

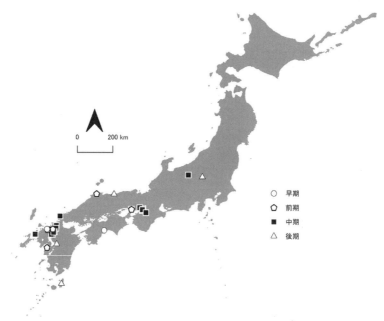

図7　弥生時代における受傷人骨出土遺跡の分布（近畿地方・北部九州に分布が集中する。）
地図は「国土数値情報（行政区域 N03-20_200101）」（国土交通省）〈https://nlftp.mlit.go.jp/ksj/gml/datalist/KsjTmplt-N03-v3_0.html〉をもとにした（2021 年 6 月 1 日取得）。このデータをもとに，QGIS（3.16.4）で中川作成。方位・スケール・地図記号と文字は中川が追加した。

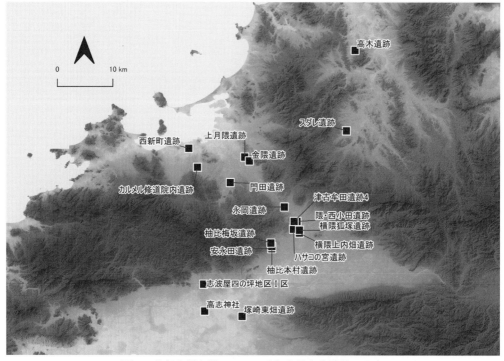

図8　北部九州中期における受傷人骨出土遺跡の分布
地図は「基盤地図情報数値標高モデル」（国土地理院）〈https://fgd.gsi.go.jp/download/menu.php〉をもとに，QGIS（3.16.4）で中川作成。方位・スケール・地図記号と文字は中川が追加した。

は中期の北部九州・近畿地方，後期の中四国（青谷上寺地遺跡）に集中しており（図5・7），北部九州ではとくに三国丘陵，遺跡でいえば最多は隈・西小田遺跡である（図6・8）。

　傷を見ると，大半は1～2回といった小数回の受傷事例であり，成人男性の受傷が多いということ，上半身に傷が多いということ以外は，傷の形状などに現状でパターンは見いだせない。また，少数例ではあるが，先述の回数以上，暴力を受けた事例や，頭部のみ／頭部がない状態の事例がパターンとして分類できる。これらの事例は狭義に集団的暴力として扱うことは難しいかもしれないが，そもそも暴力自体が多面的行為であることを考えればまったく集団的暴力と関係がないとは断じがたい。また，筑紫平野においては多数の暴力痕跡と頭部がないという複合的事例もある。この事例に関しては数が少ないが，中期後半に至り確認できるため，暴力行為の意味自体が中期の中で変質している可能性も考えられる。そのため，ここでの暴力は狭義に言えば様々なパターンの暴力を含んでいることになるが，中川らは社会的現象との相関関係を論じているため，ここで論じる暴力が巨視的に社会にどのように影響を与えたのかという検討であることを付記しておきたい。

　人口圧が全体的に最高値を示すのは三国丘陵であり，筑紫平野中央部がこれに次ぐ。両小地域で人口圧は，KⅡa期の時点から上昇し，KⅡb期でピークを迎える。そして再び第二の増加ピークにあたるKⅢa期前の，KⅡc期の段階で減少する。統計的分析でも人口圧は暴力頻度に影響を与えたことが指摘されている[29]。この点は，これまで主張されてきた，人口増加に伴う資源不足によって集団的暴力が生じるという説と合致している。

　一方で中川らは，人口圧は暴力の単一の生成要因とは考えられないとした。暴力頻度と人口圧が高い時期（KⅢa期）は一致する一方で，その値の程度は一致しない。つまり，人口圧が高い値を示すのは，KⅡa・KⅡb期の三国丘陵（2.355と3.095）と，KⅡb期の筑紫平野中央部（1.960）であるが，同じ時期の暴力頻度はKⅢa期よりも低

い値を示している（それぞれ0.002，0.007，0）。そのほかの地域では受傷人骨の数自体が少ない。古人骨の残存状況が悪いがゆえに暴力痕跡が残っていない，あるいは橋口が指摘する切先が共伴しないが暴力は受けていたなど，現在で視認できない資料がある可能性も残されるが，現存する資料に基づけば，ほぼ全地域でみられるKⅡc期の人口圧の低下が一律的に集団的暴力によるものとはいいがたい。

まとめ：諸現象の照合

　以上，人口動態と暴力の研究について概観した。人口動態に関してはいまだ包括的研究は少なく，また様々な資料から検討が試みられているため条件をそろえながら先行研究をまとめることは難しい。だからこそ，一度概観しておくことには一定の意義があるだろう。

　人口動態に関しては，前期末から中期における人口数や密度の増加が指摘されてきた[12)15)17)]。AMS法による年代を用いた研究では，弥生時代当初から中期までに緩やかな人口増加が起こり[10)]，以後急増した可能性が指摘されている。しかし，甕棺墓からみると一時的に人口減少が生じた可能性がある。中期後半に関しては暴力との関係性が指摘されるが，中期前半の減少要因の検討は課題として残されている。中川らの検討しているのは人口「圧」であるため，環境収容力を超えたがゆえに人口減少が生じたという，根本を問うても良いのかもしれないが，根本を問うのであればまた別の分析が必要であろう。つまり，埋葬でしかこの現象が見えていない可能性の検証（大規模集落の定量的検討も視野に入れた，埋葬以外の考古資料における人口変動の検討と照合），農耕以外の食料資源の検討によって環境収容力の様相の解像度を上げること，合わせて交流関係の様相の検討，気候変動といった環境変化の検討，最後に本誌のテーマでもある感染症の可能性の考慮といった点が挙げられる。最後の感染症に関しては，管見の限り当時期・当地域にはないが，感染症が存在する可能性が排除できるわけではないため，鈴

木のいう社会的・経済的環境の考察にあたっては[2]，可能性は考慮しておくのが最善だろう。気候変動に関しては近年精力的に進められており，最後に少しだけ触れておきたい。中塚武は，まず近代の農業社会のデータをもとに，気候変動に伴う農業生産力（この関係性はおよそ中〜西日本では生じる可能性がある）がもたらす社会的影響について検討した[30][31]。結果，もっとも餓死者・難民を出しやすいのは数十年周期の気候変動であることを指摘しており，この傾向は中日本から西日本において一定の再現性をもつという。これを踏まえて弥生・古墳時代の古気候データをもとに当時の農業生産力と人口の関係についてシミュレーションをすると，紀元前4-3，紀元前1世紀といった時点で餓死者や難民が発生しやすい状況が生じると指摘されている。一時的に人口減少が生じるKⅡc期が前イベントの範囲とかぶるため，社会的に不安定な状態だったことが推察される。こうした成果も含めて，今後の弥生時代の人口変動を検討・照合し，社会復元を行うことが望まれる。

註

1) e.g., Childe（1950），都出（1997）。
2) 鈴木（1993）は「社会的・経済的環境」がもっとも重要だと指摘した（pp.382-384）。具体的には，経済状態の悪化，家屋や都市などにおける人口密度，感染源への接触率，移住などによるストレス状況や免疫の差といった点を挙げた。
3) e.g., 小山・杉藤（1984）
4) 小林（1999），pp.22-23。
5) ただし，2020年のパンデミック以降，人口や遺跡の消長の成果について見直す意見も出てきている（春成編 2020）。
6) 詳細は原論文を参照されたい。
7) 小山（1983・1984）。「はじめに」で触れた通り，大陸から人が流入する時期でもあるので，いくつかの研究では人口変動のシミュレーション時に，条件として疫病を想定している（中橋2002）。小山も後章でシミュレーションを行っており，その中で疫病を集団移動のモデルに加えている。小山（1984b）では，こうした疫病が人口減少を引き起こした可能性も指摘している。
8) Hanihara（1987）
9) 中橋・飯塚（1998）
10) 中橋・飯塚（2008）
11) 橋口（2005）
12) 橋口（1987）
13) 当時期の集落動態は北部九州に普遍的現象だという（前註，p.716）。
14) 橋口（2007）も参照。
15) 小澤（2002・2009）
16) 小澤（2002）のp.142。また，筑後平野，佐賀平野（とくに二日市市付近）では，中期末から後期前半にかけて中心集落への「集住」現象がみられ，後期初頭から前半にもこの現象は続くという。この点に関しては，筑後平野・佐賀平野も，福岡平野や糸島平野と同様の現象を指摘している（p.143）。
17) 宇佐美（2020）
18) 集成にあたり，宇佐美（2020）は「集落」を「建物（住居）や関連施設（井戸，区画，耕地など），遺物が一定程度まとまって検出される単位を集落」としている（p.1403）。また，墓地は含まれていない（p.1396）。
19) 表1（p.1403）と宇佐美（2020）の註9をみる限り，宇佐美が用いている実年代は不明瞭であるが，おおよそAMS法による実年代を用いていると推察する。
20) 註17，p.1398。
21) 中橋（1993a・1993b）
22) 前註，（1993a）を参照。
23) 隈・西小田遺跡では，とくに中期後半の初め（橋口KⅢa期）に受傷人骨が多く出土している。内訳はすべて男性であることから，男性は戦闘行為による死亡者が存在する可能性を考慮し数値が補正されている。このほか，埋葬された人々の年齢構成や未検出の甕棺がある可能性も考慮した補正がなされている。また，橋口編年の型式あたりの年代区間は25年と30年で計算されている。
24) 対象時期が中期であるため，考古学的知見も踏まえて，ここでは大陸からの流入というよりも，自然的増加と解釈している（p.39）。
25) Nakagawa et al.（2021）
26) 藤尾・今村（2006）を参考にしている。
27) この研究に課題がないわけではない。甕棺を対象としたが，古い調査など，甕棺の個数や時期の情報が不明瞭なものは含まれていない。また，デ

ータ集成が終了した時点で未報告であった資料は
この中に含まれていない。実年代の解像度は今後
も更新されるだろう。そのため，現時点での成果
であり，今後も再検証が望まれる。

28) 橋口 (2007)，松木 (2007)
29) 註25の図5も参照されたい。
30) 中塚武 (2022)
31) 耕地の開発や，食料生産に関わる技術革新，危
機的状況への対応力といった条件はパラメーター
には含まれていない。

参考文献

秋山浩三『弥生大形農耕集落の研究』青木書店，
2007

秋山浩三『弥生実年代と都市論のゆくえ 池上曽根遺
跡 改訂版』シリーズ「遺跡を学ぶ」23，新泉社，
2023

安藤広道「人口論的視点による集落群研究の可能性」
『弥生文化博物館研究報告』4，大阪府立弥生文化
博物館，1995，pp.1 - 30

宇佐美智之「北部九州弥生時代前半期における集落
分布・立地の変化：集落の動態にみる列島初期農
耕社会の形成過程」『立命館文學』666，立命館大
学人文学会，2020，pp.1405 - 1391

小澤佳憲「弥生時代における地域集団の形成」『究
班』Ⅱ，埋蔵文化財研究集会25周年記念論文集
編集委員会，2002，pp.135 - 151

小澤佳憲「北部九州の弥生時代集落と社会」『国立
歴史民俗博物館研究報告』149，国立歴史民俗博
物館，2009，pp.165 - 195

片岡宏二・飯塚勝「数理的方法を用いた渡来系弥生
人の人口増加に関する考古学的研究―弥生時代前
期～中期における三国丘陵をモデルとして」『九
州考古学』81，九州考古学会，2006，pp.1 - 20

小林達夫『縄文人の文化力』新書館，1999

小山修三「人口変動と稲作の成立」佐々木高明 編
『日本農耕文化の源流』日本放送出版協会，1983，
pp.347 - 373

小山修三・杉藤重信「縄文人口シミュレーション」
『国立民族学博物館研究報告』9 (1)，国立民族学
博物館，1984，pp.1 - 39，http://doi.org/10.15021/
00004436

小山修三『縄文時代：コンピュータ考古学による復
元』中央公論社，1984

鈴木隆雄「我が国の結核症の起源と初期流行につい
ての古病理学的研究」日本人と日本文化の形成

(埴原和朗 編)，朝倉書店，1993，pp.376 - 396

都出比呂志「都市の形成と戦争」『考古学研究』44
(2)，考古学研究会，1997，pp.41 - 57

中塚 武「年輪酸素同位体比を用いた弥生・古墳時
代の気候・農業生産・人口の変動シミュレーショ
ン」『国立歴史民俗博物館研究報告』231，国立歴
史民俗博物館，2022，pp.317 - 336

中橋孝博「(附編1) 福岡県筑紫野市，隈 西小田地
区遺跡群出土の弥生時代人骨」『隈・西小田地区
遺跡群』筑紫野市文化財調査報告書38，筑紫野市
教育委員会，1993a

中橋孝博「墓の数で知る人口爆発」『朝日ワンテー
マ マガジン』14，朝日新聞社，1993b，pp.30 - 46

中橋孝博・飯塚 勝「北部九州の縄文～弥生移行期
に関する人類学的考察」『Anthropological Science
(Japanese Series)』106 (1)，日本人類学会，1998，
pp.31 - 53

中橋孝博・飯塚 勝「北部九州の縄文～弥生移行期に
関する人類学的考察 (2)」『Anthropological Science
(Japanese Series)』116 (2)，日本人類学会，2008，
pp.131 - 143

橋口達也「聚落立地の変遷と土地開発」『東アジア
の考古と歴史』同朋出版，1987，pp.703 - 754

橋口達也『甕棺と弥生時代年論論』雄山閣，2005

橋口達也『弥生時代の戦い：戦いの実態と権力機構
の生成』雄山閣，2007

埴原和郎『日本人の起源』朝日選書264，朝日新聞
社，1984

埴原和郎「日本人集団の形成：二重構造モデル」『日
本人と日本文化の形成』朝倉書店，1993，pp.
258 - 279

埴原和郎「二重構造モデル 日本人集団の形成に関わ
る一仮説」『Anthropological Science』102 (5)，日
本 人 類 学 会，1994，pp. 455 - 477，https://doi.
org/10.1537/ase.102.455.

春成秀爾 編「たより 感染症と考古学 (2)」『考古学
研究』67 (2)，考古学研究会，2020，pp.77 - 86

藤尾慎一郎・今村峯雄「弥生時代中期の実年代：長
崎県原の辻遺跡出土資料を中心に」『国立歴史民
俗博物館研究報告』133，国立歴史民俗博物館，
2006，pp.199 - 229

松木武彦『日本列島の戦争と初期国家形成』東京大
学出版会，2007

松木武彦「人口と集落動態からみた弥生・古墳移行
期の社会変化」『国立歴史民俗博物館研究報告』

185，国立歴史民俗博物館，2014，pp.139‑154

Childe, V. Gordon. "The Urban Revolution." *The Town Planning Review* 21, no. 1. 1950, pp.3-17. http://www.jstor.org/stable/40102108.

Crema, E. R., Shoda, S. A Bayesian approach for fitting and comparing demographic growth models of radiocarbon dates：A case study on the Jomon-Yayoi transition in Kyushu（Japan）. *PLoS ONE* 16（5）. 2021, e0251695. https://doi.org/10.1371/journal.pone.0251695

Hanihara, K. Estimation of the Number of Early Migrants to Japan: A Simulative Study. *Journal of the Anthropological Society of Nippon* 95（3）, 1987, pp. 391-403. https://doi.org/10.1537/ase1911.95.391

Nakagawa, T., Tamura, K., Yamaguchi, Y., Matsumoto, N., Matsugi, T., Nakao, H. Population pressure and prehistoric violence in the Yayoi period of Japan. *Journal of Archaeological Science*, 132. 2021, 105420. https://doi.org/10.1016/j.jas.2021.105420

Nolan, P. Toward an ecological–evolutionary theory of the incidence of warfare in preindustrial societies. *Sociological Theory*, 21（1）. 2003, pp.30-46

古代都城における疫神祭祀
―長岡京・平安京を中心として―

山田邦和
Kunikazu YAMADA

はじめに

　人間社会にとってもっとも恐ろしい事象のひとつは，疫病の流行であろう。私たちも，令和2年（2020）以降に日本でも大流行して多大な被害をもたらせた新型コロナウイルス感染症COVID-19によって，それを如実に実感させられたところである。現代社会においてもそうだったのだから，古代や中世にあってはその脅威はいかほどのものだったであろうか。もちろん，日本の古代・中世においても一定程度の医療技術や福祉施設は存在していた。たとえば，古代の『律令』では天皇・皇族のためには中務省の内薬司，その他の貴族・官人のためには宮内省の典薬寮が設置されてそれぞれの医療にたずさわっていた。さらに，奈良時代には令外官としての施薬院（やくいん）が創設され，病に苦しむ庶民の医療や救済にあたっていた。

　しかし，そうした努力も，いったん疫病が流行し始めると蟷螂の斧に等しかった。天平9年（737）の天然痘の大流行では，当時権勢を誇っていた藤原武智麻呂・房前・宇合（うまかい）・麻呂の「藤原四兄弟」が一挙に犠牲になった（『続日本紀』同年四月十七日・七月十三日・同月十五日・八月五日各条）。長徳元年（995）の麻疹（「赤疱瘡（あかもがさ）」）の流行の際には関白前内大臣藤原道隆，その後を継いだ関白右大臣藤原道兼，左大臣源重信，大納言藤原朝光，大納言藤原済時，大納言藤原道頼，中納言藤原保光，中納言源伊陟（これただ）という8人もの上級貴族が相次いで薨去した（『百錬抄』同年五月八日条。『愚管抄』巻第四）。最高権力者といえども疫病の猛威の前にはなすすべがなかったのである。

1　古代都城における疫神祭祀

（1）西方から侵入する疫神

　医療の未発達な時代にあって，人々は伝染病を疫神（えきじん）（疫鬼（えきき））（図1）という悪神のしわざと捉えており，この疫神は西方から入ってくるという認識が共有されていた。正暦5年（994）の疫病大流行は「起レ自二鎮西一遍三満七道一」（『日本紀略』同年今年条），つまり九州に始まってそこから全国に広まったとされていた。貞観14年（872）には平安京とその周辺に「咳逆病（がいぎゃくびょう）」が流行して多数の人々が亡くなったが，これは渤海からの使者が来朝したことによる「異土毒気」（『日本三代実録』貞観十四年正月二十日条）が原因であると噂された。後者のように異国の使者（「蕃客（ばんきゃく）」）が来た場合には，畿内の玄関口やそこから平安京にいたる途上，さらには平安京の四隅で「蕃客を堺に送

図1　疫鬼
（『政事要略』〔国立国会図書館デジタルコレクション〕より）

る神祭」や「障神祭」が行なわれ（『延喜式』巻第三「臨時祭」），彼らに取り憑いていたと考えられた悪神の排除が試みられた。

　日本古代国家は，穢れを祓い，清浄な状態を維持するためにさまざまな国家的祭祀を実施した。それらは「大祓（おおはらえ）」と総称されている。この中でもっとも重要なものは，疫神を排除するためのさまざまな祭祀，とくに「道饗祭（みちあえのまつり）」や「鎮花祭」であった。後者は毎年春に行なわれるものである。「季春　鎮レ花祭〔謂。大神・狭井二祭也。在二春花飛散之時一。疫神分散而行レ癘。為二其鎮遏一。必有二此祭一。故曰二鎮花一〕」（『令義解』「神祇令」）とあるように，春の花が舞い散る美しい季節が，同時に疫神が分散して病を流行らせるという感覚があったことは興味深い。

　道饗祭は毎年の六月と十二月に行なわれる恒例祭祀である。これは「京四方大路最極，卜部等祭。牛皮幷鹿猪皮用也。此為二鬼魅自レ外莫レ来二京内一祭之。左右京職相預」（『令集解』「神祇令」所引「令釈」），「道饗祭〔於二京城四隅一祭之〕」（『延喜式』巻第一「四時祭　上」），「道饗祭〔謂。卜部（うらべ）等於二京城四隅道上一而祭之。言欲レ令二鬼魅自レ外来者不レ敢入二京師一，故預迎二於道一而饗遏也〕」（『令義解』「神祇令」）とある通り，左右の京職が所管し，占いを職掌とする卜部（うらべ）が担当し，牛・鹿・猪の皮を使うことによって実施した。この祭は，外部からの悪神を京の四隅の道の交差点の側において饗応し，彼らにそこから引き返してもらうことを意図したものであった。つまり，強大な力を持つ疫鬼に対して正面からぶつかっても勝てるかどうかはわからない，それならいっそ彼らを満足させて穏やかに引き取ってもらうほうがいいという，古代人ならではの現実的感覚が表れているといえよう。こうしたやりかたは，聖武天皇の御代に生きた讃岐国山田郡の「布敷の臣衣女（ぬのしきのおみきぬめ）」という女性が病にかかった時，「偉しく百味を備えて，門の左右に祭り，疫神に賂（まかな）ひて饗」したことによって疫神の難から逃れることができたという説話（『日本霊異記』中巻第二十五）からもうかがうことができる。

（2）都城を護る公的祭祀

　疫神祭祀の上で最重要視されたのは，都城である。そこには天皇という聖なる存在の常在所なのであり，そこに疫鬼を近づけず清浄な状態に保つことは，まさに古代国家の命運を左右する重大事だったのである。

　まず，「羅城御贖（らじょうのみあが）」が行なわれる。これは平安京の正門である羅城門で行なわれる祭で，「〔毎レ世一行。中宮准レ此〕」（『延喜式』巻第三「臨時祭」）とある通り，天皇一代に一回，さらに中宮立后の時にだけ実施され，天皇や中宮の身についた穢れを祓って清らかにする効力が期待されていた。

　また，「首都圏」である畿内と，平安京の所在する山城国を疫神から防衛するため，「畿内堺十処疫神祭」や「四角四堺祭」が行なわれた。これは「畿内堺十処疫神祭〔山城與二近江一堺一。山城與二丹波一堺二。山城與二摂津一堺三。山城與二河内一堺四。山城與二大和一堺五。山城與二伊賀一堺六。大和與二伊賀一堺七。大和與二紀伊一堺八。和泉與二紀伊一堺九。摂津與二播磨一堺十〕」（『延喜式』巻第三「臨時祭」）とある通り，まずは畿内を構成する山城国・大和国・摂津国・和泉国と，畿外の近江国・丹波国・伊賀国・紀伊国との国境の七ヶ所において祭を行なう。さらに，山城国と大和国・摂津国・河内国の国境の三ヶ所でも祭が行なわれる。後者の一類型としては「四角四堺祭」もあり，これは「四角四堺祭使等歴名　右弁官下二山城国一　和邇堺…会坂堺…大枝堺…山崎堺…。右今月廿七日，為レ祭二治郊外四所鬼気一…。天暦六年六月廿三日…」（『朝野群載』巻第十五「陰陽道」）とあるように，山城国と近江国の境界である「和邇（京都市左京区大原小出石町と滋賀県大津市伊香立途中町の境の途中越（とちゅうごえ））」と「会坂（大津市逢坂の逢坂山（あふさかやま））」，丹波国との境界である京都市西京区の「大枝山（大江山（おおえやま））」，摂津国との境界である「山崎（京都府大山崎町と大阪府島本町）」がその祭場となっていた（図2）。これらの祭によって山城国は，いわば二重のバリアーによって防御されていたことになる。

　南北朝時代に描かれた香取本『大江山絵詞』

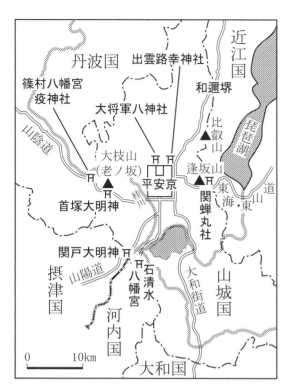

図2　平安京周辺の境界祭祀場（註2文献により作成）

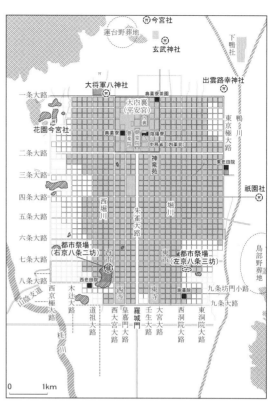

図3　平安京と主要な祭祀場

（逸翁美術館蔵），能『大江山』，『御伽草子』など
には，大江山（大枝山）の鬼・酒呑童子の伝説が
描かれている。一条天皇の治世の時に都の西にあ
る大江山に鬼が住みつき，たびたび京都に出没し
ては貴族の女性を誘拐して大江山に連れて行き，
むごたらしい仕打ちを行った。そこで天皇は源頼
光に酒呑童子討伐を命じ，頼光は八幡大菩薩の加
護によってめでたく酒呑童子の首を挙げて都に凱
旋した，というのである。従来，この酒呑童子の
正体については，山賊，鉱山労働者から，はては
漂着した西洋人にいたるまでさまざまな説が唱え
られてきた。しかし，髙橋昌明は酒呑童子は実は
疱瘡を流行させる疫神を擬人化したものであった
という説を唱えている[1]。すなわちこの伝説は，
武芸によって穢れを祓うことを職掌とした武士
が，都に伝染病を流行らせて人々を殺していく疫
神を，山城国と丹波国の境界である大江山（大枝
山）において退けるという内容だと読み解くこと
ができるのである。

　このような祭の痕跡は，今も京都周辺のいくつ
もの場所に神社となって残されている[2]。逢坂山
の関蝉丸社，大枝山の「首塚大明神」，それを越
えたところの篠村八幡宮（京都府亀岡市篠町）の
疫神社，山崎の関戸大明神，1月18日に夜を徹
して行なう「青山祭」という名の道饗祭を現在ま
で伝えている石清水八幡宮（京都府八幡市）は，
その実例と考えてまちがいない。

　それでも侵入してくる疫神を退けるのが，「宮
城四隅疫神祭〔若応ㇾ祭二京城四隅一准ㇾ此〕」（『延
喜式』巻第三「臨時祭」），すなわち平安京の四つ
の角で行なわれる「京城四隅疫神祭」と，天皇
のいる平安宮（大内裏）の四隅で行なわれる「宮
城四隅疫神祭」であった。平安京の東北角の外側
にあたる「幸神社」（京都市上京区寺町通今出川上
ル西入ル幸神町）は境内に疫神社の祠を祀ってい
る。また，上京区一条通天神西入ル西町の大将軍
八神社はちょうど平安宮の西北角に鎮座している
（図3）。これらの神社もまた，平安京や平安宮の

四隅で行なわれた疫神祭の伝統を今に留めるものなのであろう。

(3) 平安京の疫神祭祀の諸相

『延喜式』に記載された「畿内堺十処疫神祭」，「四角四堺祭」，「京城四隅疫神祭」は国家による正式の疫神祭であった。しかし，平安京で行なわれた疫神祭祀はそれらだけにとどまるわけではなかった。疫神を祓うためのさまざまな祭は，疫病が流行するたびに平安京とその周辺の各所において実施された。たとえば，天長10年（833）には平安宮の中心である大極殿において，穀物の豊作と疫気の除去を祈るために，百名の僧侶に大般若経の転読を行なわせている（『続日本後紀』天長十年三月二十日条）。前述した正暦5年（994）の疫病大流行の時には，調庸の免除，老齢者への穀物の配布，賑給といった措置に加えて，八省院東廊での大祓，伊勢神宮以下の諸社への奉幣，歴代天皇陵への山陵使の派遣，諸国での仁王会，諸々の役所や神社における石塔の建立，船岡山での御霊会（『日本紀略』同年三月二十六日〜六月二十七日条）など，国家の総力を挙げた疫神撃退のための祭祀が行なわれたのである。

その中で，とくに重要な祭祀場として，平安京北郊の紫野の今宮神社（図4）が挙げられる。

　　「為二疫神一，修二御霊会一。木工寮・修理職造二神輿二基一，安二置北野船岡上一。屈レ僧令レ行二仁王経之講説一。城中之人招二伶人一，奏二音楽一。都人士女賷二持幣帛一。礼了，送二難波海一」（『日本紀略』正暦五年六月二十七日条）

「正暦五年六月廿七日，被レ安二置疫神於船岡上一。長保三年五月九日，被レ安二置疫神於紫野一。京師衆庶行二御霊会一」（『朝野群載』巻第廿一「雑文」）

「於二紫野一祭二疫神一。号二御霊会一。依二天下疾疫一也。…京中上下，多以集二会，号レ之今宮一」（『日本紀略』長保三年五月九日条）

「紫野今宮　　寛治三年五月九日，於二紫野一有二疫神祭事一。長保年中所二始行所一也。世号レ之今宮祭一。毎年五月九日祭」（『諸神記』中）

「京中児女，備二風流一，調二鼓笛一，参二紫野社一。世号レ之『夜須礼』一。有レ勅禁止」（『百錬抄』久寿元年四月近日条）

すなわち，正暦5年（994）に船岡山（京都市北区紫野北船岡町）に疫神を祭る御霊会が実施された。これは，2基の神輿を山上に安置して祭を行い，その後にこの神輿を難波の海に流すことによって，それに乗った疫神を払うという儀礼であった。これは，長保3年（1001）には船岡山の北麓の紫野における疫神祭へと発展した。寛治3年（1089）には紫野疫神祭は「今宮祭」または「夜須礼」と呼ばれて毎年5月9日の年中行事となっていた。現在の今宮神社の祭礼である「やすらい祭」（図5）がこれである。この祭は京の市民の熱狂的な信仰を集めて華美になりすぎたためか，久寿元年（1154）に朝廷はこれを禁止するにいたっている。

また，京から鴨川を東に渡ったところの祇園社（祇園感神院，現・八坂神社）も重要な疫神祭

図4　今宮神社

図5　今宮神社のやすらい祭（2011年）

図6　花園今宮社

祀の場であった。この神社の創始は不明確ではあるが，一説には貞観18年（876）に奈良の円如という僧侶が仏堂を建立したことに始まるという（『祇園社家条々記録』）。神社としての祇園社の祭神は牛頭天王または武塔天神であったが，これが日本神話の素戔嗚尊と同一視され，さらにはその怒りは疫病を流行させるもととなると信じられるようになった。延喜20年（920）には「為レ除二咳病一，可レ奉二幣帛・走馬祇園一之状，令二真祇〔貞救カ〕申一。又，令レ鑒〔玄鑒カ〕上人立二冥送願一」（『貞信公記』同年閏六月二十三日条）として，祇園社は疫病除けの神として認識されるようになった。『二十二社註式』の祇園社の項には「円融院天禄元年六月十四日，始二御霊会一，自二今年一行レ之」とあり，これを信頼するならば天禄元年（970）には恒例祭としての祇園御霊会が成立していたことになる。

平安京の疫神祭祀の場としてもうひとつ注目されるのは，花園今宮社（祇花園社，花園社。京都市右京区花園伊町）である（図6）。これは，『小右記』長和四年六月二十五日条に「西京花園寺坤方，紙屋河西頭，新卜二疫神社一。是西洛人夢想云々。或云，託宣云々。今日，東西京師凡庶，挙二首一，捧二御幣一，具二神馬一向二社頭一云々」，『同』同年同月二十六日条に「昨，花園今宮御霊会，始行」，『百錬抄』同年六月二十日条に「京人花園辺建二立神殿一，祠二疫神一。依二疫神託宣一也」とあるように，長和4年（1015）の平安京の疫病流行を受けて，疫神の託宣によって神社

が創始され，そこで花園今宮御霊会という疫神祭が行なわれたものである。この疫神は「吾是唐朝神也。無二住所一流二来此国一，已無レ所レ據，吾所レ到，悉以発二疫病一。君〔若カ〕祭二吾称一作二住其所一了者，可レ留二病患一也」（『春記』永承七年五月二十八日条），つまり自分はもともと中国の神であるが，そこでは住むところを失ってしまったので日本に来た。しかしここでも居所がないために疫病を流行らせてしまった。自分をこの地で祀ってくれるならば疫病を止めてやる，と言っていたというのである。ここで重要なのは，花園今宮社が所在する場所が平安京右京一条四坊十四町，つまりは西を西京極大路によって画された平安京の西端にあたることである。すなわち，平安京に入る境界のところに神社を造り祭祀を行なうことによって，京内への疫神の侵入を妨げようとしたことになる。

ほかにも，霊験あらたかと信じられていた寺社が疫病除けの信仰の対象となることがある。承安2年（1172）には「京中諸人，修二諷誦於六角堂因幡堂一。為レ免二疫疾一云々」（『百錬抄』承安二年五月十二日条）として，平安京左京四条三坊十六町の六角堂頂法寺と左京五条三坊十三町の因幡堂平等寺がそうした信仰の場となった。この両寺が平安京における庶民の仏教信仰の中心地であったことは言うまでもない。

（4）疫病除けの俗信

疫病流行といった異常事態の中では根拠薄弱なデマが流布することがある。正暦5年（995）の疫病流行の際には，「左京三条南油小路西，有二一小井一。水渇泥深，尋常不レ用。而，或狂夫云，飲二此水一者，皆免二疫癘一。仍都人士女，挙レ首来汲。男女提二樋瓶一，貴賤貯二匜盥一。偏恐二病死之千万一，不レ尋二妖言之真偽一者也」（『本朝世紀』同年五月十六日条），つまり平安京左京四条二坊九町（三条大路南，油小路西）に泥だらけの廃井があったのであるが，ある「狂夫」がこの水を飲むと疫病から逃れることができると言い出したため，京中の男女がこの井戸に殺到して水を汲んだ，というのである。もちろんこれによって疫病を防げる

はずはなく，逆にこの汚水で健康を損ねる人のほうが多かったことは想像にかたくない。しかし，疫病の猛威に対して何らの抗うすべを持たず，ただただ立ちすくむしかなかった人々が，わずかな希望を求めてそうした妄言にすがりついた心情を笑うことはできないように思う。

2　疫神祭祀の遺跡と遺物

(1)　長岡京と平安京の「蘇民将来札」

　疫神除けの呪符としてもっともよく知られているのは「蘇民将来札」であろう。現在でも京都の八坂神社や長野県の信濃国分寺ではこの札が配られているし，三重県の伊勢志摩地域でも民家の玄関には様々な形態のこの札が架けられている。

　「蘇民将来札」の信仰は奈良時代以前に遡る。『釈日本紀』所引『備後国風土記』逸文に載せる「疫隈の国社」（現・広島県福山市新市町戸手の素盞嗚神社）の由来譚はその原点を示す説話としてよく知られている。「武塔神」（速須佐雄神）が旅の途上において，「蘇民将来」と「将来」（別伝では巨旦将来）という兄弟に対して宿を求めた。しかし弟は豊かであったにもかかわらず出し惜しみをして武塔神を泊めなかったのに対して，貧しい兄は同神を温かく迎え入れた。そこで武塔神は報復として弟の将来とその一族をことごとく滅ぼしたけれども，兄の蘇民将来の一家だけは茅の輪の護符を腰の上につけさせることによって守った。そして，「後世尓疫気在者，汝，蘇民将来之子孫止云天，以二茅輪一着レ腰在人者，将レ免」と宣言した，というのである。ここに登場する武塔神（＝素戔嗚尊）が祇園社の祭神である牛頭天王と同一視されたため，祇園社の疫神祭祀に「蘇民将来札」が用いられるようになり，その信仰が広まるとともにこの札も全国に拡散したのである。

　中野麻理子によると，「蘇民将来札」の出土事例は，東は茨城県から西は兵庫県におよぶ63点

左：長岡京
　　右京六条二坊六町跡
　　（右京第688次調査）
右：平安京
　　左京五条一坊二町跡
　　（壬生寺境内遺跡）

0　　1cm

図7　長岡京跡・平安京跡出土の蘇民将来札
（註4・5文献による）

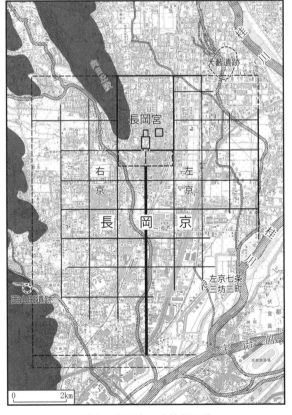

0　　2km

図8　長岡京の疫神祭祀場

が知られているという³⁾。このうち，長岡京では右京六条二坊六町跡（右京第688次調査）⁴⁾，平安京では左京五条一坊二町跡（壬生寺境内遺跡）⁵⁾の出土品がある（図7）。発掘調査で確認された「蘇民将来札」は時期的には8世紀から16世紀までの長い期間にわたっているが，大多数は12世紀以降のものである。それに対して，長岡京右京六条二坊六町跡品は8世紀末葉，平安京左京五条一坊二町跡品は9世紀初頭に比定される古例である。ここからは，疫病除けの護符としての「蘇民将来札」の信仰が遅くとも平安時代初期にはすでに成立していたことが知られるのである。

(2) 長岡京の境界祭祀の遺跡

前述の通り，都城の四隅においては国家によって四角四堺祭といった境界祭祀が実修され，都城内への疫神の侵入を防ごうとしていた。考古学的にみると，都城の四隅の近辺にはしばしば祭祀の痕跡の色合いが濃い遺跡が点在しており，そうしたものによって古代都城の境界祭祀の一端を知ることができる。長岡京においては，京の東北の大藪遺跡，東南の長岡京左京七条三坊三町跡（下層に存在する古墳時代の集落跡は「水垂遺跡」），西南の西山田遺跡をその事例として挙げることができよう⁶⁾（図8）。

長岡京左京七条三坊三町跡⁷⁾（図9）は長岡京の東南部に位置してはいるが，それはあくまで条坊制の想定範囲内だということだけで，実際には長岡京の東南部には桂川が広く食い込んでいるから，現実的には京の外側であった。事実，左京六条三坊五・六町，七条三坊一・二・三・七・八町ではその周囲の条坊道路は不完全にしか設定されていなかったことが発掘調査によって確認されている。そして，東二坊大路と七条条間小路の交差点を西北から東南へ横切って小さな河川（流路SD285）が左京七条三坊三町の内部に延びており，その河川の中から大量の祭祀遺物，つまり土馬（図9-1・2），人面墨描土器（同3〜12），ミニチュア竈・鍋（同13〜16），木製人形代（同17・18・22〜24），木製動物形代？（同21），斎串（同19），木製剣形代（同20），木製舟形代（同25・

26）などが出土している。とくに目立つのは人面墨描土器であり，さまざまな個性的な顔を描いた土師器壺・椀が実に422点も出土しているのである。これらの祭祀遺物は，東二坊大路と七条条間小路の交差点に架けられた橋（SX286）およびその付近から川に流されたものである。

西山田遺跡（長岡京跡右京第104次調査〔7ANOND地区〕）⁸⁾（図10）は，長岡京右京七条四坊のすぐ西側に位置する。遺跡の東に隣接して長岡京西四坊大路が想定されているけれども，実際にはこのあたりには未だ長岡京の造営は及んでいなかったらしい⁹⁾。すなわち，この遺跡は長岡京の実質上の西南隅にあたっていると考えてよい。遺跡の北側には菩提寺川が，西北から東南にかけては小泉川が流れている。ここで祭祀遺物を出土したのは，西北から東南に流れる河川（SD10406）と，土坑（SK10401）である。この河川はおそらく菩提寺川の旧河道で，東南へと延びて小泉川に注ぎ込むものだったのであろう。祭祀遺物としては，人面墨描土器（図10-14〜21），それと同一器種ではあるが人面を描かない土師器（同13・22），土馬（同9〜12），ミニチュア竈・鍋（同1〜8）などがある。土坑（SK10401）は直径3.9m，深さ1.5mのすり鉢形のもので，その底部から土馬（同23）が出土した。何らかの祭祀行為に使われた後，意図的に破壊してここに埋めたものだと推定されている。

大藪遺跡（図11・12）は長岡京の東北の外側にあたる遺跡で，これまで10次にわたる調査が行なわれており，古墳時代から平安時代にいたる旧河道が縦横に流れていたことが確認されている¹⁰⁾。その中で祭祀遺物を大量に出土したのは第1・4次調査区で，いずれも西北から東南に流れる旧河道が検出された¹¹⁾。第1次調査で確認された旧河道では，奈良時代に多数の杭を打ち込んで柵を作り川の流れを制御しており，その流路の中からは馬の下顎骨や藁製の円座が出土した。この河道は長岡京期には柵は埋没してしまっていたが，なおも引き続き流れており，そこからミニチュア竈・鍋（図12-1・2・4・5），土馬（同6〜

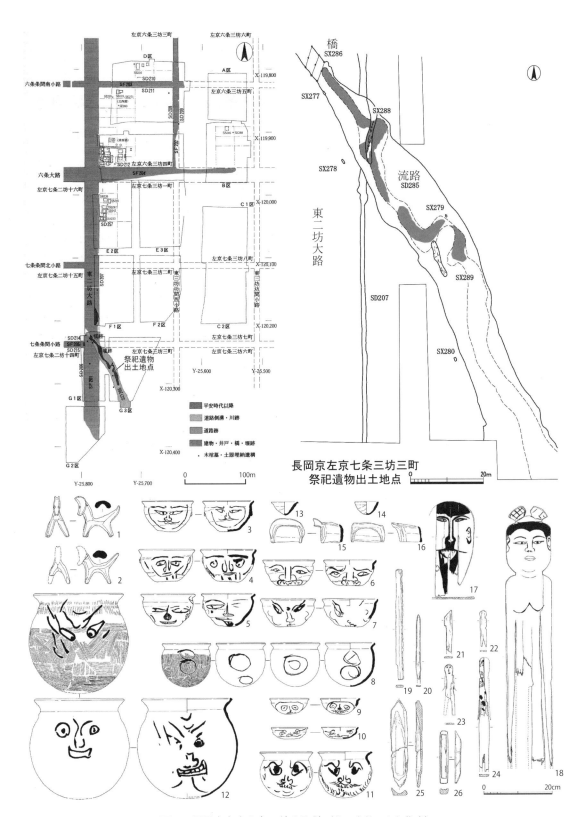

図9　長岡京左京七条三坊七町跡（註7文献により作成）

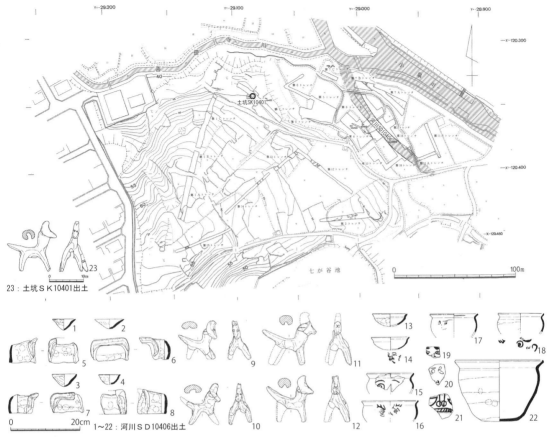

図10 西山田遺跡 (註8文献により作成)

23：土坑SK10401出土

1～22：河川SD10406出土

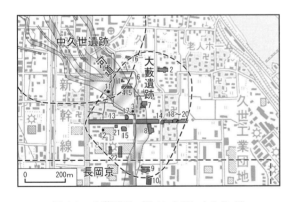

図11 大藪遺跡 (註11文献により作成)

図12 大藪遺跡出土遺物 (註11文献により作成)

8)，土師器椀（同3・9），木製人形代（同10～12），人面墨描土器（同14～16・18），人面陽刻土器（同17），魚または鳥？の木製形代（同13），木製舟形代（同19）などの祭祀遺物が出土した。いずれも意図的に河川に流されたのであろう。なお，この河川の上流の中久世遺跡からは平安時代初期に降る祭祀遺物が出土しており，長岡京廃都後も祭祀が継続していたことが推定されている[12]。

(3) 平安京の境界祭祀の遺跡

平安京跡の発掘調査では少数の祭祀遺物が出土すること自体は珍しくない。その中で，多量の祭祀遺物がみられる遺跡として平安京左京八条三坊二町跡と右京八条二坊二町跡に注目したい（図3）。

平安京左京八条三坊二町（図14）では平安時代前期の居住遺構はほとんど検出されてお

らず，その時代にはまだ市街地とはなっていなかったと見られる。その時代には，この地区の北半部には北東から南西に向けて幅約8〜11m，検出の深さ約0.5mの流路（Ｉ次調査北区溝，Ⅱ次調査溝29）が流れていた[13]。この町の西側の西洞院大路には西洞院川という南北の川が流れていた可能性が高く，そうだとするとこの流路は西洞院川に流れ込むのではなかろうか。この流路の最下層から，ミニチュア竈（図14-1），土馬（同2・5），人面墨描土器（同3・4）木製人形代（同6・9・10），男根形木製品（同7），木製の鍬の形代（同8）などの祭祀遺物が出土している。

　平安京右京八条二坊二町（図13）は，西市外町の南側の町である。ここには平安京遷都時には広大な湿地（SX9）が広がっており，西靫負小路の予定場所には南北の運河が作られて京を造営するための資材を運搬する舟運に利用されていたらしい[14]。この町の少し西には西堀川が造られていたから，このあたりの湿地の水は西堀川へと流れていったのではなかろうか。平安時代前期のある段階でこれらの湿地や運河は次第に埋め立てられ，西靫負小路や町内の区画溝，さらには小規模な建物が建てられていった。湿地からはミニチュア竈・鍋（図13-5・6），土馬（同7〜10），西靫負小路東側溝やそれにつながる区画溝からは木製人形代（同1〜4・11）といった祭祀遺物が出土している。

（3）「都市祭場」における疫神祭祀

　長岡京における大藪遺跡，左京七条三坊三町跡，西山田遺跡，そして平安京における左京八条三坊二町と右京八条二坊二町に共通するのは，自然の流路が縦横に流れたり，大きな湿地が広がっていたことである。平安京右京八条二坊二町では湿地を埋め立てて開発を進めた形跡はあるが，それもまだまだ不十分な段階であったとみなされよう。さらに，これらの場所はそれぞれの都

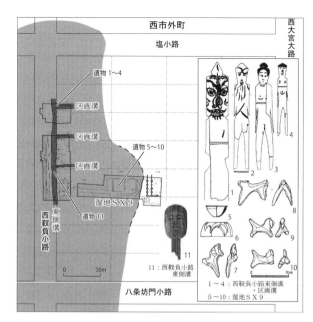

図13　平安京右京八条二坊二町跡（註14文献により作成）

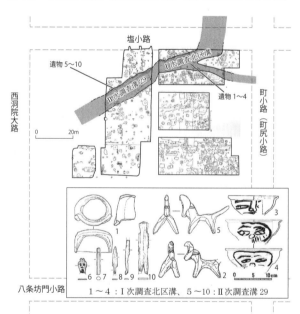

図14　平安京左京八条三坊二町跡（註13文献により作成）

城の四隅であったり，実質的にはそれに近い場所であることも重要である。そこから大量の祭祀遺物が出土することは，都城と外部の世界の境界において，さまざまな祭祀が行なわれたことを意味しているのである。

　こうした遺跡から出土する祭祀遺物は多種多様である。この中で注目されるのは，顔の側面が三

日月形を呈する小型の土馬である。この種の製品は平城京において定形化し，その後の都城の遺跡で主として出土することから，「都城型土馬」「律令的土馬」と通称されている。この土馬はほとんどの場合は人為的に壊されていることも特色のひとつである。また，川の流れに投棄された人面墨描土器[15]や木製人形代，ミニチュア竈・鍋も特徴的な遺物といえよう。

こうした祭祀遺物については，疫神と関連づけて考える水野正好の説[16]が魅力的である。水野は土馬は疫神の乗り物であるとし，その根拠として，『本朝法華霊記（本朝法華伝）』にある，天王寺の僧侶の道公の夢の説話を紹介する。すなわち，その夢に馬に乗った疫神たちの行列が登場するが，道祖神のみが「馬の足損じて乗齢すること任せず」ということで脱落した。道公が目覚めると，腐ちかけた祠に「馬形を図」した「庁板」が架けてあったが，その「前足の処，其の板破裂」していたというのである。つまり，疫神が移動するには乗り物としての馬が必要である。強力な疫神を阻むことは難しくても，疫神が乗るための馬を傷つけたならば結果的に疫神の侵入を防ぐことができる，ということになる。また，同じく水野によると，人面墨描土器に描かれた顔は疫神または餓鬼という異国の鬼であり，それに人間の病や穢気を背負わせて川に洗い流すという意味があったというのである。

このような都城の外縁における祭祀遺跡は，大祓，七瀬祓，四角四堺祭といった国家的祭祀の場[17]であったことは否定できないが，それだけにはとどまらず，もっと広い範囲の都城の都市民の信仰の場でもあるという側面をも兼ね備えていたのだと思う。そうしたさまざまな祭祀を実修することにより，古代都城は疫神から守られた清浄な空間であることができると観念されていたのである。こうした祭祀の場のことを「都市祭場」と呼ぶことにしたい。

註

1）　髙橋昌明『酒呑童子の誕生』中央公論新社，1992

2）　山田邦和『日本中世の首都と王権都市』文理閣，2012

3）　中野麻理子「出土蘇民将来札の検討」『玉櫛遺跡Ⅱ』大阪府文化財センター発掘調査報告書第95集，2003

4）　中島皆夫・古尾谷知浩「2000年出土の木簡～京都・長岡京跡（2）」『木簡研究』第23号，2001

5）　岡本広義「1990年出土の木簡～京都・壬生寺境内遺跡」『木簡研究』第13号，1991

6）　久世康博「長岡京祭祀の一側面」『龍谷史壇』第99・100号，龍谷大学史学会，1992

7）　京都市埋蔵文化財研究所編『水垂遺跡 長岡京左京六・七条三坊』京都市埋蔵文化財研究所調査報告第17冊，1998

8）　長岡京市埋蔵文化財センター 編『長岡京市埋蔵文化財調査報告書』第1集，同センター，1984

9）　國下多美樹『長岡京の歴史考古学研究』吉川弘文館，2013

10）　京都市埋蔵文化財研究所 編『昭和62年度 京都市埋蔵文化財調査概要』同研究所，1991

11）　六勝寺研究会 編『大藪遺跡1972 発掘調査報告』同研究会，1973。京都市埋蔵文化財研究所 編『昭和58年度 京都市埋蔵文化財調査概要』同研究所，1985

12）　久世康博「平安京周辺の祭祀」『京都市埋蔵文化財研究所 研究紀要』第1号，同研究所，1994

13）　平安博物館考古学第三研究室 編『平安京左京八條三坊二町』平安京跡研究調査報告第6輯，古代学協会，1983。同編『平安京左京八條三坊二町 ―第二次調査―』平安京跡研究調査報告第16輯，古代学協会，1985

14）　京都市埋蔵文化財研究所 編『昭和58年度 京都市埋蔵文化財調査概要』同研究所，1985。同研究所編『昭和60年度 京都市埋蔵文化財調査概要』同研究所，1988。同研究所 編『平成5年度 京都市埋蔵文化財調査概要』同研究所，1996

15）　田中勝弘「墨書人面土器について」『考古学雑誌』第58巻第4号，1973

16）　水野正好「馬・馬・馬―その語りの考古学―」『文化財学報』第2集，奈良大学文学部文化財学科，1983。水野正好「招福・除災―その考古学―」『国立歴史民俗博物館研究報告』第7集，1985

17）　金子裕之「平城京と祭場」『国立歴史民俗博物館研究報告』第7集，同博物館，1985

中世都市鎌倉における動物の古病理

植月 学
Manabu UETSUKI

はじめに

(1) 都市化，家畜と病気

都市化と人類の病気を考える上で，動物が及ぼした影響を無視することはできない。人類による環境の改変度合いが高まるほど，人為的環境に対する耐性の高い種が増え，環境中における潜在的病原体保有宿主の割合が増加するとされる[1]。したがって，都市化はもちろん，それ以前の定住化や農耕の開始など人類による環境改変の歴史は病原菌との接触増大の歴史であったともいえる。

家畜との関わりもまた感染症との関わりの歴史でもあったことは家畜化の年代が古い種ほど人獣共通感染症の数が多いことからも裏付けられる[2]。家畜由来の感染症に対する免疫の獲得が特定の集団を優位に立たせ歴史の流れに多大な影響を与えたとするダイアモンドの説はよく知られるところであり[3]，家畜の古病理から人類史を見直す作業は今後ますます重要になってくるだろう。

消費地である都市には多様な産地から家畜が持ち込まれ，人と家畜，家畜間の多様な接触の機会があり，病原菌への感染リスクを高める。近年の同位体分析による産地推定結果では古代都城（藤原宮），地方官衙（下総国府周辺），中世都市（鎌倉）などで多様な由来を持つウマが確認されており[4]，都市におけるそうしたリスクを裏付けている。日本の中・近世の絵画には都市を自由に駆け回る犬たちがしばしば描かれており，こうしたイヌたちも病原菌の蔓延に一役買っていただろう。

家畜からもたらされる感染症としては，トキソプラズマ症やブルセラ症（ヒツジ・ヤギ），結核（ウシ）が良く知られる。ウシやブタは条虫の中間宿主となり，肉食を通じてヒトに感染する。家畜としてもっとも長い歴史を持つイヌも狂犬病，インフルエンザ，アメーバ赤痢などの感染源となるほか，ダニやノミ，回虫，フィラリア，エキノコックス属条虫などの寄生虫を宿す[5]。

したがって，都市における人の衛生環境を評価するために，共伴する動物遺体の古病理を解明することは有用である。しかしながら，骨に見られる様々な病変と特定の病気を結びつけられるケースは実際にはまれである。また，骨古病理学一般の問題として，そもそも骨にまで残るような症例しか扱い得ないという限界もある。それでも，西アジア新石器時代集落のヤギ遺体の年齢・性別構成から屠畜様式を復元し，それをブルセラ症の感染拡大シミュレーションに組み込んだ研究[6]のように，動物考古学的データが間接的に感染症の研究に貢献できる可能性もある。

(2) コメンサルアニマルと病気

都市に暮らす動物は人間にとって有用な家畜だけではない。都市においては人口密集によるごみの問題や衛生環境の悪化に加え，食料残滓に誘引されるネズミやスズメなどの動物も存在する。こうした人間活動に寄生する片利共生の動物（コメンサルアニマル）[7]も病原菌の拡散に関与し得る。

ネズミが感染症を媒介した例として，中世ヨーロッパにおけるネズミノミを通じたペストの感染爆発がよく知られる。しかし，この問題に関してはクマネズミ遺体の出土が少ないことから，クマネズミが感染に与えた影響は実際には大きくなかったとの反論もロンドンやアイスランド，北欧の事例から提示されている[8]。クマネズミのような潜在的病原体保有宿主がどの程度の生息密度を持っていたのかを見積もることは，今後，動物考古学が感染症の問題に貢献できる部分となり得

る。しかし，ネズミを始めとする小動物は通常の調査方法では資料回収上のバイアスが大きく，公平な比較のためには意識的な調査が必要である。

（3）日本列島の動物の古病理と都市化

日本列島においても動物を通じてもたらされた様々な感染症が人々の健康状態ひいては歴史の展開に大きな影響を与えたことは十分予想できる。したがって，都市に暮らした，あるいは駄用，乗用，肉用など様々な用途で持ち込まれた動物たちにどのような病理の痕跡が認められるかは重要な研究テーマである。しかしながら，日本列島の動物考古学においてはいまだ動物の病理に関する研究例は限られており，イヌやイノシシ／ブタといった先史・原始時代における家畜の問題に主な関心が向けられてきた[9]。都市における動物の古病理となると，歴史時代の動物考古学を手がける研究者の少なさもあり，ほとんど研究事例がない。

本稿で取り上げる都市鎌倉の動物の古病理についても，上記のような感染症に関わる例や，都市における人の健康状態への影響を扱うには現状では資料が不足しており，筆者の力量を超えてもいる。動物骨からのアプローチが比較的容易なテーマとして，骨に残された様々なストレス・マーカーから，部位による負荷の度合い，ひいては動物の使われ方を議論する分野がある。本誌のテーマからはやや逸れるが，以下では動物骨の古病理からみた中世都市鎌倉における家畜の利用に絞って紹介することをご容赦いただきたい。

1　中世都市鎌倉の動物

中世都市鎌倉では多くの遺跡発掘調査がなされており，これまでにおびただしい数の動物骨が出土している[10]。その様相は都市における多様な人間活動を反映して，遺跡によって，あるいは同一遺跡内でも地点によって様々であることが明らかになってきている[11]。たとえば種組成については魚類が多い地点やほとんど出土しない地点，骨細工の製作にかかわる資料が多い地点とそうでない地点といった具合である。

鎌倉の浜辺には中世人骨や馬骨が多数出土した材木座遺跡などを始め，墓域と捉えられる地点も多いが，それだけではない。加工痕のある骨が出土した長谷小路南遺跡の例からは専門職人の存在が，あるいは鉄滓，羽口，鋳型の出土例から鋳物師の存在が想定され，建物跡の存在することからも，多様な職能人の居住が想定されている[12]。

本稿で取り上げる由比ガ浜中世集団墓地遺跡（以下，由比ガ浜）も都市鎌倉の周縁である浜に形成された遺跡の一つである。対象としたのは2012年に調査された由比ガ浜二丁目1014番15地点である。調査では獣骨や人骨を出土した土坑が合計で50基以上検出された。規模や種・部位構成の差により「集骨」，「散骨」，「獣骨」と名付けられた。遺構は5面に分かれており。おおむね14～15世紀代に属するとされる。

報告書では動物遺体については分析期間の制約上，比較的規模の大きい3基の集骨の分析結果しか掲載できなかった[13]。その後継続的に分析を進め，残りの遺構の大部分についても基礎的な分析を終えているが，古病理学的な観察については現在進行中である。したがって，本稿の内容についても中間報告的なものである。

2　由比ガ浜中世集団墓地遺跡の動物遺体

動物遺体は哺乳類が主体で，魚類，貝類はごく少量である。哺乳類はおもにウマ，ウシ，イヌの3種で構成される。その他の種はイルカ・クジラ類，ネコ，ニホンジカ，イノシシ，ノウサギなどが含まれるが，合計で1％に満たない（図1）。

部位組成を見ると，ウマ，ウシは全身骨格が揃って出土する場合はほとんどないが，椎骨，前肢の一部，後肢の一部といったまとまりで交連状態にあるケースがしばしば見られた。一方で，ウマ，ウシには後頭顆，環椎，肋骨，四肢末端内側などの位置にパターン化した切痕が認められ，常習的解体がおこなわれていたことも明らかである。

イヌについても一部の部位のみが欠落する例，中軸骨格などが部分的に交連状態で埋没していたと推測される例が多くみられた。ただし，ウマ，ウシとは異なり解体痕は多くなかったので，解体

による結果か，全身が存在したが何らかの理由により分離してしまったのかは判然としない。3種ともにイヌによるとみられる肉食獣の咬痕が頻繁に認められたので，イヌなどの肉食獣による持ち去りは多かったと推測される。

　古病理の解釈とも関連する死亡年齢構成について見ておくと，ウマは約6歳から16歳まで幅広い年齢が同程度含まれ，平均は9.9歳であった。幼獣は含まれず，4歳未満の若齢個体も少ない。ウシについては四肢骨端癒合状況からほぼ4歳以上の個体からなることが明らかである。顎骨による詳細な年齢査定が未完だが，咬耗状況からは4歳よりも高齢の個体が多いと推測される。

　以上のように，本遺跡は「墓地遺跡」と命名されてはいるが，少なくとも本稿で対象とする地点に関しては牛馬の解体痕から，埋葬ではなく解体後の廃棄場とみられる。なお，人骨も多く出土しているが，筆者は分析を担当していないので取り上げない。出土状況を見る限りでは全身骨格が揃う例はほとんどなく，動物同様に埋葬というよりは廃棄や片付けに近い扱いだったと推測される。

　以下では主体種であるイヌ，ウマ，ウシの3種について古病理学的検討をおこなう。

3　家畜の病変の傾向

（1）方法

　イヌ，ウシの病変については顕著な例しか抽出できていない。これらは加齢や外傷，重篤な病気による可能性が高い。これに対して，用途と関連するとされるより軽微な sub-pathology[14]，ないしはストレス・マーカーと呼ばれる日常的・継続的負荷による変化についてはまだ分析途中である。イヌ，ウシの口腔内の病変についても記録が不十分である。そこで，以下ではまず3種について顕著な病変が認められた部位（顎歯を除く）の出現頻度を示し，いくつかの実例を紹介する[15]。次いで，ストレス・マーカーについて検討が進んでいるウマの事例を紹介する。

（2）イヌの病変

　全標本に占める顕著な病変を示す例は4.3%で，

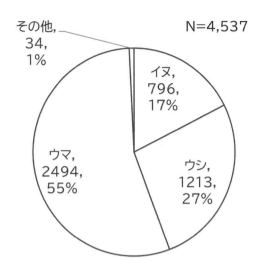

図1　哺乳類遺体組成（同定標本数）

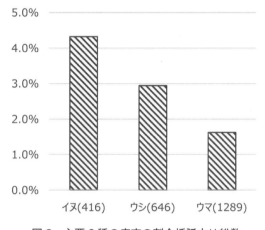

図2　主要3種の病変の割合括弧内は総数
（　）内は総数（図1とは集計法が異なる。註15参照）。

3種の中ではもっとも多い（図2）。部位別では比較的全身にわたってみられるのが特徴である。とくに胸椎〜腰椎と前肢の病変が目立つ（図3）。

　図4には症例の一部を示した。aは胸椎最後尾から腰椎前半にかけて腹面を中心に著しい骨増殖が認められ，前・後面に向かって骨棘が発達する。第1・第2腰椎ではとくに激しく，完全に癒合している。仙骨の関節突起にも骨増殖が認められ，肋骨にも遠位部が肥大する標本が複数認められた。類似の症例は市川市須和田遺跡第6地点・1号イヌ（古代）について報告されており，原因としては「骨折・外傷とその炎症に伴なう腹側縦

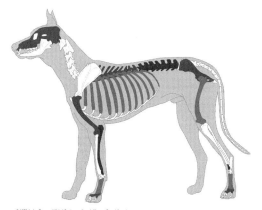

© 1996 ArcheoZoo.org / Michel Coutureau (Inrap), Vianney Forest (Inrap)
D'après : Barone (Robert). — Anatomie comparée des mammifères domestiques, Tome I Ostéologie - atlas. Paris : Vigot, 1976, pl. 10, p. 25.

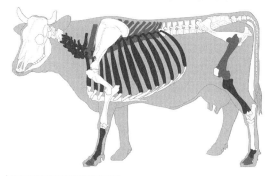

© 1996 ArcheoZoo.org / Michel Coutureau (Inrap), Vianney Forest (Inrap)
D'après : Barone (Robert). — Anatomie comparée des mammifères domestiques, Tome I Ostéologie - atlas. Paris : Vigot, 1976, pl. 7, p. 22.

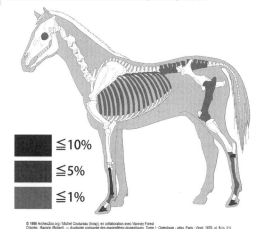

- ≦10%
- ≦5%
- ≦1%

© 1996 ArcheoZoo.org / Michel Coutureau (Inrap), in collaboration avec Vianney Forest.
D'après : Barone (Robert). — Anatomie comparée des mammifères domestiques, Tome I : Ostéologie - atlas. Paris : Vigot, 1976, pl. 6 (p. 21).

図3　イヌ，ウシ，ウマ部位別病変の出現率

靭帯の骨化や，強直性脊椎炎（AS）・強直性脊椎骨増殖症（DISH）」などの可能性が指摘されている[16]。

また，bでは左・腸骨の仙結節付近が完全に分離しており，新たな骨形成が認められた。同一個体の最後尾腰椎の後関節突起と仙骨の前関節突起には著しい骨増殖が認められ，関連した病変と思われる。

cの大腿骨は骨幹部で完全に分離しており，近位側の接合部と遠位側全体にわたって著しい骨増殖がみられる。新たな骨形成面で辛うじて接合するが，長軸は明らかにずれており，歩行は困難であったと推定される。dの個体は脛骨と腓骨が遠位部で癒合し，周囲に骨増殖が認められる。大腿骨遠位端と踵骨にも骨増殖が認められた。

以上の例を含め今回集計対象とした例は顕著な病変の例のみであり，原因となった病気の特定もできていないが，イヌの中に重度の障害をもった個体が多く存在したことは間違いない。

（3）ウシの病変

ウシでは顕著な病変を示す例は全体の2.9%と，イヌとウマの中間の割合を示した（図2）。部位別でみると，脊柱の前半（頸椎～胸椎）と肋骨，後肢，四肢末端で多くみられた（図3）。

図4には症例の一部を示した。fでは第7頸椎の後関節突起と，後続する第1胸椎の対応する前関節突起が肥大化する。肋骨ではgのように遠位部の肥大や骨増殖の例が多くみられた。hの脛骨は不自然に屈曲した骨幹部を中心に骨増殖が認められる。全長は明らかに短く，幼若齢期の骨折などにより成長が妨げられた例と推測される。i, jは基節骨や中節骨，末節骨に外骨腫の発達や骨棘形成が認められる。いずれも左足で病変は外側で顕著である。

（4）ウマの病変

顕著な病変を示す例は全体の1.6%と，3種の中でもっとも低い（図2）。部位別でみると，脊柱の後半（腰椎～仙骨）に目立つ点はウシと異なるが，肋骨，後肢，四肢末端に多くみられる点は共通している（図3）。なお，集計には後述する中手・中足骨骨間靭帯の骨化は含めていない。

図4kは最後尾の胸椎と後続する第1・2腰椎の関節突起の対応する位置にそれぞれ骨増殖が認められる例である。

4　ウマの病変と用途

銜の利用に起因する変化と，中手・中足骨骨間靭帯の骨化についてはBendreyによる評価方法に

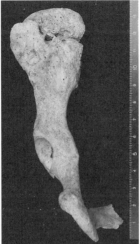
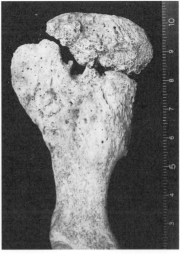

a.イヌ胸椎～腰椎　　　　　　　　b.イヌ左寛骨と腸骨部分拡大　　　　　　　　c.イヌ右大腿骨

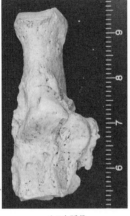

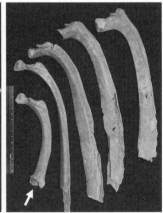

d.イヌ右脛骨・腓骨　　　e.イヌ右踵骨　　　f.ウシ第7頸椎・第1胸椎　　　g.ウシ右肋骨

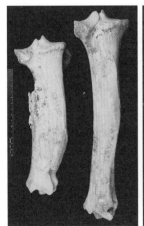
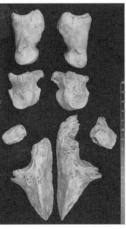
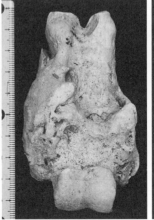
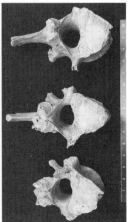

h.ウシ左脛骨（右は正常例）　i.ウシ左前肢（基節～末節骨）　j.ウシ左後肢（基節・中節骨）　k.ウマ胸椎～第1・2腰椎

図4　病変の例（鎌倉市教育委員会蔵）

従って記録した[17]。両者については中世の青森県根城跡と大光寺新城跡でも分析をおこなっているため，その結果との比較もおこなう[18]。

(1) 銜痕

ウマ下顎第2前臼歯に認められる銜によると推定される変化の有無を確認した。具体的にはBendreyの方法にもとづき，近心のセメント質磨耗によるエナメル質や象牙質の露出範囲の高さ・幅と形状を記録した。高さが5mm以上かつ舌側の露出高との落差が十分にあって咀嚼による可能性が否定でき，露出部分の形状が平行する帯状を呈する場合に銜痕と認定した。このほか，例数は多くないが，近心咬合面が上・下顎で傾斜咬耗（bevel）[19]を呈する場合や，近心咬合面のエナメル質の磨耗が強く，象牙質との落差が消えて平滑となっている場合[20]も銜痕と認定した。

由比ガ浜の下顎骨では8割程度に確実な銜痕が認められた（図5）。判断の難しい例を除くと，明らかに銜痕がないと判断されたのは約1割に過ぎない。Bendreyによるイギリスの現生乗用馬・馬車馬や鉄器時代の結果と比べても認定率は高い。国内遺跡との比較では，標本数が少ないものの，青森県の中世城郭2遺跡では由比ガ浜ほど銜痕は明瞭ではない。

(2) 中手骨・中足骨骨間靭帯の骨化

ウマでは第3中手骨・中足骨の内側・外側に退化し，縮小した第2・第4がそれぞれ付随する。本来は靭帯によって結合しているが，加齢や強い負荷を受け続けることで骨間靭帯が骨化し，癒合することが知られる。この骨化程度をBendreyの方法に従ってスコア化し，比較した。

由比ガ浜や青森県の中世城郭2遺跡ではBendreyが示した現生モウコノウマ（動物園飼育個体）に比べて骨化程度は軽微であった（図6）。なお，上記のように骨化は加齢によっても進行するので，年齢を考慮する必要がある。3遺跡の平均年齢は約8〜9歳のため[21]，Bendreyの年齢クラス1（約8歳以下）と比較した。

日本の3遺跡では由比ガ浜以外の2遺跡でやはり標本数が少ないものの，Bendreyが指摘した

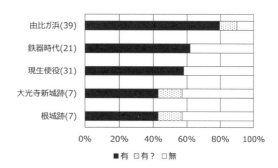

図5　ウマ銜痕認定率
（　）内は標本数。鉄器時代，現生はBendrey（2007b）による。

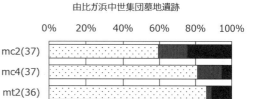

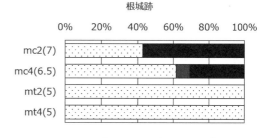

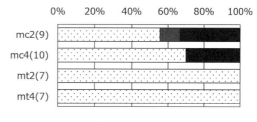

図6　ウマ中手骨・中足骨骨化スコア
（mc：中手骨，mt：中足骨）

一般的傾向に合致した。すなわち，骨化程度は中足骨より中手骨で大きく，外側（第4）より内側（第2）で大きい。遺跡間の差は大きくはないが，中手骨で比較的認定容易なスコア2（完全な癒合）の割合を比較すると，由比ガ浜＜大光寺新城跡＜根城跡の順に大きくなる。由比ガ浜は比較的軽微と言えるが，中足骨ではむしろほかの2遺跡よりもスコアが高い標本がやや目立つ。この点は何らかの扱い方の違いを示唆する。

足根骨と中足骨の関節に見られる病変としては飛節内腫も知られる。山崎健は藤原京跡出土馬における症例を報告し，都城造営期における資材運搬用途と結びつけた[22]。由比ガ浜においては40点以上の中足骨で1例しか確認できていない。

（3）その他のウマの病変

上記以外に由比ガ浜のウマにおいて注目される病変として，口腔内の病変を二つ挙げておく。一つは臼歯の咬耗異常であり，一部の臼歯が突出することで本来は平坦に近い臼歯列の咬合面が乱れている（図7a）。比較的高齢の個体で見られる。数個体のみであり標本全体からすると少ない印象を受けるが，定量的な比較データがない。

二つ目は齲歯の可能性がある臼歯側面の変化である（図7b, c）。歯槽との境界付近でセメント質が前後方向に帯状に抉れたり，虫食い状に溶解している。上下顎の頬・舌側ともに見られ，前臼歯よりも後臼歯で顕著である。海外も含め，出土標本での報告例を見いだせていないため，齲歯かは明確でないが，現生馬において peripheral dental caries と報告されている齲歯の例に類似する[23]。同種の齲歯であるとすればスコア化が可能であり，今後各遺跡で調査を進めることで，ウマの健康状態，飼育環境が比較できる可能性がある。

（4）古病理からみた鎌倉のウマの用途

銜痕は中世の3遺跡で認定割合に差があり，中世馬が一様に銜を咬ませて利用された訳ではないことを示唆する。銜痕が残らないウマは松井章が大友氏館跡出土鹿角製品の用途として想定したオモゲーのような口外に装着する馬具を用いて，曳馬・荷駄馬として使われた可能性を指摘したこと

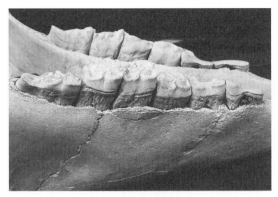

a.下顎骨の咬耗異常

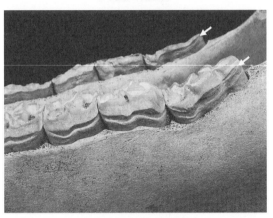

b.左上顎骨（舌側）の齲歯？

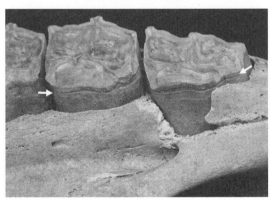

c.下顎骨（右舌側・左頬側）の齲歯？

図7　ウマの口腔内病変の例（鎌倉市教育委員会蔵）

がある[24]。青森の2遺跡でみられた銜痕の認められない馬は荷駄馬であった可能性があり，そうした個体がごく少ない由比ガ浜は逆に乗用馬が主体であったと推測される。

中手骨・中足骨骨間靱帯の骨化については，由比ガ浜は青森の2遺跡に比べて，とくに中手骨の

骨化程度が軽かった。3遺跡の年齢構成に大きな差はないので，この違いは加齢によるものではなく，足にかかる負荷の差を反映している可能性が高い。衝痕認定率の差も踏まえると，青森の2遺跡で高い負荷のかかっていた個体は荷駄馬であったのに対し，由比ガ浜は乗用馬が主体であったために負荷が比較的軽微であったと解釈すると二つの分析結果を矛盾なく説明できる。由比ガ浜では逆に中足骨の骨化が青森の2遺跡より進行していた点も使用方法の差が反映されている可能性があり，今後その要因を追究していきたい。

上記2項目以外の病変については比較対象が存在しないので，現状では評価が難しい。今後，比較対象を増やしていけば各遺跡のウマの健康状態を議論することも可能になると期待される。

5　まとめ─種による扱いの差

由比ガ浜で主体をなす3種の病変について見てきた。種が異なれば骨格構造も異なり，各部位に作用する力も異なる。病変の出やすい部位も異なると予測されるので，直接の比較は難しいが，それでも3種の扱いの差の一端を反映しているのではないかと考えている。

（1）イヌの扱い

イヌの場合には牛馬と異なり，そもそも特定の部位に負荷がかかるような使役法は想定しにくいが，病変の部位は全身にわたっていた。用途は不明だが，少なくとも病変の頻度の高さからは健康状態が良好であったとは言いがたい。本地点から出土した動物遺体には人骨も含め，高頻度でイヌによると推測される咬痕が認められたことから，良質な餌を与えられていたのではなく，遺跡周辺を徘徊し，死肉をあさる野良犬に近い存在であったと推測される。

（2）ウシの扱い

ウシは頸椎から胸椎の病変が比較的顕著で頸部に負荷がかかるような用途に用いられていた可能性がある。後肢と四肢末端の病変も比較的多かった。海外では病変による牽引用途（耕起・犂牽や車両牽引）の特定が盛んにおこなわれているが，

その際には四肢骨末端（中手・中足骨〜基節骨・中節骨）のPI（Pathology Index）スコアが指標として用いられる。ウシの体の構造に起因する一般的傾向として，病変は後肢よりも前肢でより強く表われるとされ，逆に両者の差が小さい（後肢で比較的顕著な）場合には牽引に用いられた可能性が高いと判断される[25]。由比ガ浜でも四肢骨上半において前肢よりも後肢（大腿骨・脛骨）に顕著な病変が認められた点は後肢への高い負荷，つまり牽引に用いられた可能性を示す。ただし，先行研究において証拠として用いられているのは上記のように四肢骨末端の病変である。由比ガ浜でも今後はよりマイナーなsub-pathologyも対象とし，さらに指骨の前・後肢を区別して議論していく予定である。

イギリスの古代〜中世遺跡での大規模比較では性比，年齢構成の変化と合わせることで，ウシの役割の変遷が明らかにされている[26]。成獣の増加は乳用や畜力などのsecondary product利用と関連付けられ，雄の増加は牽引役割の増大との関連が想定されている。病変のスコアは雌牛よりも雄牛で高くなる傾向も指摘されている[27]。由比ガ浜では性差をよく反映するとされる中手骨遠位端幅でみると[28]，雄：雌は9：2であった（標本数）。雄優位の組成も牽引用途を示唆するが，引き続きより詳細な検討を進めていきたい。

（3）ウマの扱い

ウマは他遺跡との比較を通じて用途の検討をおこない，乗用の個体が比較的多かったと推定された。イヌやとウシに比べて重度の病変が少ないことや，咬耗異常が少ない点は健康状態や飼育環境が比較的良好であったことを示唆する。飛節内腫の希少性も酷使された個体が比較的少なかったことを示す。武家の都であった鎌倉には多くの乗用馬が存在し，イヌやウシに比べてより良い扱いを受けていた可能性がある。もちろん，都市では物資運搬のための荷駄馬も多用されていた可能性が高い。今後，他地点や鎌倉の他遺跡でも同様の分析を実施していき，病変と用途の多様性を評価していく必要がある。

おわりに

由比ガ浜中世集団墓地遺跡において主体をなす3種の病変を取り上げ、出現部位から各種の扱いや用途について不十分ながら論じてみた。今後に残された課題は多くあり、最後にまとめておきたい。

初めに述べたように日本の動物考古学ではとくに歴史時代の動物の古病理の研究が立ち遅れており、本稿で取り上げたような多様な病変がどのような原因によるのかを判定するための研究は少ない。個別の症例の報告はあるものの、集団の分析にまで至った例は多くない。

病気や骨折などによるトラウマと、日常的な使役によるストレス・マーカーの区別の問題も大きい。本稿ではウマについては若干の識別をおこなえたが、イヌ、ウシについては後者の検討ができておらず、扱い・用途を論じるには限界があった。まずは海外の先行研究において確立された識別法や尺度を援用し、より客観的なデータを蓄積していく必要がある。ある遺跡の病変の度合いから用途を復元するには他遺跡の比較データも必要である。とくに都市ではなく農村などコンテクストの異なる遺跡の情報が有効である。その意味ではギュンデム・本郷による荷駄馬主体とみなされる茨城県の中〜近世の製塩遺跡である村松白根遺跡出土馬の古病理分析は貴重である[29]。

イギリスでのウシの大規模通時的比較に倣えば、時代と共に役割が変化し、病変の現れ方に反映される可能性も十分あり得る。例えば牛馬に関して、古墳時代の威信材的な性格から、後世のより一般的な役畜としての性格への変質を想定するなら、ストレスの増大に伴なう病変出現頻度の増加が予測される。遺存良好な事例に恵まれないが、時期をさかのぼっての、あるいは近世に下っての比較も有効であろう。

感染症にかんしては初めに述べたように骨に残る病変の観察からアプローチするのは容易ではない。動物骨に残された痕跡はあくまでも骨にまで影響が及んだ場合に限られる。各種の病変と特定の病気を関連付けることも実際には容易ではな

い。伝統的な動物考古学や骨古病理学による解明には限界もあり、今後は出土骨や歯石などからのaDNA回収による病原菌の特定や、寄生虫による環境汚染度の評価などを通じた複合的アプローチにより都市における人と動物の健康と病気を解明していく取り組みも重要であろう。

日本の動物考古学では個別の病変を定義し、特定することもまだ一般的ではないが、個別の症例の報告にとどまらず、集団レベルでの観察と客観的なスコア法によるよりシステマチックな研究へと進んでいかねばならない。ネズミなどの小動物に関して述べたように意識的なサンプリングも必要である。国内の動物の古病理に関してはやるべきことは山積しており、より多くの研究者の参画を期待したい。

註

1) Gibb R, Redding DW, Chin KQ, *et al.* Zoonotic host diversity increases in human - dominated ecosystems. *Nature* 584, 2020, pp.398 - 402.

2) Horwitz LK, Smith P. The contribution of animal domestication to the spread of zoonoses: a case study from the southern Levant. *Anthropozoologica* 31, 2000, pp.77 - 84.

3) Diamond J. *Guns, Germs, and Steel: The Fates of Human Societies.* W.W. Norton & Company, 1997.

4) 山崎　健ほか『藤原宮跡出土馬の研究 奈良文化財研究所報告書17』独立行政法人国立文化財機構奈良文化財研究所、2016。植月　学、覚張隆史、金井拓人、小林信一「下総国府域出土馬の履歴をさぐる—北下遺跡出土馬の炭素・酸素同位体比分析による検討—」『研究連絡誌』85、千葉県教育振興財団文化財センター、2021、pp.30 - 40。覚張隆史『同位体地球化学の手法を用いた古代律令制における馬飼育の復元』東京大学博士論文、2014

5) 註2に同じ

6) Fournié G, Pfeiffer DU, Bendrey R. Early animal farming and zoonotic disease dynamics: modelling brucellosis transmission in Neolithic goat populations. *R. Soc. open sci.* 4, 2017, 160943.

7) 大舘大學、鈴木　仁「人と"ネズミ"の片思いの関係史から人類史を読み解く」『BIOSTORY』36、2021、pp.6 - 9

8) Antoine D. 5 The Archaeology of "Plague".

Medical History 52（S27）, 2008, pp.101‑114., Sloane B. *The Black Death in London*. The History Press, 2011., Hufthammer AK, Walløe L. Rats cannot have been intermediate hosts for Yersinia pestis during medieval plague epidemics in Northern Europe. *Journal of Archaeological Science* 40(4), 2013, pp.1752‑1759.

9）　山﨑京美「千葉県須和田遺跡第6地点から出土した古代犬の病変について（予察）」*Asian J Paleopathol* 1, 2017, pp.40‑54

10）　河野眞知郎『鎌倉考古学の基礎的研究』高志書院, 2015

11）　佐藤孝雄, 艾　凱玲「出土骨の分析」『由比ガ浜中世集団墓地遺跡（鎌倉市 No.372 遺跡）発掘調査報告書』株式会社博通, 2023, pp.12‑23

12）　斉木秀雄「いわゆる「浜地」の成立と範囲」『中世都市鎌倉を掘る』日本エディタースクール出版部, 1994, pp.93‑112

13）　植月　学「由比ヶ浜中世集団墓地遺跡から出土した動物遺体」『由比ガ浜中世集団墓地遺跡（No.372）発掘調査報告書（由比ガ浜二丁目 1014 番 15 地点）』株式会社博通, 2016, pp.111‑118

14）　Bartosiewicz L, Van Neer W, Lentacker A. *Draught cattle: their osteological identification and history*. Tervuren: Annalen Koninklijk Museum voor Midden‑Afrika, Zoölogische Wetenschappen, 1997.

15）　同一個体に属する頸椎, 胸椎, 腰椎, 肋骨は病変, 母数ともに「1」として集計した。

16）　註9に同じ。

17）　Bendrey R. New methods for the identification of evidence for bitting on horse remains from archaeological sites. *Journal of Archaeological Science* 34, 2007, pp.1036‑1050., Bendrey R. Ossification of the interosseous ligaments between the metapodials in horses: a new recording methodology and preliminary study. *International Journal of Osteoarchaeology* 17, 2007, pp.207‑213.

18）　植月　学, 覚張隆史, 櫻庭陸央, 船場昌子「中世南部氏の馬利用―根城跡出土馬の動物考古学・同位体化学的研究―」『帝京大学文化財研究所研究報告』20, 2021, pp.233‑246。植月　学編『津軽中世馬の研究―青森県平川市大光寺新城跡出土動物遺体調査報告―』2022。なお, 紙数の都合上, 写真を掲載できなかった。実例については

上記文献などを参照されたい。

19）　Brown D, Anthony D. Bit wear, horseback riding and the Botai Site in Kazakstan. *Journal of Archaeological Science* 25(4), 1998, pp.331‑347. ただし, 上顎第2前臼歯に対応する傾斜がない, すなわち単なる咬耗異常ではないとみなされる場合に限定した。

20）　いわゆる Greaves' effect が消失している場合。摂食のみでこのような激しい磨耗が生じることはないと考えられる。

21）　大光寺新城跡は資料的な制約から詳細な年齢推定ができなかったが, やや幅を持った年齢査定による年齢構成ではほかの2遺跡と大きな差はないと判断された。

22）　山崎　健「藤原宮造営期の馬の骨に認められる骨病変」『奈良文化財研究所紀要 2011』2011, pp.74‑75.

23）　Gere I, Dixon PM. Post mortem survey of peripheral dental caries in 510 Swedish horses. *Equine vet. J.* 42(4), 2010, pp.310‑315.

24）　松井　章「豊後府内遺跡出土のオモゲーとその問題点」『坪井清足先生卒寿記念論文集』2010, pp.1276‑1284。植月　学「遺跡出土馬に見られる銜痕について」『山梨県立博物館研究紀要』8, 2014, pp.15‑22

25）　註14に同じ, および Thomas R, Bellis R, Gordon R. *et al.* Refining the methods for identifying draught cattle in the archaeological record: Lessons from the semi‑feral herd at Chillingham Park. *International Journal of Paleopathology* 33, 2021, pp.84‑93.

26）　Holmes M, Hamerow H, Thomas R. Close Companions? A Zooarchaeological Study of the Human‑Cattle Relationship in Medieval England. *Animals* 11, 2021, 1174.

27）　註25に同じ（Thomas *et al.* 2021）。

28）　Davis SJM, Svensson EM, Albarella U. Molecular and osteometric sexing of cattle metacarpals: a case study from 15th century AD Beja, Portugal. *Journal of Archaeological Science* 39(5), 2012, pp.1445‑1454.

29）　ギュンデム・ジャン・ユムニ, 本郷一美「遺跡出土馬骨に見られる病変について」『動物考古学』30, pp.237‑248.

人骨から見る江戸時代の疾病構造

藤澤珠織
Shiori FUJISAWA

はじめに

　江戸時代は様々な感染症が流行するとともに，病気やけが，栄養不足によって人々が健康を損ないやすい時代であった。江戸時代無くして日本の近代医学の発展は無いものの，当時の医療は現在の医療技術には程遠く，人々の健康状態は現代に比べ不安定なものであったことは容易く想像できる。一方，これまでに多くの江戸時代人骨が発掘され，実際に骨に残る痕跡を基に，古病理学的な研究が進められてきた。本稿では，江戸時代人骨の発掘報告書を取り上げ，記載のある古病理学的情報から当時の疾病を概観する。

(1)「疾病構造」のとらえ方について

　疾病構造とは「国民全体のなかでの疾病の種類と量的な存在の関係をいう。すなわち，ある国のある時点で，どんな疾病にどのくらいの人がかかっているか，そして，それがどのような傾向にあるかを示すものである。(後略)」[1]。本稿では「ある国」を，江戸時代の日本列島，「ある時点」は江戸時代の約200年間とする。「どのくらいの人がかかっているか」「どのような傾向にあるか」について，報告書などに記載の古病理学情報から割合を出すことは難しいため，「どんな疾病」を以て概観し，江戸時代の疾病を人骨事例から示していく。

1　江戸時代の人骨

(1) 人骨の出土数

　発掘された人骨は，全国の埋蔵文化財調査施設，博物館，大学などに保管されている。このうち，人骨資料をリスト化しデータベースとして公開している機関，さらには写真画像付きで標本を公開している機関がいくつかある。インターネットで「人骨」「データベース」あるいは「人骨」「コレクション」などで検索すると，江戸時代人骨の個体の検索が可能なデータベースが複数検出される。代表的なものは国立科学博物館の人骨標本コレクションで，「人類研究部所蔵の人骨標本」の説明文中に記載されている江戸時代人骨の収蔵数は約4800体である（2023年6月現在）。その一部はデジタルデータベースとして公開されており，画像でも見ることができる[2]。次に九州大学総合研究博物館データベースに掲載の標本のうち，江戸時代人骨については標本番号で279番までのリストが公開されている[3]。宮崎県立西都原考古博物館では120体余りの近世人骨が公開されている[4]。ここに挙げた以外にも，古人骨のコレクションを公開している機関はあるが，時代を江戸時代の人骨に限定すると公開機関数は限られている。このほか，筆者が報告に関わった京都市伏見区の伏見城跡遺跡からは600体余り，また既報告で数百体を数え現在も分析が継続している大阪梅田墓の人骨[5][6]など大規模な出土事例も多い。これらの人骨数から，国立科学博物館の人骨標本コレクションと重複するものを除くと，現在までに出土している，江戸時代に属する人骨数は7000体前後となる。本稿で確認した遺跡報告書がごく限定的であること，都市開発に伴い現在も出土人骨が増え続けていることから，さらに多くの江戸時代の人骨が発見・調査されていると考えられる。

(2) 出土遺跡

　全国の埋蔵文化財調査機関では，遺跡を発掘するとその調査結果を報告書として刊行している。遺跡から人骨が出土した場合，一般にはこれらの

報告書にその情報を記載する。

奈良文化財研究所のホームページで公開されている，文化財を地図で検索することが可能なシステム「文化財総覧WebGIS」の「全国文化財検索」にて，都道府県や種別を限定せず，データソース「遺跡抄録」，時代「近世」を選択し，フリーワードの主な遺物に「人骨」を入れて検索すると，460件の検出があった（2023年6月時点）。以上より，報告書などが刊行されており，近世の人骨が確認できそうな遺跡は500弱あることがわかった。内訳は，北海道5件，東北56件，関東（東京都以外）157件，東京都42件，北陸17件，中部15件，東海22件，近畿75件，中国21件，四国6件，九州58件，沖縄32件であった。

次に，同じ奈良文化財研究所のホームページで公開されている全国遺跡報告総覧によると「現在の遺跡抄録件数」は「143588件（前年度比+1457件）」，また「現在の書誌登録数」は「126300件（前年度比+851件）」，このうち「PDFがある書誌登録数」は「35327件（発行機関数677機関）であった（2023年5月時点）。書誌検索機能を用いて，フリーワードに「人骨」を入力し，発行機関は「全国」を選択し，主な時代に「江戸」「近世」と入力し，PDF全文を対象に検索した。検索対象には，ホームページからPDFをダウンロードできるもの，できないものの両者を含めた。この結果，71件の検出があり，これらをすべて確認した。ただし，71件すべてで近世人骨が出土しているわけではなかった。つまり，人骨出土の記録があっても完全な形で出土しているものは少なく，人骨の欠片なども含めて検出していたり，同一報告書内に複数の遺跡が報告されている場合には，近世以外の人骨記載例を検出していたりする例があった。さらに，墓が発掘されている遺跡の報告書内で「人骨などの出土は無かった」との表記における「人骨」を検出している例もあった。結果，江戸時代人骨の出土が認められたのは，71件中10件だった。これ以外に15の遺跡報告書を入手した。また，遺跡別ではないが，九州地方の人骨をまとめた文献を使用した。

① 奈良文化財研究所HPの【全国遺跡報告総覧】より，人骨記載のある報告書（PDF）

館遺跡（岩手県盛岡市）からは近世以降の土坑墓から人骨が出土し，2つの土坑からはそれぞれほぼ全身の人骨が出土した。人骨に関する詳細な記述は無かった[7]。

河崎の柵疑定地遺跡（岩手県川崎村）からは，死亡年齢段階を推定できたものだけで185体の人骨が出土した。男性17体の平均身長は155.6cm，女性4体の平均身長は146.2cmだった。ほかにクリブラ・オルビタリア（眼窩篩）が59例中8個体（13.6%）に認められた。「鉄鍋を被さった状態で出土した（中略）ハンセン病による骨病変の特徴と一致しており，断定はできないものの，ハンセン病の可能性は低くないと思われる。」との記載があった[8]。

直江ボンノシロ遺跡（石川県金沢市）からは鍋被り葬の人骨が出土した。人骨の詳細についての記載は無かった[9]。

中道遺跡第26地点（埼玉県神川町）では2基の近世墓が検出され人骨が出土した。人骨の詳細な記載は無く，写真図版より，骨質が脆弱で観察が困難な状態が窺えた[10]。

兼情遺跡（静岡県小笠郡大東町）では近世の土壙墓26基が検出され，2基の土壙墓から2体の人骨が出土した。乱杭歯と「下顎右第2大臼歯はカリエスによって歯冠がなくなっている」との表記からC4程度の齲蝕と考えられる。それ以外の病変の記載は無かった[11]。

大星尻古墳群（長野県佐久市）からは，近世墓2基に伴い人骨2体が出土した。病変の記載は無かった[12]。

石子原遺跡（長野県飯田市）からは，江戸時代の墓坑24基から人骨が出土した。形態学的には20体について報告され，遺存する四肢骨のいずれかを用いた推定身長は164cm（男性），160cm（男性），165cm（女性），152.7cm（女性）で，これとは別に，老齢女性の上顎骨における顕著な歯槽膿漏との記載があった[13]。

長岡京跡（京都府長岡京市）からは，火葬骨と

土葬骨が出土した。病変の記載は無かった[14]。

屛風遺跡（兵庫県神戸市）では近世の火葬骨が出土した。病変の記載は無かった[15]。

津和田第2遺跡（宮崎県宮崎市）では「人骨と思しきもの」の検出があった。しかし粘土化しており詳細は不明とのことだった[16]。

②その他報告書

畑内遺跡（青森県南郷村）では近世人骨43個体が出土し，成年における死亡年齢幅の構成について検討されている。主要な病変は外傷性硬膜外血種やハンセン病，骨膜炎，化膿性骨髄炎など（写真とともに紹介されている）があった。身長推定が可能だった4個体について，男性2個体は165cm前後，女性2個体は140cm台末から150cm台で，関東や西日本江戸時代人の平均[17][18]を大きく上回ることが報告された[19]。

田向遺跡（青森県八戸市）では中近世人骨18個体が出土した。遺存する右の四肢長骨長から推定された男性2個体の推定身長はそれぞれ159.0cm，162.2cm，女性2個体はそれぞれ142.0cm，145.9cmだった。また主な疾患として骨折，変形性脊椎炎，齲蝕が記載されていた[20]。

市子林遺跡（青森県八戸市）では遺構外出土を除くと50体分の人骨が出土した。2体に梅毒の疑いがあり，複数の個体に変形性脊椎症，エナメル質減形成が認められた。下肢骨から身長が推定できた人骨は6体で，男性4体はそれぞれ162.1cm，160.6cm，155.6cm，155.7cm，女性1体は140.4cm，性別不明1体は149.5cmだった[21]。

堀端(1)遺跡（青森県八戸市）では近世の土葬人骨3体分が出土した。大腿骨から推定した推定身長は，熟年で死亡した女性146.4cm，老年で死亡した男性は159.4cmだった。これら2体には，ともに椎体に骨棘が形成される変形性脊椎症が認められた。女性の人骨には顔面頭蓋の前鼻棘の消失や脛骨の骨膜炎症状があり，ハンセン病の可能性を含め何らかの感染症に罹患していたと考えられる[22]。

千石屋敷遺跡（青森県八戸市）では近世の土葬人骨3体分が出土した。齲蝕以外に目立った病痕

は見られなかった[23]。

鳥舌内館遺跡（青森県南部町）では近世の土葬人骨11体分が出土した。「鎌とともに出土した男性骨（SX-06）の第3，第4頸椎に，限局性で表在性の炎症痕があった。歯が遺存する個体のほとんどに，現代の高齢者にも多い歯頸部の齲蝕が多数あった。下肢骨から身長が推定できた人骨が2体あり，男性は156.2cm，女性体は147.5cmだった」[24]。

石橋遺跡（青森県八戸市）からは近世の土葬人骨17体分が出土した。齲蝕は，歯冠と歯根の境界である歯頸部などに多く，近世人骨の典型例が多数存在した。椎体の圧迫骨折や重度の関節の炎症，労作に伴なう骨棘形成などがあった[25]。

都立一橋高校地点遺跡（東京都千代田区）では1985年に刊行された発掘調査報告における，調査期間中の出土人骨233体余り（成人男性58体，成人女性19体，乳幼児119体，その他を含む）について，骨梅毒の症例が7例報告されていた[26]。

發昌寺跡遺跡（東京都新宿区）の二次調査では92基の墓址遺構に人骨が残り，約99体分が出土した。身長が推定できた個体は男性で6体あり，それぞれ約157cm，157cm，161cm，161cm，159cm，168cm，女性1体は約139cmであった。ほかに肘関節に残る炎症など一部の病変が報告されていた[27]。

池之端七軒町遺跡（東京都台東区）では埋葬施設672基から多くの人骨が出土しており，無作為抽出により鑑定された90体について報告されている。その結果，大腿骨から推定された平均身長は男性で154.0cm（n=14），女性で147.5cm（n=4）であった。本文中には古病理学的記述は無いが，写真図版で大腿骨の炎症性病変が掲載されていた[28]。

修行寺跡（東京都新宿区）では28基の墓址のうち25基から成人30体が出土している。齲蝕や歯槽膿漏，骨梅毒4例，クリブラ・オルビタリアの可能性のある眼窩上壁の小孔が報告され，身長推定が可能だった個体はそれぞれ164.6cm（男性），147.5cm（男性），163cm（女性）であった[29]。

自證院遺跡（東京都新宿区）は第2次調査によ

る追加出土4個体分が出土し（前回調査でも50体が出土している），臼歯歯槽部の膿瘍痕が報告されている。推定身長は一部破損骨に基づくものの，約159cm（男性），約151cm（女性），約150cm（女性）であった[30]。

圓應寺跡（東京都新宿区）では89基の墓址のうち74基から91体分の人骨が出土した。死亡年齢段階の内訳は成人82体，幼児9体で，性別は男性62体，女性10体，不明10体であった。各人骨の記載内容を古病理内容に限って要約すると，骨梅毒は6例だった。重症例では大腿骨下部の骨増殖や脛骨内側面の肥厚があり，ほかに脛骨の慢性骨膜炎や下端部の肥厚，四肢骨の粗造な表面と小孔，頭蓋骨内板の粗造な表面と肥厚などの記述から骨梅毒の可能性を指摘している。記載がもっとも多いのは骨棘形成で，椎骨の椎体辺縁部や仙骨，寛骨，四肢骨端や鎖骨端部での形成が18例あった。原因に言及は無いが頚椎と腰椎の変形が各1例あった。骨増殖は2例で，うち老年性と限定した骨増殖が1例あった。クリブラ・オルビタリアが1例，エナメル質形成不全（第3大臼歯）1例があった。また身長推定は男性13体（150cm，159.7cm，157.8cm，161cm，163cm，153cm，165cm，150.4cm，156.2cm，160cm，149cm，156cm，160cm以上），女性1体138cmの記載があった[31]。

伏見城跡遺跡（京都府京都市）では最小個体数で630体の人骨が出土した。このうち，遺存状況が比較的良好であった人骨における主要な病変には齲蝕，エナメル質減形成，梅毒，強直性脊椎炎，変形性関節症，骨折4例などがみられた。熟年男性の左上腕骨に認められた骨幹部骨折は，仮骨形成により右上腕骨幹部に比べて太く，外側に160〜170度の凸となって屈曲転移し治癒していた。上肢は現代では介達骨折が多くを占める傾向にあるが，骨幹部の直達骨折は古人骨に特徴的な骨折のひとつである。この他，男女あわせて3体の人骨に胸椎および腰椎椎体の圧迫骨折が見られた。現代では高齢者に多く発症しており，本遺跡でも3体ともに老年段階で死亡した人骨であった。本遺跡における骨梅毒の出現頻度は異様に高

く，観察可能な50体程度について約3割の個体に骨梅毒病変が観察された[32]。

大深町遺跡（梅田墓）（大阪府大阪市）の2次報告では調査対象を500基の埋葬遺構に限定し，寛骨から性別と死亡年齢の推定できた人骨は261個体だった。歯と歯槽から推定した個体数は442体，四肢骨の病変観察対象とした個体数は430体だった。梅毒様骨病変が多く，四肢骨の部位別では脛骨と大腿骨の出現頻度が高かった。また出土区域により出現頻度が異なっていた。ほかに変形性脊椎症，筋付着部の異常骨増殖，骨折後治癒などがある。身長は男性平均156.7cm（n＝32），女性平均149.6cm（n＝6）だった[33][34]。

遺跡の報告書ではないが，長崎大学に保管されている近世人骨は古病理学的観察の結果がまとめて報告されている。近世人骨は62体（縄文から近世の人骨は全672体）あり，骨折が3体4例に認められ，男性が1体，女性が2体3例で，完全骨折が疑われる尺骨に何らかの整復の可能性や，骨折の原因を，治癒の状況から「転倒，捻挫」などと推定している。ほかに，強直性脊椎炎，腰仙移行椎，脊椎分離症，シュモール結節，クリブラ・オルビタリアなどの記載があった[35]。

2 江戸時代の病気
〜どんな疾病があるか〜

本稿で取り上げた江戸時代の25の遺跡報告書に長崎大学所蔵の近世人骨の文献を加え，古病理学的情報をまとめると以下のようになる。

(1) 身長

身長の計測値が記載されていた個体数は男性97体，女性28体で（平均値を含む），試みに全体の平均を出すと，男性は156.9cm，女性は148.0cmであった。古人骨の場合，身長は，大腿骨など四肢長骨の計測値から推定したうえで，集団の平均身長を算出し，環境に起因する栄養状態の結果として考えることができる。今回の資料には，平本による関東地方の江戸時代人骨の身長推定（男性157.1cm，女性145.6cm）[36][37]に用いられた人骨は含まれず，ここで用いた全97体のうち，32

体が関西，29体が東北，2体が中部地方で出土した人骨であり，全体の65％が関東以外で出土した人骨を用いている。

(2) 齲蝕と歯槽膿漏 （図1）

7つの遺跡の報告書に，齲蝕を有する人骨の記載があった。齲蝕は，頻回な糖の摂取や唾液の減少により，バイオフィルムの中で細菌が糖を代謝し，酸産生環境が続くことでエナメル質のミネラルが喪失しておこる（脱灰）。歯冠表面にバイオフィルムが形成され除去されないままだとデンタルプラーク（歯垢）として蓄積する。デンタルプラークが形成されていると，糖を摂取したときの酸産生が急激に進む[38]。江戸時代は流通の発達により庶民でも甘味を手に入れる機会が増えていた。あるいは，肌理の細かい砂に香味を加え売られていた「歯磨き粉」と，割り箸サイズの木片の端部を潰して房状にし，歯ブラシの用途をなした房楊枝の使用により，食物残滓や，結果としてデンタルプラークを除く行為もあった。このため，齲蝕の罹患率は，炭水化物（糖）の摂取状況，あるいは「歯磨き」習慣の結果を表していると考えることができる[39]。また3つの遺跡で歯槽膿漏，あるいは歯槽部の膿瘍痕が見られた。江戸時代人骨を観察していると，歯と歯茎（の歯槽骨の部分）に大量のプラークが付着している例に遭遇することが多々あり，現在の口腔衛生とはかなり異なる状況が垣間見える。プラークの蓄積は齲蝕だけで

なく歯周病の進行も促進し，歯槽骨の退縮と歯の脱落をひきおこす。

(3) エナメル質減形成・エナメル質形成不全（図2）

2つの遺跡にエナメル質減形成，1つの遺跡にエナメル質形成不全の記載があった。歯は，歯冠（歯の白い部分）側から歯根側に向かって形成される。歯冠表面はエナメル質で覆われており，その形成過程で栄養状態が悪化すると，エナメル質の形成不全をおこし，歯冠表面に凹みとして残る。凹みは，その重症度により，点状・線状・帯状に分けられる。歯の形成年齢（月齢）は，歯の種類によりほぼ決まっているので，胎児期から幼少期において全身性の栄養不良などがあったかどうかを知ることができる。エナメル質減形成は集団の健康の尺度となり，現代人の疫学調査からも，出現頻度の高低が集団の生活水準に基づく栄養状態と正の相関を示すと考えられている[40][41]。生業や身分階層による出現率，時代による出現年齢の差など，多くの研究がある[43][45]。一方で，観察に時間と手間がかかることもあり，報告書への記載ではなく別稿で取り扱う場合も多いため，本稿で取り上げた報告書では記載例が少なかったと思われる。

(4) クリブラ・オルビタリア

3つの遺跡と長崎大学の人骨に，クリブラ・オルビタリアの記載があった。クリブラ・オルビタリアとは，頭蓋骨に眼球が入る部分の窪みである

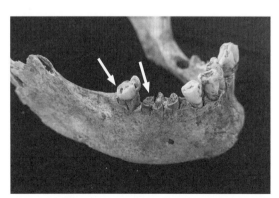

図1 右下顎のC3，C4齲蝕（矢印）（石橋遺跡1墓）
（八戸市埋蔵文化財センター是川縄文館所蔵）

図2 下顎右犬歯のエナメル質減形成（矢印）
（京都市伏見城跡遺跡72）
（（公財）京都市埋蔵文化財研究所所蔵）

眼窩の上壁に出現する篩状の小孔の集まりである。これが頭蓋骨の表面に出現する場合はクリブラ・クラニーという。原因は鉄欠乏性貧血による骨髄の代償性過形成やビタミン欠乏によると考えられており、これもまた栄養状態や生活環境の指標として用いられる[46]。

(5) ハンセン病疑い・鍋被り葬

2つの遺跡でハンセン病疑いの記載が、そのうち1つの遺跡ならびにほかの遺跡で鍋被り葬の人骨の記載があった。日本列島において、ハンセン病が疑われる出土例は中世から近世までみられるものの、非常に少ない。しかし、ハンセン病は中世に猛威を振るい、鎌倉の寺に設けられた療養所では20年間に5万人以上の病人を救済したとも言われている。著名な人骨例の1つが、今回取り上げた報告書に記載の出土例である。

(6) 骨梅毒

6つの遺跡報告書に骨梅毒または梅毒様骨病変の記載があった。とくに京都の伏見城跡遺跡、大阪の大深町遺跡においては高頻度に梅毒様骨病変の出現している記載があった。梅毒は、梅毒トレポネーマを病原とする性行為感染症で、感染後数年から数十年で症状が骨にまで及んだ状態を骨梅毒と称する。出現部位は全身におよび、とくに頭蓋骨や四肢骨に好発する[47]。梅毒の発症・進行に

は数年から数十年単位を要することから、骨梅毒にまで進行している場合はその年齢まで生き延びたとも言える。よって、江戸時代人骨の骨梅毒罹患率と平均寿命（あるいは平均余命）には負の相関関係があると考えられる[48]。

(7) 骨折 （図3）

4つの遺跡報告書と長崎大学資料に骨折の記載があった。症例として1点は上腕骨の骨幹部を、もう1点は脛骨の骨幹部を骨折し、後に変形治癒している。また3点は脊椎骨の椎体圧迫骨折だった。圧迫骨折は、椎骨の椎体が上下方向に圧迫され骨折したもので、現代では基礎疾患に、加齢による骨粗鬆症を持つことが多い。なお椎体に生ずる骨折やこの後述べる骨棘形成、全身の関節症の多くは加齢に伴い出現するが、若年で出現している場合は過重労働などの生活習慣によると考えられる。

(8) 変形性関節症 （図4） と骨棘形成 （図3）

4つの遺跡報告書に変形性脊椎症（一部に骨棘形成を伴う）、3つの遺跡報告書に肘関節ほかの関節炎、2つの遺跡に椎体の骨棘を起こしている記述があった。骨棘とは、関節周縁などに生じる棘状の増殖で、加齢とともに、骨と骨の間のクッションが減少することで骨どうしがぶつかりあい、関節面がすり減ると同時に、関節周縁に棘

図3 椎体の圧迫骨折骨棘形成 （矢印）（石橋遺跡5墓）
（八戸市埋蔵文化財センター是川縄文館所蔵）
椎体を斜め上から撮影したもの。右が腹側圧迫骨折：腹側が背側に比べ潰れている。

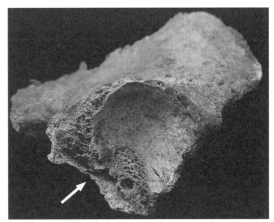

図4 股関節の炎症性病変 （矢印）（石橋遺跡7墓b）
（八戸市埋蔵文化財センター是川縄文館所蔵）
股関節の関節旧を外側から撮影したもの。

状の増殖が出現するものである[49]。高齢になるほど多数の出現例があるが，例えば脊椎骨の骨棘の場合，現代では概ね40歳代以降で出現するので，それよりも若くに発症している場合は，過重労働などの原因が考えられる[50]。

(9) その他の病変（図4）

骨膜炎など骨表面の炎症性病変が3遺跡に（報告書本文ではなく写真図版からの確認を含む），骨増殖，化膿性骨髄炎が各1例あった。また外傷性硬膜外血腫，椎骨の後縦靭帯硬化症，強直性脊椎炎なども記載されていた。

おわりに

奈良文化財研究所の全国遺跡総覧による遺跡報告書PDFと，実物を入手した報告書などの記載内容から，近世人骨の古病理学的情報の抽出を試みた。現在までに人骨が発掘された近世の遺跡は約500遺跡にのぼり，人骨は少なくとも7000体以上が既報告であると考えられる。今回その中から確認できた遺跡はわずかに25遺跡であったが，人骨出土規模の大きい遺跡も含まれており，1000体分を超える人骨の記載情報について確認した。その結果，25遺跡プラスアルファの人骨から推定される平均身長，歯に残る齲蝕と歯槽膿漏，膿瘍痕，エナメル質減形成と形成不全，頭蓋骨に残るクリブラ・オルビタリア，全身に残る梅毒様骨病変，ハンセン病が疑われる病変，骨折，変形性関節症，骨棘形成，強直性脊椎炎，後縦靭帯硬化症，骨膜炎，化膿性骨髄炎，外傷性硬膜外血腫などの記載内容を確認することができた。本稿が江戸時代の人骨に残された疾患の多様さに触れるきっかけとなれば幸いである。

ただ，報告書に1次報告の段階で記載する人骨情報は，人骨の最小個体数，各人骨の死亡時の年齢段階と性別などの基本情報に留め，詳細な観察結果の記載を控える例も多い。このため，報告書による近世人骨の古病理学的情報の概観としては多くの課題を残すこととなった。また入手可能だった遺跡の報告書（PDF）の地域に偏りがあるため，江戸時代の中でも地域的，時期的な傾向に

まで言及できなかった。ただ現在は，地方に居住しながらもインターネットを介して人骨情報に触れられる機会も増えている。人骨所蔵機関での実見・調査とは別に，今後も更新されるデータベースなどを活用しながら，人骨情報の抽出を継続していきたい。

註

1) "疾病構造"，世界大百科事典，JapanKnowledge，https://japanknowledge.com，（参照 2023-05-29）
2) https://www.kahaku.go.jp/research_db/anthropology/osteology/index.html　2023年5月29日4時24分
3) http://db.museum.kyushu-u.ac.jp/anthropology/?wb=ali&cl=14　2022年11月28日5時18分
4) https://saito-muse.pref.miyazaki.jp/www_search.htm　2003年5月29日4時29分
5) 安部みき子，長岡朋人「人骨」『大阪市北区大深町遺跡発掘調査報告』公益社団法人 大阪市博物館協会 大阪文化財研究所，2018，pp.60-67
6) 安部みき子，長岡朋人，藤澤珠織「梅田墓（OC19-1）出土の人骨」『大阪市北区大深町遺跡発掘調査報告Ⅱ』一般社団法人 大阪市文化財協会，2022，pp.149-172
7) 浅沼のぞみ「Ⅳ. 館遺跡（第20次調査）」『盛岡市内遺跡群 平成18・19年度発掘調査報告』盛岡市遺跡の学び館，pp.60-75
8) 奈良貴史，鈴木敏彦，吉田美智子「Ⅵ 出土人骨の分析 岩手県川崎村河崎の柵擬定地遺跡出土人骨について」『河崎の柵擬定地発掘調査報告書』岩手県文化振興事業団埋蔵文化財調査報告書第守4集，（財）岩手県文化振興事業団埋蔵文化財センター，2006，p.489
9) 向井裕知「第4章 直江ボンノシロ遺跡」『石川県金沢市 直江南遺跡・直江ボンノシロ遺跡・直江ニシヤ遺跡・直江西遺跡』金沢市文化財紀要277，金沢市埋蔵文化財センター，2012，pp.33-78
10) 尾形則敏「第13章 中道遺跡第26地点の調査」『志木市の文化財第24集』埼玉県志木市教育委員会 1996，pp.96-108
11) 梶ケ山真理，馬場悠男「附載 兼情遺跡の近世土壙墓から出土した人骨について」『兼情横穴群・兼情遺跡・帝釈山砦』下小笠川捷水路建設工事に伴なう埋蔵文化財発掘調査報告書，大東町教育委員会，2002，pp.325-333
12) 宇賀神誠司ほか「第3章第11節 大星尻古墳

群」『上信越 自動車道埋蔵文化財発掘調査報告書
2―佐久市内その2―本文編』㈶長野県埋蔵文化
財センター埋蔵文化財発掘調査報告書 12，日本道
路公団東京第二建建設局，長野県教育委員会，㈶
長野県埋蔵文化財センター，1991，pp.256-312

13） 茂原信生，姉崎智子「長野県飯田市の石子原遺
跡から出土した人骨と馬骨」『石子原遺跡 山本西
平遺跡 辻原遺跡 赤羽原遺跡』中央自動車道西宮
線飯田南 ジャンクション 埋蔵文化財発掘調査報
告書，長野県埋蔵文化財センター発掘調査報告書
80，中日本高速道路株式会社・長野県埋蔵文化財
センター，2007，pp.193-197

14） 池田次郎「長岡京跡出土の江戸時代人骨につい
て」『長岡京市文化財調査報告書』第 17 冊，長岡
京市教育委員会，1986，pp.110-114

15） 谷 正俊，阿部敬生「3．屏風遺跡 第 10 次調
査」『平成8年度神戸市埋蔵文化財年報』神戸市
教育委員会文化財課，1999，pp.351-356

16） 西嶋剛広「津和田第2遺跡」『宮崎市文化財調
査報告書』第 134 集，宮崎市教育委員会，2021，
pp.3-50

17） 平本嘉助「縄文時代から現代にいたる関東地方
人身長の時代的変化」『人類学雑誌』80-3，
1972，pp.221-236

18） 平本嘉助「骨から見た日本人身長の移り変わり」
『月刊考古学ジャーナル』197，1981，pp.24-28

19） 滝川 渉，川久保美智，前田朋子，坂上和弘，
佐伯史子，澤田純明，安達 登，井本博文，江場
俊介，北村 洋，近藤 讓，百々幸雄「青森県南
郷村畑内遺跡出土の近世人骨について」『畑内遺
跡Ⅷ―八戸平原開拓建設事業（世増ダム建設）に
伴なう遺跡発掘調査報告―』青森県埋蔵文化財調
査報告書 第 326 集，青森県教育委員会 2002，
pp.254-282

20） 滝川 渉，蔭山 成，佐伯史子，坂上和弘，
安達 登，百々幸雄「八戸市田向遺跡出土の近世
人骨について」『田向遺跡Ⅰ―田向土地区画整理
事業に伴なう発掘調査報告書1―』八戸市埋蔵文
化財調査報告書第 105 集，青森県八戸市教育委員
会，2004，pp.288-302

21） 藤澤珠織「青森県八戸市市子林遺跡出土の近世
人骨について」青森県埋蔵文化財調査報告書第
516 集，青森県教育委員会，2011，pp.145-172

22） 藤澤珠織「堀端(1)遺跡の人骨について」青森
県埋蔵文化財調査報告書第 517 集，青森県教育委

員会，2011，pp.111-119

23） 藤澤珠織「千石屋敷遺跡出土の人骨について」
青森県埋蔵文化財調査報告書 第 524 集，八幡遺跡・
千石屋敷遺跡，青森県教育委員，2013，pp.86-89

24） 藤澤珠織「鳥舌内館出土の近世人骨について」
青森県埋蔵文化財調査報告書 第 584 集，青森県
教育委員会，2017，pp.83-92

25） 藤澤珠織「石橋遺跡出土の近世人骨について」
八戸市埋蔵文化財調査報告書，八戸市教育委員
会，2019，pp.86-93.

26） 森本岩太郎，小片丘彦，平本嘉助，吉田俊爾
「Ⅳ．人骨」『江戸 都立一橋高校地点発掘調査報告』
都立一橋高校内遺跡調査団，1985，pp.522-546

27） 佐倉 朔「發昌寺跡第2次調査出土人骨」『發
昌寺跡―社団法人金融財政事情研究会新館建設に
伴なう第2次緊急発掘調査報告書―』新宿区南元
町遺跡調査会，1991，pp.i-v

28） 溝口優司「池之端七軒町遺跡出土人骨につい
て」『池之端七軒町遺跡（慶安寺跡）警視庁上野
警察署単身待機宿舎上野寮建設工事に伴なう発掘
調査報告書』台東区池之端七軒町遺跡調査団，
1997，pp.289-303

29） 梶ヶ山真理，馬場悠男「付編 修行寺跡出土人骨」
『修行寺跡』新宿区修行寺跡調査団，1992，pp.1-10

30） 佐倉 朔，梶ヶ山真理「付編 自證院遺跡 第2
次調査出土人骨」『自證院遺跡』日本上下水道設
計株式会社・東京都新宿区教育委員会，1991，
pp.15-20

31） 梶ヶ山真理，馬場悠男「圓應寺跡出土人骨」
『圓應寺跡』新宿区厚生部遺跡調査会，1993，
pp.85-97

32） 藤澤珠織，片山一道「伏見人骨資料からみる江
戸時代人の体格，虫歯，病気」『平成 19 年度財団
法人京都市埋蔵文化財研究所年報 付章 伏見城跡
出土の江戸時代人骨の分析』財団法人京都市埋蔵
文化財研究所，2010，pp.10-32

33） 安部みき子，長岡朋人「人骨」『大阪市北区大
深町遺跡発掘調査報告』公益社団法人 大阪市博物
館協会 大阪文化財研究所，2018，pp.60-67

34） 安部みき子，長岡朋人，藤澤珠織「梅田墓
（OC19-1）出土の人骨」『大阪市北区大深町遺跡
発掘調査報告Ⅱ』一般社団法人 大阪市文化財協
会，2022，pp149-172

35） 田代和則「九州出土人骨の古病理学的研究」
『長崎医学会雑誌』57 巻1号，1982，pp.77-102

36) 平本嘉助「縄文時代から現代にいたる関東地方人身長の時代的変化」『人類学雑誌』80-3, 1972, pp.221-236

37) 平本嘉助「骨からみた日本人身長の移り変わり」『月刊考古学ジャーナル』197, 1981, pp.24-28

38) 伊藤直人「カリエスブック」医歯薬出版株式会社, 2020

39) 藤田　尚編『古病理学事典』同成社, 2012

40) Nikiforuk G, Fraser D. The etiology of enamel hypoplasia: a unifying concept. *The Journal of Pediatrics.*; 98 (6): 88-93, 1981

41) 澤田純明「エナメル質減形成からさぐる縄文・弥生時代人の健康状態」『月刊考古学ジャーナル』606, 2010, pp.33-37

42) Joichi OYAMADA, Yoshikazu KITAGAWA, Katsutomo KATO, Takayuki MATSUSHITA, Toshiyuki TSURUMOTO, Yoshitaka MANABE. Sex differences in linear enamel hypoplasia (LEH) in early modern Japan. *ANTHROPOLOGICAL SCIENCE* Vol. 120 (2), 97-101, 2012

43) 中山なな「近世墓にみる江戸の子どもの生と死」早稲田大学審査学位論文, 2017

44) 茂原信生「歯に現れる生活環境」『歯の人類学のすすめ 12』歯界展望 82-2, 1993, pp.425-431

45) 澤田純明「エナメル質減形成からさぐる縄文・弥生時代人の健康状態」『月刊考古学ジャーナル』606, 2010, pp.33-37

46) 鈴木隆雄「ストレスマーカー」『骨の事典』朝倉書店, 2003, pp.152-153

47) 鈴木隆雄『骨から見た日本人―古病理学が語る歴史』講談社選書メチエ 142, 1998

48) 藤澤珠織「江戸時代の伏見城跡人骨にみる男女の寿命と健康格差―梅毒蔓延事情への予察―」『青森中央学院大学研究紀要』23, 青森中央学院大学, 2015, pp.39-51

49) 藤田　尚編『古病理学事典』同成社, 2012

50) 鈴木隆雄「ストレスマーカー」『骨の事典』朝倉書店, 2003, pp.152-153

第3章　人類の疾病への新たなアプローチ
パレオゲノミクスによる古病理学研究の新展開

覺張隆史×藤田 尚
Takashi GAKUHARI　Hisashi FUJITA

1　ゲノム研究の新展開

藤田：先生まずゲノムの基本から教えていただきたいのです。よく私ら古代 DNA とか古代ゲノムとかっていうのを結構安易に使っているような気がするのです。

覺張：はい。元々，"Genome（ゲノム）" という言葉自体は，二つの英単語が合成された単語になっていて，まず，最初にヒトの遺伝子という "Gene（ジーン）" という用語と，もう一つが "Om（オーム）" これは「総体の」や「全体の」といった意味合いを示すような言葉で，遺伝情報全体を対象にした用語です。これまで用いられた

図1　ケンブリッジのパブ「イーグル」
ここで若き日のワトソン（Watson, J. D.）とクリック（Crick, Francis H. C.）が DNA の構造について頻繁に議論した。彼らはのちにノーベル生理学・医学賞を受賞することになる。

「古代 DNA」という用語は，一部の DNA 配列の解析することを意味していました。対する「古代ゲノム」という表現は，一部の DNA 配列ではなく，全 DNA 配列を対象にしていることを意識したものとなります。

藤田：なるほど。私は 1989 年に大学を卒業して，東京大学人類学教室で勉強していたのですが，当時は尾本惠一先生が教授をなさっていて，日本の人類遺伝学を築く植田信太郎先生とか斎藤成也先生とか，そうそうたるメンバーが若手でいらっしゃったのですけれど，その頃からもう遺伝というのは，何かこれから何でもわかるみたいな感じの雰囲気がありました。1989 年というと 34 年ぐらい前になりますが。その頃のゲノムというか古代 DNA を解読する，その能力と，それから今の古代 DNA の解読の能力はどのぐらい精度が向上しているのでしょうか？

覺張：はい。まず，元々古い生物遺体を分析する古代 DNA 研究というジャンルが生まれて，かなり時間が経つのですが，当時は非常に短い DNA の断片を，配列解読するという技術でした。大まかに二つの技術があって，一つ目が，大腸菌を使ったり微生物を使って，その生物に特定の DNA を組み込んで，配列を決定するクローニングという技術。あともう一つが最近コロナウイルスとかでいろいろと感染症のチェックに使われている PCR 法，この二つが利用されて，当時の古い資料の DNA 分析がスタートしました。

　当初の技術というのは，例えば 60 から長いものだと 300 ぐらいの DNA 配列の決定しかできず，技術的な制約がありました。しかし，2000 年代の中頃に全 DNA を読めるような技術，これは従来法とは違って，次世代型の手法という

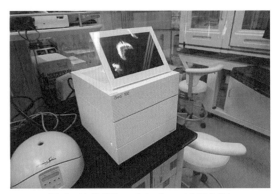

図2　次世代シーケンサー（金沢大学）

ことで，次世代シーケンサー（Next‐generation sequencer（NGS））というのが生まれました（図2）。PCR法では頑張っても300ぐらいの配列決定に止まると話しましたが，現在ではその次世代シーケンサーを使用して全DNA配列，ヒトですと30億，両親を考慮すると60億の配列になりますが，60億の配列を読めるだけの技術になってきております。従来と比較して数万倍以上の情報量があります。今まで利用できなかったいろいろな配列データを基にして過去のヒトの起源を評価することができるようになってきています。

　従来のPCR法で分析していた時代には，ミトコンドリアDNAの母系遺伝の性質を利用しいて，母系統をたどっていくというような起源推定が行なわれてきました。今では数百万から数千万のサピエンス内での遺伝的な違いがあるポジションを目印にして，集団の差を見ます。どういった地域からヒトが移動してきたのか，従来法よりも数百倍数千倍の解像度で評価しているというようなイメージです。

藤田：ありがとうございます。そうすると今から30数年前と比べると格段に進歩したわけですね。そのDNAの抽出もうまくいく場合といかない場合はもちろんあるとは思いますが，しかし先生からお話をお聞きすると，300ぐらいしか読めなかったところが，例えば生きている我々の血液とか唾液を取れば，それこそ30億とかというようなほとんど全ゲノムが読んでいけるぐらいまでになっているわけですね。そうすると古人骨から得

られる，非常に微小なDNAであっても，それを読み込んでいくことがかなり可能になっているというふうに考えてよろしいでしょうか？

覺張：はい。分析できる骨の量はPCR法の技術とあまり変わらないですが，わかることが多くなったというようなイメージです。従来法はある研究をするために「ここのDNAの配列だけを調べる」というスタイルだったのですが，まずはすべてのゲノムデータを取りましょうと，そこからいろいろな人が興味の中で個々の遺伝子領域の解析をしたいとかいうように，要は大きな図書館というかLibraryを一気に得ることができるというそんなイメージですね。

藤田：なるほど，初めて良く理解できたように思います。ところで覺張先生は大学時代はどんなことをやっていらっしゃったんでしょうか？

覺張：はい。もともと私は，東京農業大学の農学部畜産学科の家畜生理学研究室というところで遺伝学と生理学を勉強し始めていました。日本の古くからいる在来の馬ですね，その馬の起源を探るために，やはり遺伝学的な研究をしなくてはいけないと考え，自分で調べ始めました（図3）。当時，日本列島に古くからいる在来の馬は8品種ですけれども，その馬がどういった地域から伝播してきたのかということを調べるために，まず，従来法のPCR法で得られる現代在来馬のミトコンドリアDNA配列でどこまで評価できるかということを自分なりに考えた結果，当時の手法では，ルーツがわからないということがわかりました。

図3　在来馬の調査風景（開田村 木曽馬牧場）

つまり，あくまで推定で止まってしまっていて，本当の実証的な評価をするには，過去の生物試料の遺伝的な情報を抽出して，現代と比較しないと，絶対に証明できないということで，まず過去の資料にチャレンジするという，古い資料をターゲットにしてDNA抽出をしてPCR法でいろいろ増やしたりとかして調べていましたが，それが大学院生時代ですね。

藤田：うまくいかないことが多かったのでしょうか。

覺張：私はそのPCR法自体でのペーパー論文は1本もないです。ただ，それは良かったと今は思っています。今，次世代シーケンサーのデータを知っていると，当時の方法だと増えない方が普通と感じます。再現性が取りにくい。それだけ断片化していたのですけれど。

2　日本列島在来馬起源の研究

藤田：日本の古代馬というのは，弥生時代に入ってきたというような認識で，よろしいでしょうか。

覺張：ちょっとまだそれも確定的なことは言えませんが，以前に縄文時代の貝塚から出土している馬について，奈良文化財研究所の松井章先生たち，そしてお茶の水女子大学におられた松浦秀治先生，近藤恵先生らが科学的な年代測定をして，縄文時代には馬はいないと言われています。

　弥生時代についてはちょっとまだ怪しいというか，もしかしたらという資料はあるのですが，今のところ理化学年代放射性炭素年代測定で測定した結果，弥生と断定されている資料は1個もありません。その後の古墳時代は確実にあります。4世紀以降には馬は確実に存在したのですが，それ以前のものについてはまだわからないというのが実際です。

藤田：考古学的にみても古墳時代になりますと，馬の埴輪が結構残っていますので，やはり馬は，古墳時代に入ってきたのでしょうね。私が専門にしている古病理学で言いますと，例えば戦いの方法とかが大きく変わって，それによって矢鏃とか，剣とか，そういったようなものがやはり馬と

一緒に入ってきたというようなことも考えられるでしょうね。先生，今，在来系の馬が8品種あるということだったのですけれど，これについてちょっと議論の本質からはずれるかもしれませんが，でも面白いと思うのでお聞きするのですが，その8種類は，割と狭い地域に存在していたものが入って来ているのか，それともかなり東アジア広範囲に広がっているものが入って来ているのか，その辺はいかがなのでしょうか？

覺張：それは今のところ2系統かなと考えています。具体的な起源は今見えているのですが，ちょっとそこの二つの系統が一体いつ，どうやって日本に来たかということについては，まだ大陸各地の古代馬のゲノムの解析をしない限り，正しい評価ができません。大陸のデータを増やしていって，最終的に議論ができるというところかと思います。

藤田：わかりました。それで先生は大学をご卒業になって，東京大学の大学院にお進みになって，最初に取り組まれたのも馬の遺伝ですか？

覺張：DNAの分析でまず由比ガ浜南遺跡という鎌倉海岸の中世の遺跡で，そこで大量の牛馬，ほかの動物1体，人骨も出ているのですが，私の興味は馬でしたので，馬の骨を対象にしてDNAを抽出して，PCR法でミトコンドリアのその100とか少ないDNAの配列を決定しようという大学院修士課程の課題を設定して，それでチャレンジしたのですけれど，これはまったく増えないですね。

藤田：そうですか。私の記憶では2000年を超したぐらいから，各先進国が分担しあって，ヒトの全ゲノム解読プロジェクトをやっていまして，3年か4年経て全部読み込んだような記憶があるのですが。ちょうど先生その頃でしょうか。

覺張：そうですねその頃ですね。

藤田：するとその頃は各国の先端レベルの遺伝学者たちが，分担作業で取り組んで3年4年かけて解読したものが，現在では，例えばスパコンで，何時間とか，せいぜい1日とかそんな感じで読み込めるような時代になったのでしょうか。

覺張：そうですね。もう1日掛からないで，でき

ますね。

藤田：それはすごい進歩ですね。遺伝情報を読む技術が飛躍的に向上していく中で，先生も若い時代に研究者生活を送ってこられたと思うのですが，その中で，日本の在来馬の起源やダイバーシティみたいなものから，ヒトそのものにご興味が移っていったきっかけみたいなものはあったのでしょうか？

3　馬の起源研究からヒトゲノムの解析へ

覺張：はい。まずは馬の起源を研究する上で，最終的には馬を受け入れたのはなぜなのかとか，馬をもたらしたヒトの方の研究もあわせて進めた方が，この馬の歴史の正確な理解に繋がるのではないかと考えて，馬だけではなくヒトも，分析しては，ということで二つの生物種を対象にしてやっていこうというのがまず一つです。

　もう一つの理由は，ヒトの資料にアクセスした際に，DNA を研究すると，学会で人類学的な意義を語りやすいというか，ヒトの移動というのをまず見た方が良いのではと言われることが多かったのです。そんなこともあり，私もちょっとヒトの人類学的な遺伝学的な研究に協力できないかなと思ったのです。技術的には同じ方法でしたので，その分析の方のお手伝いというか，私が大学院の後期課程のとき，現在，東京大学理学部教授の太田博樹先生のところでいろいろと技術を学ん

図4　クリーンルーム内での古代 DNA 分析風景
（北里大学）

だりしながらヒトの分析も併せて行いました。その時に，次世代シーケンサーを使った解析を初めて，私も手がけるようになったのです（図4）。

藤田：最初に先生が取り組んだヒト関係の古代DNA 研究はどんなものだったのか，差し支えない範囲で教えていただければと思います。

覺張：まず縄文時代の日本列島のこれまで先住民として考えられていた人々の遺伝的な特徴を捉えてから，現代日本人の理解に繋げるというプロジェクトで，縄文人の全ゲノム配列を決定しようという取り組みを行っていました。当時国立歴史民俗博物館で研究されていた山田康弘先生が音頭を取られて，その協力者として，当時北里大学医学部におられた太田博樹先生がその人類遺伝学的なところを担当されてコンビを組まれて，研究がスタートしていました。そこの研究員として私の方で，実質的なゲノムの解析の方を担当させていただいたというところです。

　結果的に愛知県の渥美半島の伊川津貝塚から出土した人骨の側頭骨の内耳部分のサンプリングをすることで，全ゲノムデータが取得できました。これは世界で初めて比較的温暖な地域でのヒト全ゲノムデータを出したというところで，2018 年の *Science* に掲載されました。世界的にも非常にアピールできた，非常に評価が高かったというか評価されうるような研究だったということです。渥美半島は比較的温かくて，そのような所で全ゲノムデータを取るのは無理じゃないか，と言われたところをあえて私達がやることで，今後どんなところでもゲノムが解析できるようにしようということでした。

藤田：気温を主として環境を考慮して研究をされた。素晴らしいですね。私も結構モンゴルに十数年前から行っていて，モンゴル国立大人骨のコレクションとか，ずいぶん調査させていただいているのですが，やはり北の方の寒い地域の DNA っていうのは残りやすいものですか。

覺張：すごく残りやすいですね。今の技術でゲノムの解析するのであれば，正直もうそんな難しくないというか，側頭骨とか，ゲノムが残りやすい

と考えられている部位じゃなくても，ゲノム配列の取得が十分できるでしょうね。

藤田：私は素人ですから基礎的な質問になるのですが，どうして寒いところだと，ゲノムがよく残っていて，暖かいところだとゲノムが残りづらいのか，その辺のところ先生ちょっと簡単にご説明いただけないでしょうか？

覺張：はい，これも大きな理由としては二つあります。一つ目は生物学的な要素で，一般的に，暖かい地方ほど土壌中にはバクテリアがたくさん存在していて，そのバクテリアが骨の劣化とともに骨の内部に入ってきます。オステオンという骨単位の中にDNAが入っているわけですけれども，そこに入ってきてヒトのDNAを分解するわけです。

もう一つが，非常に小さな分子の挙動の話ですが，加水分解の影響が起こってくると，水素イオンがたくさん水の中で存在したときに熱が高ければ高いほど，その分子の衝突の回数が多くなってきます。温度が高い方が，よりその分子の動くスピード衝突の頻度割合高くなり，低温であればそれが少ない。よって，低温でその衝突回数が少なくなればDNAへのダメージが減ってくると，そういうことです。これ以外の様々な要因はありますが，この生物的な理由と，非生物的な化学反応での違いが熱に依存しているというところになるかと思います。

藤田：先生もご存知だと思うのですが，ヨーロッパでは，いわゆるボックマン（Bogman）という低湿地帯からミイラ化した感じの皮膚とか，筋肉なんかも若干残っているような人の遺体が出土したりするのですが，私はその専門ではないのでよくわからないのですが，そういうボックマンを利用して研究を進めているチームはあるのでしょうか。

覺張：はい，あります。軟部組織にはDNAが非常に残りやすいので分析しやすいです。ただ，その分抽出液中にバクテリアのDNAも結構たくさん入っています。やはりそっちの方が比率的に多くなってしまうんですね。今の次世代シーケン

サーを使った配列決定法というのは，抽出液の中に含まれているDNA配列を片端から決めるというイメージです。比率的にバクテリアなどほかの生物のDNAが多かったら，たくさんお金をかけないと配列決定ができないというジレンマがあるのです。側頭骨とか歯のセメント質の部分だと，そのバクテリアの侵襲が非常に少ないというのがわかってきていますので，その部分を扱って成功し，全ゲノム解析できたというチームは何例もあるわけです。

藤田：やはり私のように非ゲノムを扱う人類学者からしますと，南方の人たちが，日本人の形成にどういうふうに影響したのか気になるところで，私もベトナムとかカンボジアとか，インドとか，何回か行っているのですが，南方系の温かいところの人骨のゲノム抽出のきっかけになればいいなと思っているのです。そういう古人骨に当たったときに，何かその取り上げる瞬間から，注意すべきことはあるでしょうか？

覺張：まずは現代人由来のDNAの汚染がないような状況の方が，分析をする側としては，楽ですので，マスク，ゴム手袋，キャップなどを着用することでしょうか。ディスポーザブルがいいです。ただ先ほど少し話したDNAが残りやすい部分というのが，結構骨の内側の部分なので，実際サンプリングで骨を切ってその部分を抽出するのですが，その過程で周りのDNAをある程度洗い綺麗にする作業をクリーンルーム内でやりますので，直接触ったとしても，分析ができないっていうことないと思います。

4　ゲノム配列と古病理学

藤田：なるほど，わかりました。ここから少し古病理の特集ですので，古病理について先生にいろいろなお話を伺いたいと思うのですが，まずそのゲノムを古病理学の領域に役立てるということについて，先生の方でこんなことができるっていうことを，差し支えない範囲で教えて下さい。少し先生の方から，逆にこんなことができるよ。古病理学の人とこういうことを組んでやっていけば，

こんな面白いことができるかもしれないというような，先生の方からのある意味古病理学者に対する期待とか，こういう視点で研究を始めてみたらどうかみたいなことも含めて，二,三点お伺いできればと思います。

覺張：はい，まず技術的なところから何ができるのかですが，全ゲノム配列を決定することが可能になっていますので，生まれながらにして遺伝的に問題があって，長く生きられないかもしれないような特性を持っている先天性の遺伝疾患が，ゲノムデータからわかる可能性があります。

遺跡から出てくる遺骨，人骨から，形態学的に年齢の評価というのができるかと思います。比較的若いうち亡くなっている個体で，ゲノムを読んだときにそういった遺伝性疾患の方が多い可能性もあるかと思います。もちろん幼児など本当に若い時期に亡くなっている子供もいるかと思うので，そういう年齢のファクターを形態学的に評価されている状況であれば，その情報と遺伝性疾患の状況の突き合わせは非常に重要な古病理学的な研究になると考えています。

藤田：ちょっと私の方からお尋ねしたいのですけれど，多分先天性疾患そのものは，確率的にどんな時代でも，ある一定数起こってくると思いますし，ただやはり例えば日本の江戸時代とか明治時代とかを考えても，一般の庶民は生まれた村で，成長して大人になって，その村かせいぜい隣村ぐらいのところで結婚相手を選んで，そして子供を作って生涯を終えていくみたいな状況だったのだと思います。現在は北海道の人と九州とか沖縄の人が結婚してもまったく驚かないわけですが，そうしますと必然的に通婚圏が非常に狭くて，遺伝子が非常に均一化してくるような状況になっていたのかなと。縄文時代ですと，もっとそれが激しくて，同じ集落とか，隣の集落なんかからのお嫁さんを取っていたのかお婿さんに行ったのかそれはわからないですが，そのぐらいの近さのところで配偶者を選んでいたとすると，今先生おっしゃったような，遺伝的に非常に近いということで，対立遺伝子上のDNAがヘテロ（異なる配列）だったら起こらないものがホモ（同じ配列）になって起こるような遺伝性疾患が結構出ていたのではないかなと。

そうすると，一つはもうそういう子供は，その胎児の段階で，結構死産とか流産したりとかっていうことがあったのかなと想像します。運良く生まれたとしても，やはりいろいろな疾患を持っていますので，現在のような高度な医療はありませんし，そうするとやはり先生がおっしゃったように，長生きができない。2歳3歳のうちに亡くなってしまう可能性は考えられますね。

そういうような縄文時代とかあるいは古代の時代なんかももちろん含めてですけど，乳児とか幼児の人たちの遺伝的な異常みたいなものですね。どのような疾患がどの程度の頻度で，あるいはどういった形の病気として存在したのかっていうのは，すごく面白いなっていうふうに思います。ぜひそれは今後先生の力とかお借りしながら進めていっていきたいなと思っております。

覺張：もう一つは，ヒトに感染する感染症の感染元のゲノムも人の遺体の中には残っていることあるのですが，そういった病原菌やウイルス自体のゲノムの解析から当時の病気の病理学的な議論を展開するという研究も，現在のゲノムの解析でできるようになってきています（図5）。

日本列島において縄文時代にどういった感染症があったのかは，そもそも歴史時代以前ですので

図5　青森県八戸市新井田古舘遺跡の歯
江戸時代のいくつかの病原菌が検出されている。

文献がないためにまったくわからないと思います。また，形態的に検証不可能な感染症はゲノムじゃないと多分わからないのでは，と考えています。骨病変があれば，それを指標にし，どのような病原菌が感染したのかどうかとか，そういった形態学的な情報を指標にして，それがゲノムのその疾病の infection の状況とどう関係しているのかというのを見れれば面白いのかなと個人的には思います。何も指標がないのであればもう全部の感染症の可能性を考慮して解析をする必要があります。ただ，その解析には結構時間がかかるので，やはり古病理学的な仮説みたいなのがもしあれば，2 群に分けてどういうふうに感染状況が違うのかという検証がゲノムの方でもできるのではないかと考えています。

藤田：ありがとうございます。私は割と現代人の健康状態を非常に注目していて，例えば日本のような先進国で長寿を達成した国と，それから未だに平均寿命が 40 数歳ぐらいの発展途上国がありますよね。おそらく縄文時代というのは直接的に所々総合的な社会像，とくにその健康面を復元するっていうのはかなり難しいとは思うのですが，ただそこに現代の発展途上国と先進国の人を比べるというその視点というのはとても大事であって，そこから非常に重要なヒントが得られるかなと思っています。

現在の先進国ですとご承知のように，がんとか循環器疾患とかが死亡原因の上位に来るのですが，発展途上国では，圧倒的に感染症による死亡率が高くて，がんによる死亡率は数％ぐらいにしかならない。これはがんになる年齢（がん年齢）まで生きられなかったからがんが少ないので，日本のように，がんが今 2 人に 1 人になるとかいう時代になっていますけど，これはやはり我々の寿命が延びてきたため，がんになる確率が非常に高くなっていると理解しています。そういった面でも先生が今おっしゃったような人骨とか，あるいは歯に残っているような，当時の感染症のバクテリアや細菌やウィルスのゲノムを特定できたら，非常に面白いなと思います。

ちょっと話を少し進めさせていただきたいのですが，日本では一応結核の症例が，弥生時代以降からしか見つかっていないと古病理学では，認識されております。ただ私がちょっと考えているのは，まったくの処女地に，非常に感染力の強い感染症が入ってきたときに，その人たちは相当ダメージを受けた可能性があるのではないかと。要するに免疫がまったくないわけですので，相当の人が結核によって亡くなっている可能性がある。しかし，日本全国で結核の症例は数例ぐらいしか見つかっていません。もし結核が大流行して，例えば縄文と弥生のその人口の比率を変えるところまでいくということになると，やはりもっともっと多くの人がその結核に罹って亡くなっていたのではないかと思うのですが，そういうことは先生の古代ゲノムとかで見えてくる可能性はあるのでしょうか。

覺張：はい，それは十分可能性はあると思います。結核に罹患して骨まで痕跡が残るとか変形するっていうのはあまり事例がないということでしたね。ただ確実に結核の細菌が人体に入って，組織に少しでも入れば，血流に結核菌由来の DNA 断片が流れてきて，それが例えば歯とか骨に潜り込んで残るということがよく見られます。実際には骨の変化がなくても分析すると，見つかる可能性は十分にあると思います。

藤田：なるほどですね。どうしても肉眼で結核の痕跡を探そうとしますと，おそらくかなり進行した病状になった人の骨でしか，確実な診断っていうのができなということになってしまいます。実はかなり進む前に，多くの人たちが死んでいるのではないかと考えているのです。例えば，現在現代の日本でも結核に罹る人は，毎年数千人から 1 万人ぐらいはいるようですが，骨にまで痕跡が残るようなことはまず無いのですよね。

なぜ無いかというと，もう咳が 1 ヶ月 2 ヶ月も続く，あるいは血痰が出たりすると，普通の人は病院に行って検査を受ける。すると結核ですよとなった時点から治療が開始されるわけで，結核によって亡くなる方もいらっしゃるのですが，骨に

まで結核が残るというのは，おそらく5年とか，10年とか結核を引きずらないと，そういう状況にならないと思いますので，先生が先ほどおっしゃったように，血行性あるいはリンパ行性で，その結核菌が体中に運ばれて，組織の中に入っていく。それをゲノム解析する先生方にキャッチしてもらって，当時の結核罹患者の全体像，正確にとなるとなかなか難しいと思うのですが，ある遺跡二つとか三つぐらいの遺跡の中での結核の罹患率みたいなものを出して行くっていうのは十分可能と考えて期待を持ってもいいものでしょうか？

覚張：そうですね。結核菌自体が休眠しますし，細胞壁が厚い菌ですので，残りやすい特性はあると思うのですね。ただそれは日本列島の環境や，いろいろな土壌の状態などによって，うまく分析できるかどうか保存されるかどうかが変わってきてしまうので，まずはどういう環境で結核菌が検出しやすいのか，その部分の基礎研究もあわせて進めていくと，見えやすい地域と見えにくい地域が出てくると思います。

ですから，研究を行えば，そのモデルとして，ちゃんとしたその当時の疾病率の実際を評価できる可能性はあります。そういった基礎研究をあわせて行なっていけば，いいのかなと。もし分析しても検出ができなかった場合に，そこは単純にその保存性が悪い地域だったという可能性もありますので，そこの見極めをするためのバックグラウンドというか足固めみたいなものが，まず最初に必要なのかなと思います。

藤田：あとは先生が提唱していらっしゃる日本人の三重構造説では，古墳時代にも，かなりの人が入ってきているということなのですけれども，結核っていうのはやはり稀にですけど体の臓器なんかに直接的に入り込むこともあるのですが，99％は肺に入り込んで，肺が侵されていきます。だから我々としては，肺は失われていますが，肺に近い肋骨が何か異常をおこしていないか，よく見るわけなのです。それは肺が炎症を起こしていると，胸膜を介して肋骨まで炎症が広がっていく。私の調査でも韓国の勒島遺跡，これは日本の弥生

時代の中期ぐらいの遺跡ですけれど，そこで見つけた結核の人骨はやはり肋骨が炎症を起こしていました。

そういったことを考えていきますと，一つには今回の季刊考古学の特集号のテーマである都市化の古病理学は，都市化が進むとヒトや家畜の病気を変容させているというか，ある意味，それ以前と疾病構造が変化してきていると思うのです。多分縄文時代も，気道感染症や細菌性下痢症などで死亡する人がもっとも多かったと思うのですけれど，人が何百人集まって，集団生活を始めると，呼吸器疾患とか，それから下痢性の疾患なんかは，当時衛生学の観念はほとんど無いでしょうから，かなり蔓延したのかなということがあります。

そういった都市化とか，都市化まで行かなくてもその集落が非常に大きくなっていくことによって，感染症が，今回のコロナみたいな，そこまではいかないでしょうけれども，感染症というものがやはり人々の間に蔓延しやすくなるのかなと。そういったことは，ゲノムからも見ていくことができるでしょうか。

覚張：はい。その都市と都市以外のところを比較することによって，わかると思いますし，先ほど申し上げましたが地域ごとにそのDNAの保存状況が違った場合でも，1個体からでも良いので，その病原菌のゲノムが読めた場合に，都市と都市ではない地域で，その病原菌自体のゲノムの多様性を見ると，どれだけその菌が変異したかという履歴の差が見えます。

たくさんの人に感染していってそれでどんどん突然変異が蓄積されていくわけですが，集団規模が大きくて罹患率が多くなってくると，多様性が高くなります。つまり，大量に感染しているという規模がわかってきます。地方で，あまり人がいないようなところで検査した際に，やはりそんなに変異が多くないっていうふうに相対的に見ることができる。都市に蔓延しているっていうことは，ゲノムの情報からも評価できるのではないかなと。都市部における病原菌を，多様性の観点で

見ていけばいいのかなということで，すごく示唆に富んだご意見を我々はいただいたなと感じました。

藤田：もう一つ日本人を脅かした感染症として，室町時代の中ぐらいに入ってきた梅毒がありますよね。一番最初の日本での梅毒とみられる文献が，1512年ぐらいに京都の医師が書いた日記の中に出てきますけれども，梅毒はトレポネーマ症で，これは4型あるんです。ヨウズとかビンタとか，これは熱帯とか亜熱帯に広く分布しています。非性病性梅毒（地域性梅毒）はシリアから乾燥地帯の中央アジア，例えばモンゴルの辺りまで感染が広がっていると言われています。もう一つの最後のトレポネーマ症は，これはもっとも毒性が強くて，進行するといろいろな疾患を引き起こして，しばしば死に至ると言われている性病性の梅毒です。日本に入ってきたのはこのもっとも質が悪い性病性梅毒なわけなのですが，これがかなりの割合で，江戸時代に流行っているというふうに言われているのです。

　しかし，私自身が数百体の江戸時代人骨の歯を調べたのですけれど，ハッチンソン歯っていう先天梅毒の特有の形態を示す歯が，ほとんど見つからないのですね。1例2例あるかないかです。これは先ほどの先生の話に戻るのですけれど，1歳2歳でそういう先天性の梅毒を持った赤ちゃんは，死んでしまった。あるいは生まれてくる前に死産とか流産とかになっている，そういうことを考えたりもしていました。江戸時代に，どのぐらい人たちが梅毒に罹患したのかというと，梅毒の人骨自体は結核の人骨よりもかなり見つかってはいるのですが，でも幕末の松本良順という医師が，もう庶民の90％以上が梅毒に罹っているというようなことを報告しているのです。

　こうした当時の状況は火葬が一般化してきますと，その時代の骨の状態が分かりません。古病理学研究でも致命的です。骨が無い時代の病気の状況もしくは罹患率とか，いろいろなことがあると思うのですけれど，ゲノムからある程度推定していくことは可能なのでしょうか？

図6　骨製ペンダントからの古代DNA分析
（Essel *et al.* 2023のFig.1aより）
Essel *et al.*（2023）*Nature* 618, 328-332

覺張：はい，まず人骨がないというところで考えると，ヒトが残した何かを指標にするしかないと思いますので，まずは例えばこれはあるのかないのかっていうのを逆に質問させていただきたいのですが，当時のトイレとか，排泄物，食料残滓とかよく利用して触れるものなどが，ターゲットになるのかなと考えています。最近では土壌中のDNAの分析をして，当時の環境とか，当然微生物のデータを抽出して解析するということも行われています。そういったアプローチが必要なのかなというふうに考えています。

　排泄物とか土の資料だけではなくて人が肌身離さず持っているようなペンダントとか，骨性の装飾品の分析をすると，使っていた人のDNAを吸着して，分析ができるという論文が出ているのです（図6）。数万年前の資料とか古い時代のものとかも分析ができたりしているのですけれども，比較的新しい時代であれば，より残っている可能性があります。肌身離さず使っているものからほぼ非破壊で分析が可能です。石や鉱物を素材とした装飾品，有機物を素材とした装飾品からDNA抽出をすると，もしかしたら表面的な病原菌を拾うこともできるかもしれませんので，その二つのアプローチがあるのではないかと個人的には考えています。

藤田：そうすると私が数年来，興味を持ってきた考古寄生虫学の分野で，古寄生虫のゲノムもちろんあると思うのですが，有効ですね。これまでは寄生虫の種類から，どんなものを食べていたか，寄生虫はその宿主を選びますので，横川吸虫はアユ，肺吸虫ですとモクズガニとかサワガニとか川

の蟹に良く寄生しています。昔の人の食性みたいな部分は，割と明らかにされてきているのですが，世界の古寄生虫学の流れを見ますと，日本の考古寄生虫学より一段二段深まっているような気がいたします。

それはやはりゲノムサイエンスをはじめとして，生命医科学の分野の新しい技術を使って，寄生虫がどういうふうな影響を人体に与えたとか，おそらく抗生物質とかがまだない時代ですから，寄生虫による死亡も相当な割合があったとかがわかると思います。欧米の研究者は，その点に着目して，より深化した研究を進める状況で，日本からは残念ながらそういった研究がまだ多分皆無だと思います。そういったところを力不足ですけれど私も少し進めてみたいなと思っています。

覺張：ゲノムと形態学が協働することによって，ゲノム研究だけで進めた場合の研究の幅を仮に100だとしたら，形態学と協働したら，150とか200ぐらいに広がっていくと思うので，ぜひその辺は共同して，やっていきたい部分です。

5　共同研究のこれから

藤田：最後に，これからのパレオゲノミクスと，古病理学を少しクロスしていただくと助かります。パレオゲノミクスがこれから人類学，人の健康，パレオヘルス（Paleohealth：古健康）へコミットしていくことにどんな展望をお持ちか，お聞かせいただければと思うのですが。

覺張：まず古病理学という研究分野において私達ができることとやはりゲノムのデータを提供して何がわかるかになってくるので，過去の人たちの古病理学的な研究を新しい視点でとらえるというところでサポートさせていただくことはできますし，もちろん共同でいろいろとやり取りをして新しいジャンルができると考えています。

ちょっと個人的な考えですが，従来の古病理学というのは昔の人の病気の起源とか，病気の成り立ちにスポットライトが当たっていたと思うんですが，先ほど，藤田先生がおっしゃったように，そのパレオヘルスという概念は，私達ゲノムサイエンスの中で非常に興味があって，結局，ゲノムの解析っていうのは現代人の健康問題に提言をするような，現代医学にも関連する医学的研究を目的にするところも多くあるので，ぜひとも今後研究する際には原始古代のヒトの健康を調べることに，ゲノムの指標を使っていただいて，それがこういう生活がこういった人たちには何か健康上の利点になるのではないかというような，そういうところまで踏み込んだ研究プロジェクトがあると，新しい未来を指し示して，医学部の先生方とも一緒に共同研究できるような大きな動きになっていくと思います。

藤田：ありがとうございます。今の先生のお話は非常に重要で，私も若い頃から，古病理学は決して古い時代の人たちのことを調べて終わりではないと考えています。中国のことわざに，古きをたずねて新しきを知る，そういうことわざがございますけれども，古い人骨から分かった知識や情報を，現代の社会にどう生かしていくかっていうのが，これがやはり今後の古病理学の大きな課題かなというふうに思っています。

先生本当に長い時間ありがとうございました。

感染症と文明―コロナ禍で考える医療と社会―

山本太郎
Taro YAMAMOTO

はじめに

本稿は通常の論文ではなく，文系理系の知見を総合したコロナ禍に対する見通しを示したものである。したがって体裁も幾分か通常の論文とは異なる。その上で，今次のパンデミックを過ごした私たちが今後どんな社会を生きることになるのか，もちろんこれは答えのない話だが，それを考えるヒントや論点を考えてみたい。

その前にまず私自身と私の研究室について簡単な紹介をしたい。というもの，私は医学分野の人間で，これまで考古学とは遠いところにいて，あまり接点がなかったため，基礎的な部分で私たちが普段何をやっているかを共有することは今後の本稿を読む上でも役立つと考えるからである。

私は広島県の竹原市という瀬戸内海に囲まれた小さな町で高校までを過ごした。そのあと長崎大学医学部にいき，医学部を出てからは先ずウイルス学の研究をした。大学を卒業したのが1990年で，当時ちょうどエイズがパンデミックを迎えており，まだ治療法もワクチンもない時代だった。エイズは当初，ヨーロッパやアメリカの男性同性愛者の集団や血友病の人たちの間で流行が見られていたが，1990年代に入ると，エイズを引き起こすウイルスの起源が実はアフリカにあって，アフリカに多くの感染者患者がいることが明らかになってきた。私はエイズのウイルス学的研究を実験室でやっていたが，実際に現場のアフリカに行き，対策をしてみたいとその時思った。それが現在につながるキャリアとなっている。その後アフリカに行くことになり，南アフリカのすぐ北のジンバブエに1年ちょっといて，そこで感染症対策に従事した。海外経験ということで言えば，その

ジンバブエ（1999 - 2000）

後アメリカへ1年半ほど，アメリカの大学から派遣されるかたちで，ハイチというカリブ海の島国に一年赴任するという経験をした。

ハイチではエイズの母子感染を予防する研究や対策を行なっていたが，最後は内戦に見舞われ，その中に取り残されるかたちとなった。ハイチはとても貧しい国で，政治的混乱も多く，過去100年間に少なくとも17回のクーデターがあったという国で，内戦自体は珍しいことではないものの，久しぶりの混乱だった。

当時1000万人くらいの人口のハイチに，日本人はわずか十数人しかいなかったが，大使館は

ハイチ（2003-2004）

ハイチ地震，東日本大震災での支援活動

員を見送り，その2日後に飛行機でニューヨークに行くつもりだった。するとちょうどその二日後に国際線のすべての飛行機がとまってしまい，ハイチは島国なので出国する術がなくなってしまった。その1週間後には反政府側が首都に侵攻し，ハイチは内戦状態になる。すぐに国連の安全保障理事会で平和維持軍の派遣が決まり，アメリカやカナダ，フランス（ハイチはフランス語圏）などで国際平和維持軍が組織されてハイチの治安維持にあたるようになり，3週間後には飛行機が再開し，それでニューヨークに脱出することができた。そんな経験もしました。

　その後さまざまな人の勧めもあり，帰国し，外務省に大学との人事交流で勤務することとなった。それが2004年で，当時国際社会のアジェンダが二つあって，ひとつは今も続いているが地球温暖化問題で，もうひとつが貧困削減で，貧困削減のためには，アフリカの開発が必要だといったことが議論されていた。しかしアフリカの開発をやるためにはアフリカにある感染症を何とかしなくてはいけないということで医学分野の専門家が求められていた。

　外務省での仕事はおもに首脳会談などでの話し合いの実務的な取りまとめなどをしていたが，それまでずっとアカデミアの中で感染症を公衆衛生学的，生物学的に見ていたのに対し，初めて感染症や病気を社会学的に見る，そこで国際政治のパワーがどんなふうに働いているかを見る機会にめぐまれたのは貴重な経験だった。

　外務省での三年間の任期を終え大学に帰ってきたのが2007年で，それ以降は研究と教育をおもにやってるが，それに加えて社会貢献もやっていて，2010年1月12日に起きたハイチの地震（約30万人の死者が出た）では，日本政府の国際緊急援助隊の一員として，5tの食糧品や医薬品とともにハイチへ支援に行ったりした。これは，内戦でハイチを後にして6年ぶりの訪問であった。ハイチでは日本のように耐震構造の建物はなく，脆いため上からパンケーキを潰したようなかたちで建物が倒壊しパンケーキクラッシュと呼ばれたり

あって，しかしその大使館は外務省からの指示で閉館し，大使館員は揃って車でドミニカ共和国に退避していった。私はアメリカの大学からハイチに派遣されていたので車などを自分で処置しなくてはならず，すぐに出国できなかったので大使館

していた。その下に被災者がいて，その人たちを支援しながら2週間過ごした。

　翌2011年3月11日には牡鹿半島の東南東沖130kmの地点を震源として東日本大震災が発生し，それが津波を誘発した。結果，三陸海岸が約500kmにわたって被害を受けた。私はちょうど神保町付近で編集者との打ち合わせが終わった直後に地震に遭い，杉並の自宅まで歩いて帰ったことを覚えている（長崎には単身赴任で，当時杉並に家があった）。家に帰り，どうすべきかと考えていた。

　そのところにちょうど学長から電話があって，「どうしているか，いまどこにいるか？」と訊かれて，東京の自宅にいると話したところ，長崎に帰ってこなくてよいから東北に行けと言われてそのまま東北に向かうことになった。

　その時二つのことをやってくるよう言われて，

東日本大震災の写真

ひとつは，人とモノを送るので実際に医療支援をするための拠点を作ってこいと。二つ目は，東日本大震災はおもに東北が被災しているが日本全体で取り組む課題だ，長崎は西の果てにある大学だが何らかの貢献をしようと，何をしたらよいか考えるから情報を送れとのことだった。大学自体は，その日のうちに大学にある国際被ばく医療センター（長崎大学は今から約4分の3世紀前に世界で唯一被ばく体験をした医科大学である）から医師と看護師を5名福島に派遣し，翌日には水産学部の練習船に水と食料を積んで北に向けて出航するという取り組みをしている。

　私はといえば，東北自動車道は政府が人の殺到を防ぐため通行止になっていたので，関越道で新潟に向かい，そこから磐越道で仙台へと入っていた。ちょうど仙台に入ったとき，福島の第一原発の爆発があり，一緒に支援に向かう仲間とも今後日本はどうなるのだろうと話したことを覚えている。しかし，自分たちにできることはそこではなくもっと北の沿岸部にあるのだろうと北に向かい，釜石の先の大槌町でその後1ヶ月にわたる支援活動を開始した。

1　熱帯医学研究所での研究活動

　ここからは研究の話を少ししたい。私たちの研究室は四つの研究ユニット（単位）を置いて研究を進めている。ひとつは環境医学と呼んでいるユニットで，気候変動つまり地球の温暖化など，あるいは道路開設や森林伐採などの開発による土地利用の変化が病気や感染症にどういう影響を与えるかといった研究を行なっている。二つ目は，私たちが医療生態学と呼んでいるユニットで，とくに昆虫媒介性の感染症であるマラリアやデング熱を中心に，感染症を人の視点ではなく，病気を引き起こす病原体の視点，病気を媒介する昆虫の視点からみると，何が見えてくるかを研究している。今回の新型コロナウイルスもそうだが，感染症はこれまで医学の側面から語られることが多く，そうすると自然と人の視点からだけ見て良いとか悪いとか一義的に語られがちだった。しかし

感染症とは病原体と宿主であるヒト，どちらも生物で，生物と生物のインタラクション（相互作用）の結果であって，感染症を理解するためにはそこに関わるすべての生物の視点が必要で，そうした視点から感染症を見直してみたいと考えている研究ユニットとなる。おもに数理モデルを使ったシミュレーションを通して研究をしている。三つ目の研究ユニットは感染分子進化と我々が呼ぶもので，病原体は基本的に動物から人に感染るのだが，それがいつヒト社会に現れて，どのように広がったかを調べる研究ユニットとなっている。微生物の中に残る遺伝子を追いかけていくと，それがヒト社会に入ってきた後広がっていく様子をある程度追うことができる。例えばエイズを引き起こすウイルスは，1921年プラスマイナス1年くらいの精度で，アフリカ中央部の熱帯雨林地方にある今のコンゴ民主共和国，中央アフリカ共和国のチンパンジーから一人の人に感染し，80年ほどかけて約8000万人が感染し，3000万人を超える死者を出すパンデミックになったといったことがわかる。四つ目の研究ユニットは疾病史で，コレラやペストを対象にしている。これまでも病気や災害が起きると人はそれを記録に残してきた。当時，人々が病気（感染症）をどう認識し，何をしてきたのか。それら記録に残されたものを中心に，人が感染症や病気をどう見てきたかを研究している。感染の分子進化は分子学的手法を使い，遺伝子に書かれた遺伝情報を使って過去に何が起こったのか再構築する。疾病史の場合は，人の書いた文字や絵，音楽を読み解くことによって過去の再構築をする。これは文系

的に思われるかもしれないが，私たちのなかには文系，理系といった意識はない。使える手法を使って過去に起こったことを見てみたいと考えているだけである。こうした研究を通して我々がやりたいことは，時間軸と空間軸の中で感染症の歴史の再構築である。

2 新型コロナウイルスの特徴）

ここからは新型コロナウイルス感染症の話に入る。まずは基礎的な話からはじめたい。新型コロナウイルス感染症は，コロナウイルスと呼ばれる

コロナウイルスの性質

[ウイルス粒子の構造]
エンベロープ（脂質の二重膜）を持つ
直径 120〜160 nm、楕円形、多形形
表面に王冠「crown」様の突起があり、
名前の由来。

[遺伝子構造]（+）1本鎖RNAで27〜32kb

コロナウイルスの性質

ヒトに感染するコロナウイルス亜科

アルファコロナウイルス属	・HCoV-229 ・HCoV-NL63		

青い字は、ヒトコロナウイルスと呼ばれ、風邪症状を引き起こすがほぼ重症化することのないコロナウイルス。一方、赤い字のコロナウイルスは時に重症化し、死に至ることがあるウイルスとして知られている。

ベータコロナウイルス属	・HCoV-HKU1 ・HCoV-OC43	・SARSコロナウイルス ・MERSコロナウイルス	・新型コロナウイルス(2019-nCoV)

ヒトに感染するコロナウイルス

コロナウイルス感染症の特徴

	感染経路	臨床症状	治療・予防
・HCoV-229E ・HCoV-OC43 ・HCoV-NL63 ・HCoV-HKU1	○咳、飛沫、接触による感染。	○潜伏期間は2〜4日。 ○主に鼻炎、上気道炎、下痢等を引き起こす。 ○通常は重症化しない。	<治療> ○特定の治療法はなく、対症療法で治療。
・SARS-CoV ・MERS-CoV ・SARS-CoV-2 （新型コロナウイルス）	○上記に加え便にもウイルスがいる。	○潜伏期間は2〜10日（SARS-CoV） 2〜14日（MERS-CoV, SARS-CoV-2） ○上記症状に加えて、高熱、肺炎、腎炎を起こしうる。	<予防> ○有効なワクチンはない。 ○手指や呼吸器の衛生、食品衛生の維持を心がける。 ○咳、くしゃみなどの呼吸器症状を示す人との密接な接触を避ける。

コロナウイルスの特徴

一群のウイルスのなかでヒトにとって初めてのウイルスによって引き起こされる，だからこそ新型コロナウイルス感染症と呼ばれる。そのコロナウイルスは表面に突起を持っていて，それがちょうど太陽のコロナ（王冠）のようだということで，コロナウイルスと名付けられた。表面は脂質の二重膜になっていて，これはアルコールによる消毒が有効であるということを意味する。遺伝情報としては一本鎖の RNA でできている。一本鎖の RNA は，二本鎖の DNA よりも変異をしやすく，つまりウイルスが流行とともに変わっていきやすいという特徴を持つ。それはつまりワクチンが開発されてもそれが 100% 有効ということにはならないだろうと予測させるものでもある。

　一方，ヒトに感染するコロナウイルスは実は新型コロナウイルスだけではなく，七種類のコロナウイルスがヒトに感染することが知られており，そのうち四つはヒトコロナウイルスと言われていて，風邪のような症状を起こすがあまり重症化しないウイルスとなっている。一方残り三つのコロナウイルスには重症急性呼吸器症候群（SARS）や中東呼吸器症候群（MARS），今回の新型コロナウイルスがあって，これらは重症化する危険があることがわかっている。

3　コロナウイルス感染症の特徴

　そうしたコロナウイルスを遺伝子情報で解析してみると，新型コロナウイルスは 2003 年に流行したSARS に非常に近いウイルスであることがわかる。

　一方で，今回の新型コロナウイルスは SARSウイルスと異なり（SARS や MARS は症状が出てから感染が起こるのに対し），症状が出る前から他人にウイルスを感染させることができる。その違いが何を意味するかというと，症状が出てから感染する場合は発熱してから，あるいは咳が出てから隔離すれば感染が防げるが，今回の新型コロナウイルスは症状が出てから隔離しても流行は広がり続けるので感染制御が難しいウイルスだということになる。SARS は，中国の南部で流行が始まり世界全体で約 8000 人が感染し

700 人以上の人が亡くなったが，最終的には流行を止めることができた。その理由は症状が出てから隔離すればよかったことが大きい。

　そうした状況のなかで世界の現状はといえば，約 6 億人が感染し 600 万人を超える死者を出している。この状況から，新型コロナウイルスの根絶はもはや難しいだろうというのが，世界の研究者，専門家の見解になっている。

4　スペイン風邪に学ぶ

　根絶ができないとすれば，今後新型コロナウイルスはどうなっていくか。それを 1918 年に流行したパンデミックインフルエンザに学んでみたい。1918 年にスペイン風邪とよばれるパンデミックがあった。これはアメリカの東海岸で始まり，ヨーロッパ，ロシア，アフリカ，アジアに広がった。1918 年は第一次大戦の最後の年で，アメリカがヨーロッパ戦線に参戦を決めた年だった。そうした世界史的事情がウイルスの流行を早めた。戦争の前線には塹壕や兵舎があり，今で言う三密の状態だった。このときは 2 年半の間に 3回の流行があり，当時の世界人口は 20 億人ほどだったが，5〜6 億人が感染して収束した。割合にして 25〜30% となる。

　インフルエンザウイルスとコロナウイルスは，ウイルスの種類は異なるが，感染経路や感染力の強さはよく似ていて，そう考えれば，今回の新型コロナウイルスも人口のある一定程度が免疫を持つことによってパンデミックは収束に向かうと考えられる。では集団免疫を持つことによってパンデミックが収束するとして，そこに至る道はいくつかある。一つはあまり対策をせず，感染の広がりを許しても早く集団免疫を獲得しようという方法で，これはスウェーデンなどが採用した。この対策は早く収束で見通せるという利点があるが，医療崩壊，社会インフラの破綻などの一時的負荷がかかる可能性が高い。もう一つはスウェーデン以外のすべての国が採用している方法で，感染を制御しながら緩やかな流行の中で集団免疫の獲得を目指す，というものである。これは医療崩壊を

防ぎ，社会インフラの維持ができる一方で，収束までに時間がかかるという欠点がある。ただ，医療崩壊は命の選別などを引き起こし，それが基本的な倫理観を失わせる可能性があるという意味では後者のやり方が妥当だと考える。また，穏やかな流行というのはウイルスを強毒化させない淘汰圧としても働く。

5　ウイルスの目線で見る

ここまで感染症を人の視点で見てきた。一方で，ウイルスの目線からヒトとの関係を見るとどうなるかということを考えてみたい。まず，ウイルスとは何か？

ウイルスが生物か否か今でも議論されているが，少なくともウイルスは自分だけでは複製や増殖ができず，それらを行なうためには宿主の存在が絶対的に必要な有機体である。

絶対的に宿主の存在を必要とするウイルスが，短期的には別としても，究極的には宿主の存在を否定する方向に進化はしないだろうという考え方が近年多くの専門家の間で議論されており，それらを支持する観察結果も蓄積されてきた。だとすれば，何が言いたいかと言えば，ウイルスは私たちを敵とみなしているわけではない，ということである。

さらに言えば，私たちは「私」というものが個別に存在していると考えがちだが，実は我々の身体の中には100兆個を超える微生物がいて，その重さは約2から3kgで，心臓や肝臓などといった臓器の重さに匹敵することがわかってきた。しかもそれらは常に活発に生命活動を営んでいる。我々人間の遺伝子と対話をしながら生きている。そうした微生物と一緒に生きている「私」という存在があって，それらの攪乱がいくつかの病気を起こすことが最近わかっている。そうした病気には肥満や糖尿病，食物アレルギー，炎症性腸疾患があり，これらは過去30〜50年間に急増した疾患である。何が言いたいかといえば，そもそも微生物は我々と共存していて，その存在が毀損されると私たち人間の健康が損なわれることがわかっ

てきたということである。そうした我々と常在している微生物の存在はいくつか根源的な疑問を我々に投げかける。それは，「私」とは一体何かという問題である。これまで私たちは，「私」という個別の存在があって，私は「私」として一生懸命自分でものを考え行動し，健康を維持していると考えてきたが，実は私たちと常在している細菌を含めてしか「私」という存在はないということなのかもしれない。そうすると，それはそもそも「私」とは何か，あるいはどういった存在なのかといったちょっと哲学的な問題となる。

6　近代医学の転換点

あるいは，ある微生物がいなくなることによって病気が起こるということは，近代医学の転換を表しているのかもしれない。近代医学とか近代医学が何をしたかと言えば，それは感染症の原因は微生物であるということを明らかにしたということだった。それは150年ほど前にフランスのパスツール，ドイツのコッホなどによって確立された。以降近代細菌学は次のように進む。感染症が微生物によって引き起こされるのであれば，その微生物を取り除けば良いと。しかしその結果明らかになったことは，微生物は私たちの生存に欠かせない存在だったということであった。しかもそれは有用な微生物がなくなってみないとわからない，しかしなくなってしまうと回復できないという難しい問題を突きつけることにもなっている。

7　ウイルスは斃すべき相手ではない

今回パンデミックが起こり，当初それを戦争に例えるメッセージを出した人たちが世界にたくさんいた。新型コロナウイルスとの戦争に勝ちましょう，戦い抜きましょう，あるいはオリンピックを新型コロナウイルスに勝利した人類のモニュメントとしての祭典にしよう，などのメッセージだ。しかしこれをウイルスとの戦争と捉えたがゆえに社会が息苦しくなったということもあると思う。ウイルスは倒すべき相手ではなく，我々がどこかで何らかの落としどころを見つけて仲良くし

ていく，共存していく相手である，と。今回のパンデミックでは，我々の目の前にあったのは倒すべき相手ではなく，感染症で重症化して亡くなる命を救う，あるいはパンデミックで社会的経済的に困窮した人を救うという，守るべき相手でしかなかった。戦争だと言ったがゆえに，この戦いに勝つまでは自粛しなければならないとか自粛警察などが出てきて，非常に住みにくくなった面があったことは事実だと思う。

8 感染史から見る新型コロナウイルス問題

人間が自然の一部である限り，感染症の出現はなくならないということを考えてみたい。我々にそれを示唆する二つの研究があり，一つはアマゾンの先住民を対象に行った研究で，もう一つは，1846 年に大西洋のフェロー諸島で行なわれた調査の結果である。これらの結果から何がわかったかと言えば，数百人，数千人の集団では麻疹やインフルエンザといった急性感染症は維持できないということだった。

なぜこれが感染症と人類史にとって示唆的かというと，例えば，農業が始まる前の狩猟採取社会は 100 人ほどの血縁を中心にして暮らす社会だったが，そこでは，麻疹やインフルエンザ，あるいは今回の新型コロナウイルスのような感染症は維持できない。例えば，そうした社会に今回の新型コロナウイルスが出てくるとして，集団の中にウイルスはあっという間に広がるが，そこでウイルスは行き先を失う（新たな感染者がいない）という状況に陥る。疫学的袋小路である。

後の研究からも示唆されるように，そうした感染症が恒常的に流行できるようになるには，数十万人規模の人口が必要だった。私たち人間の社会がそうなったのは農業が始まってからで，農業の開始は食糧の増産や定住を通して人口の増加を促し，同時に行なわれた野生動物の家畜化は，本来野生動物のウイルスだったものをヒト社会にもたらした。それが，増加した人口を背景に人に定着したということになる。

9 感染症の逆説

農業以降出現した感染症によって私たち人類は大きな困難を抱えてきた。しかし一方で感染症を有する社会が強いという側面があったことも事実だ。例えばもし私たちが感染症に対する免疫をまったく持たなかったとしたら，アフリカやアマゾンや熱帯雨林の中で私たちはバタバタと亡くなっていたに違いない。感染症に対する免疫を持つことによって私たち人間はさまざまな環境に進出することができた。

あるいは，コロンブスが新大陸を発見したあとに起こったこと見るとその意味がもう少しわかるかもしれない。コロンブスの新大陸再発見後の南北アメリカは，ヨーロッパ人が持ち込んだ感染症により住民の多くが亡くなった。それは，ヨーロッパ人の持っていた感染症のレパートリーが，新大陸の人たちの感染症レパートリーよりはるかに大きかったのが理由の一つだった。歴史家のウイリアム・H・マクニールによると，西暦 1500 年当時，感染症は神の怒りや罰に対する罰と捉えられていたという。そうした感染症がヨーロッパ人にはほとんど起こらず，自分たちにばかり降りかかってきて大勢が死ぬ

人類史と感染症

農耕の開始 → 食料増産 定住 → 人口増加（文明勃興の基盤となると同時に感染症流行の土壌を提供）

野生動物の家畜化 —（促進）→

人間の病気	（家畜からの贈り物）最も近い病原体を持つ動物
麻疹	ウシ，イヌ
天然痘	ウシ
インフルエンザ	水禽（アヒル），ブタ
百日咳	ブタ，イヌ

麻疹、天然痘、百日咳、インフルエンザなどがヒト社会に定着した

人類史と感染症

のを目の当たりにした時，ヨーロッパ人の征服は神の意志なのではと多くの新大陸住民が思ったかもしれないと。わずか数百人，数千人のヨーロッパ人で新大陸を征服できたのは，これが理由ではないかと述べている。

10　環境問題と感染症

一方で，農耕以降1万数千年をかけてさまざまな感染症がヒト社会に出現したが，過去50年の間に，エイズやエボラ，SARS，そして新型コロナウイルスが出現している。先述したヒトに感染するコロナウイルスのうちの風邪症状ですむ四つのヒトコロナウイルスもある時点でヒト社会に入ってきてパンデミックを起こし，やがて収束したウイルスだ。それが1万数千年という時間軸の中で四つ残った。一方で，過去50年間に三つも新しいコロナウイルスがヒト社会に出てきた。これは少し頻度が高すぎる。

すべてのヒトにとって新しいウイルスは野生動物からもたらされる。ということは，こうした新たな感染症が出現してくる背景には，ヒトと野生動物の距離が近くなった可能性が高いということになる。そうした距離が近くなる原因として，開発という名で私たちがズカズカと自然に足を踏み入れる。あるいは，私たちの社会活動，経済活動や地球温暖化などにより野生動物の生息域が縮小してきて，ヒト社会に出てこざるをえない状況がそうした距離を変えているに違いない。その意味では，今回の新型コロナウイルスの出現は，私たちの自然との向き合い方に対する警鐘とも言える。

11　アフター・コロナの時代を考える

最後にそれらを踏まえた上で，「with コロナの時代」あるいは「after コロナの時代」がどうなるかということを考えてみたい。その前に，パンデミックや大きな自然災害は，ときに社会変革のさきがけになるという話をしたい。

14世紀にヨーロッパにペストが流行し，ヨーロッパでは2500〜3000万人の人が亡くなった。

ヨーロッパの全人口の4分の1から3分の1という大変大きな被害だった。何が起きたかと言えば，まず経済的デフレーションが起きた。物の値段は下がる一方で，労働者の賃金は上がった。どこも労働者不足だったためだ。そして，農民の賃金が上がり農民の動きが流動的になることによって，荘園制の崩壊が加速した。また，感染症が神の怒りや罪に対する罰だという考え方があったわけだが，それを制御できない教会の権威が失墜する一方で，強制的な隔離を行える国民国家といった実体の台頭が見られた。あるいは人材の払底は，それまでであれば登用されることのない人材の登用をもたらした。そうしたことが重なり，中世ヨーロッパの封建的身分制度が実質的な解体に向かい，ルネッサンスが起こり，ヨーロッパは近代を迎えた。ただし，そうした変化は突然現われるわけではなく，おそらく時間を早回しするようにして起こったのだと思う。中世ペストの流行がなくてもヨーロッパはやがて近代を迎えていただろうし，その萌芽はペスト以前からいたるところにあった。

そうした面から「after コロナの時代」を見てみると，情報技術を中心とした社会が加速度的に出現することは間違いないと思う。しかし一方で，情報技術というのはあくまで手段であり目的ではない。それを用いてどんな社会を作るかは私たちが考えるべき課題だ。

パンデミックが起こった当初，監視的社会は感染症に強い社会だという論考があった。また，それを賞賛する声もあった。しかし，監視的で分断的な社会を作るために使うのか，市民のエンパワーメントを通して民主主義の確立に使うのかは我々がしっかりと考えなくてはならない。

12　さまざまな影響

今回のコロナのパンデミックは当初武漢から始まり，パリ，ロンドン，ニューヨーク，東京へと広がり，まさにグローバル化を象徴するような流行を示した。そんななかで私たちは，今，新型コロナ感染症のパンデミックというパンデミック以

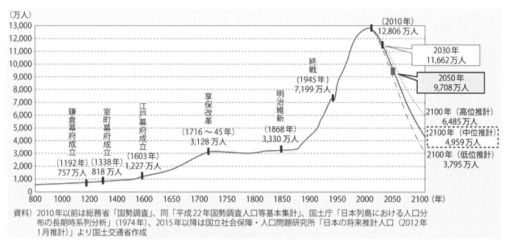

（万人）

資料）2010年以前は総務省「国勢調査」、同「平成22年国勢調査人口等基本集計」、国土庁「日本列島における人口分
布の長期時系列分析」(1974年)、2015年以降は国立社会保障・人口問題研究所「日本の将来推計人口（2012年
1月推計）」より国土交通省作成

日本の長期的人口推移の図

外にも，それが引き起こした影響のパンデミック
の真只中にもいる。そうした新型コロナ感染症の
パンデミックが引き起こした影響のパンデミック
は，新型コロナ感染症のパンデミックが収束した
後でさえ長く影響を私たちの社会に与える可能性
がある。

　例えば，一つは経済の問題だ。コロナ禍のなか
で市場の底割れを防ぐために各国の中央銀行は大
量の資金を市場に流し込んだ。その回収を現在
（2022年12月現在）アメリカをはじめとする多く
の国が進めはじめているが，その影響はおそらく
数年単位で続くと予想される。1929年に起こっ
た世界恐慌は，その後株価が1942年に恐慌前の
水準に回復するまで10年以上の年月を必要とし
た。私たちには100m走ではなく，マラソンを走
り抜く覚悟が必要だと思う。

　もう一つの課題は人口だ。日本の人口は，平安
時代に700万人くらい，そこから緩やかな増加を
続け江戸時代に約3000万人，江戸時代はそれを
維持していたが，明治以降急激に増加し，2007
年〜8年に1億3000万人弱でピークをむかえ，
今減少のフェーズに入っている。そしてその減少
は増加とほぼ同じ早さとなるとも予想されている。

　要するにコロナ後の時代というのは，人口減
少社会になるということだ。2019年の出産数は
86.5万人だったが，2020年は84万人，2021年

は81.1万人と2年間で5万人以上も低下した[1]。
2022年の正確な集計は現時点（2022年12月）で
は為されていないが，予測では80万人を切り，
77万人前後となる見通しである。人口予測によ
れば100年後の日本人口は4000万人程度となる。

　出産数の減少は日本だけでなく，多くの国で見
られる。例えば韓国の2021年の出産数は約26万
人と前年比で約1万2000人低下した。中国の2021
年の出産数は1062万人，2022年は統計を取り始
めて初めて1000万人を切ると予測されている。

　こうした人口減少はコロナ禍以前から見られて
いたが，コロナ禍に加速した。人類は戦争や感染
症，飢餓，災害などによって一時的に人口減少を
経験することはあった。しかし，現在のような少
子化に起因する構造的な人口減少を経験するのは
初めてとなる。

　私たちの社会は，社会制度も経済システムもす
べて人口増加を前提として作られている。そんな
なかで今後私たちが経験する人口減社会は，多く
の困難と新たな課題を突きつけることだろう。そ
の最先端を行く日本がこの問題で世界に貢献でき
れば，日本の貢献は計り知れないものとなる。

13　新たな生活様式

　私たちは新型コロナ感染症パンデミックのなか
人との接触を避けることが感染症対策に良いと奨

励されてきた。それがこれからの社会の新たな生活様式だとも。とくにパンデミックの初期には，である。

　しかし前京大総長でゴリラ研究で有名な山極壽一さんなどは，人間は言葉を使う前から踊って歌って，身体的な共鳴を通して共感を育んできたと言っている。それがほかの霊長類と人間を分ける大きな違いだと。とすれば，私たちは新たな生活様式のなかで，新たな人と人の繋がり，すなわち近接性を模索する必要があると考える。それには学問の枠組みを超えた発想と協力が必要となる。それは，社会学であり，霊長類学であり，文化人類学であり，建築学や都市工学であり，歴史学であり，そして考古学であるだろう。

14　仮想的質疑応答

　最後に講演の後出た仮想的質疑応答をしてみたい。

質問：いろいろなウイルスが昔から今まであって，なぜ流行る時期とか収まる時期があるのか。ウイルス自体は在るのになぜ流行の波が起こるのか？

一つの回答：例えばインフルエンザが冬に流行する理由にはいくつか仮説がある。冬は乾燥するから喉や鼻の粘膜が乾燥しウイルスが吸着しやすい。またウイルスは湿度に弱いということもあり季節的に流行するという人もいる。

　食中毒の原因になるビブリオ菌などは夏の温度が高い方が増殖しやすいので，夏に流行し易い。そうした季節性に流行するウイルスもあれば，一年中いつ起こってもおかしくないウイルスもある。

　また，新型インフルエンザや新型コロナウイルスなどは，1波とか2波とか言うが，なぜ空気感染するウイルス感染症が第1波とか第2波という流行をするのか，学問的には非常に興味深いが，実はその理由はまだわかっていない。

質問：国際協調というか，国境を越えた協力は国

家から始まっていくのか，人間から始まっていくのか。山本先生の意見を聞きたい。

一つの回答：僕は基本，医学の方にいて国際政治学とか専門ではないので的が外れているかもしれないが，国家と個人と多分両方必要なのだろうと思っている。それは国家ができることと国家にはなかなかできないことがあって，国家ができないことはやらないのではなくて，それは個人のレベルでやっていく。あるいはパブリックじゃないプライベートの部分でやっていくということになると思う。それはセカンドトラックディプロマシーといって，国家による協力がファーストトラックだとするとそれを補完するあるいは並立するものとして，個人レベルでの協力をやっていくことになるし，なっていかなければいけないと思っている。ただ，国家による国際協力は現実としてはファーストトラックで，それは国家が税の徴収権や徴兵制なども含めた非常に強力な権限を持っていて，それを使う国際協力なしには多分できないというのが今の現実で，でも，将来的にはそういったものを超えていくという話があってもいいと個人的には考えている。例えば革新的な資金メカニズムとか，あるいは通過税，国際通過税みたいなものを作って国家に頼らない財源の確保から国際協力ができるのではないか，といった意見もでてきている。国連が，米中対立でいま国際分断の中心になっているのではないかという意見があるが，僕はそうは思っていなくて国連がないともっとひどい状況になっていたのではないかと思う。国連の機能は万全じゃないけれども，あれはいろいろな反省点から作ったシステムだから改善は必要だけれども，そこを中心に何か変えていかないと変わっていかないのかなと思う。

質問：今日のキーワードでもある「共生」について，具体的に，どのように「共生」という概念が広がっていくのかをお伺いしたい。

一つの回答：これは個人的な話だが，今のところ研究結果だけをもって共生が必要だというのに

は限界があると考えている。というか，研究というのは結果からオーバーディスカッションできない。しかし共生の話はそれを超えた一回性の話とかと繋がってくる。そうしたものを語る方法論のようなものがあるといいと思う。芸術的なアプローチだろうか。

これはまた違う話だが，唐十郎だったか，70年代に中世のペスト流行を題材にした舞台があって，中世ペストで人がどんどん死んでいくのだけれども，実はみんなの幻想の結果だった，そこにはペストは何もなかったという話で。推理作家のアラン・ポーですが，ペストは黒死病というが，『赤死病の仮面』という小説を書いている。それも非常に面白い。みんな避けようとして隔離をしていくのだけれども，結局それができないなか，その愚かさみたいなことが書かれている。時代を感じさせる物語だ。

質問：マスク警察，自粛警察がいたりして，情報過多の時代のなかで，一体何を基準にして正しい情報を選び抜いていったらいいのかが気になっていている。

一つの回答：情報の中で正しい情報を選んでいくというのは本当に難しい。ただなんとなく一ついえるかなと思うことは，その人の価値観みたいなものによるのかもしれないが，やっぱり極端な意見にはどこか疑ってかかるべきだろうなと思うことはある。あとは自分の中に原則のようなものを作ることが重要なのかもしれない。例えば，共生っていうのって簡単にいうと，自分と違うものをやっつけちゃえとか排除しちゃえというのをやめようよ，という話で，それが人の世界で国籍が違うとか肌の色が違うとか，それを広げていくと，それは我々と一緒に生活しているほかの生物だって同じじゃないかとか，そういう感じだ。仲悪いことがあったり嫌な人がいたりしても，それをやっつけちゃえ，排除しちゃえというところまでいくのはやっぱり行き過ぎじゃないかと思う。

どれが正しい情報かという判断の基準になる

かはわからないけれども，そういったところの極端な意見は疑ってかかるのがいいかなという気がしている。ただ，強権的な社会では，だんだんみんなが違う価値観だと言えなくなっちゃうことがあるかもしれないので，できればそこに行き着く前に考えなくてはならない問題だとも思う。

質問：それをあわせてさらにお聞きしたい。情報過多だけどどこを選び抜くのか，自分が何を信じるのかというなかで，自分とは違っても受け入れる相手の意見が大事かなと思う。それは基本的な，道徳的な部分にかかってくるのか，その道徳心みたいなものはどうやって培っていったら良いのか。

一つの回答：それも難しいなと僕も思う。僕もむかしちょっと考えたことがあって，相手の意見を尊重することが一つの価値観になっている又は価値観にしたいと思っている人と，相手の意見は尊重しなくていいという価値観を持っている人が話をするとどうなるのだろうと。一方的に相手の意見を尊重するという価値観を保つ保ち方，それを保証すればするほど，根源的なところを保証すればするほど相手の価値観と自分の価値観が合わなくなってくるみたいな，それをどう解決したらいいのかなと思ったことがあって。今のところ，個人的には，いくつかは原則みたいなものがあるのかなと思っている。例えば，民主主義って相手の価値観を認める，だから相手の価値観を認めないってことに関しては例外的だとか。何をしてもいい，自由だけれども，やはり人の命を殺めてはいけない，そこには自由はない，とか。そういうものがいくつかあって，その中で考えていくしかないのかなと思ったことがある。最近そういうことをあんまり考えないのだけど。若い時分にはそんなことを考えたりもした。

註
1) https://www.mhlw.go.jp/toukei/saikin/hw/jinkou/geppo/nengai21/dl/gaikyouR3.pdf

弥生時代以降に起きた感染症への遺伝的適応の痕跡：*HLA* 遺伝子に作用した正の自然選択

大橋 順
Jun OHASHI

現代日本人は，縄文時代に日本列島に居住していた狩猟採集民（縄文人）と，弥生時代以降に東アジア大陸から主に朝鮮半島を経由して来た農耕民（渡来人）の2つの祖先集団をもっている。両祖先集団は，様々な感染症に対して遺伝的に適応してきたと考えられるが，渡来人にとって経験のない感染症が日本列島に存在していた場合に，混血以降，渡来人のみが保有していた対立遺伝子に，正または負の強い自然選択が作用する可能性がある。

HLA（Human Leukocyte Antigen：ヒト白血球抗原）分子の主な役割は，自己または非自己（病原微生物）由来の抗原ペプチドをT細胞受容体に提示し，病原微生物に感染した細胞の除去や，B細胞による病原微生物特異的な抗体の産生といった免疫応答を誘導することである。多様な病原微生物由来のペプチドを効率よく提示するためには，HLA分子も多様である必要がある。タンパク質をコードする一般的な遺伝子では，通常数個のアリル（allele：ひとつの遺伝子の異なるタイプ）しか観察されないが（ここでは，アミノ酸配列の異なるアリルのこと），HLAクラスI分子をコードする *HLA-A*，*-B*，*-C* 遺伝子座や，HLAクラスII分子をコードする *HLA-DRB1* 遺伝子座においては，アミノ酸置換を伴う多型が抗原ペプチド結合部位に集中しており，これまでに1000種類以上のアリルが報告されている。このような高度な多型性が，*HLA* 遺伝子の最大の特徴といえる。抗原ペプチド結合部位のアミノ酸配列が異なるHLA分子は，異なるペプチドレパートリーをもつ。そのため，異なるHLA分子をもつ個体（ヘテロ接合体）は，同一のHLA分子をもつ個体（ホモ接合体）より多くの種類の抗原ペプチドをT細胞受容体に提示することができ，病原微生物に対してより強い免疫応答を惹起する。また，集団として，同一遺伝子座に多くの種類の *HLA* アリルを保持していれば，新たな感染症（病原微生物）に遭遇した場合でも，集団として適応しやすいことになる。

HLA 遺伝子群は6番染色体上に位置しており（図1A），*HLA* 遺伝子の特定の型のセット（*HLA* ハプロタイプと呼ばれる）が，親から子へと受け継がれる。*HLA-A* 遺伝子座から *HLA-DPB1* 遺伝子座までの物理距離は約3.15Mbであり，*HLA* 領域における組換え率は0.67cM/Mbと推定されている。*HLA* 領域では世代あたり2%程度（2.1cM＝3.15Mb x 0.67cM/Mb）の組換えが起こるため，ヒト集団中には膨大な種類の *HLA* ハプロタイプが存在する。*HLA* ハプロタイプの中には，ハプロタイプを構成する *HLA* アリル間に強い正の連鎖不平衡が観察されるものがある。正の連鎖不平衡とは，ハプロタイプ頻度が，そのハプロタイプを構成するアリルの頻度の積よりも大きい状態のことをいう（アリル頻度の積と等しければ，連鎖平衡という）。日本人集団において，*HLA* 遺伝子6座位（*HLA-A*，*HLA-B*，*HLA-C*，*HLA-DRB1*，*HLA-DQB1*，*HLA-DPB1*）からなる *HLA* ハプロタイプの中でもっとも頻度の高いものは *A*33:03-C*14:03-B*44:03-DRB1*13:02-DQB1*06:04-DPB1*04:01* である（図1B）。もしこれらの6個のアリルが連鎖平衡状態にあったとすると，そのハプロタイプの頻度は 2.5×10^{-5}% （＝*A*33:03* のアリル頻度［9.1%］×*C*14:03* のアリル頻度［8.3%］×*B*44:03* のアリル頻度［8.1%］×*DRB1*13:02* のアリル頻度［7.8%］×*DQB1*06:04* のアリル頻度［7.5%］×*DPB1*04:01* のアリル頻度［6.1%］）である。実際

A

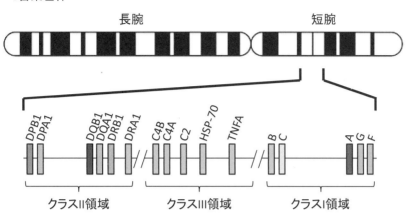

B

			HLA アリル			ハプロタイプ頻度
A*33:03	C*14:03	B*44:03	DRB1*13:02	DQB1*06:04	DPB1*04:01	0.044
A*24:02	C*12:02	B*52:01	DRB1*15:02	DQB1*06:01	DPB1*09:01	0.039
A*24:02	C*07:02	B*07:02	DRB1*01:01	DQB1*05:01	DPB1*04:02	0.035
A*24:02	C*01:02	B*54:01	DRB1*04:05	DQB1*04:01	DPB1*05:01	0.016
A*24:02	C*12:02	B*52:01	DRB1*15:02	DQB1*06:01	DPB1*02:01	0.014
A*11:01	C*04:01	B*15:01	DRB1*04:06	DQB1*03:02	DPB1*02:01	0.013

C

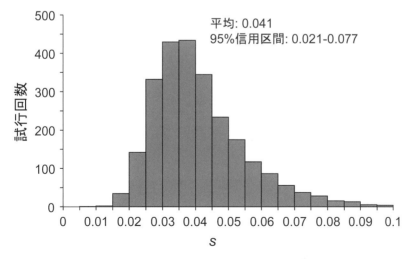

図 1　HLA 領域の遺伝地図（A），日本人集団における
主要な 6 座位 HLA ハプロタイプ（B），選択係数（s）の事後分布

の観察頻度（4.4%）はこの期待頻度（2.5×10^{-5}%）よりもはるかに大きく，ハプロタイプを構成するHLAアリルが強い連鎖不平衡状態にあることがわかる。解析の詳細は割愛するが，6つのHLAアリルの中で，DPB1*04:1アリルに強い正の自然選択が作用したことが，強い連鎖不平衡が観察される理由の1つと考えられる。

ヨーロッパ集団やオセアニア集団では，DPB1*04:01アリルが30%以上の頻度で観察される。そのため，DPB1*04:01アリルが日本人の直接の祖先集団で誕生したとは考えにくい。それでは，DPB1*04:01ハプロタイプはどこから日本列島にやってきたのであろうか？日本の近隣諸国の中で，A*33:03-B*44:03-C*14:03-DRB1*13:02-DQB1*06:04ハプロタイプとDRB1*13:02-DQA1*01:02-DQB1*06:04-DPB1*04:01ハプロタイプが，韓国人集団でそれぞれ4.2%と4.7%の頻度で観察されている。前者のハプロタイプのHLA-DPB1アリルは不明だが，後者のハプロタイプと組み合わせて考えると，DPB1*04:01であると推測できる。また，韓国人集団以外のアジア人集団ではDPB1*04:01ハプロタイプと似たハプロタイプは観察されていない。このことから，弥生時代に東アジア大陸（おもに朝鮮半島）から来た渡来人によって，DPB1*04:01ハプロタイプが日本列島に伝わったと考えられる。

日本人のDPB1*04:01ハプロタイプは共通起源をもち，弥生時代以降に日本に伝わったとすると，DPB1*04:01アリルに作用した自然選択強度はどの程度であったのか？選択強度を推定するため，前向きコンピュータシミュレーションを行った。仮定したモデルは，2遺伝子座-2アリルモデルと呼ばれるもので，DPB1*04:01アリルに正の自然選択が作用する環境下で，4種類のハプロタイプ：DQB1*06:04-DPB1*04:01，DQB1*X-DPB1*04:01，DQB1*06:04-DPB1*X，DQB1*X-DPB1*Xの頻度変化を確率論的に記述するものである。ここで，DQB1*XはDQB1*06:04以外のDQB1アリルを，DPB1*XはDPB1*04:01以外のDPB1アリルを示している。未知パラメタとして，DPB1*04:01アリルの選択係数（s），DQB1*06:04-DPB1*04:01ハプロタイプの初期頻度（$f_i(0)$），DQB1遺伝子座とDPB1遺伝子座との間の組換え率（c）の3つをおき，これらの値を適当な範囲から乱数を用いて無作為に選び，選んだ値に対してハプロタイプ頻度変化の確率論的シミュレーションを行った。相対適応度は，DPB1遺伝子座のみに依存し，DPB1*04:01アリルのホモ接合体とヘテロ接合体を1とし，それ以外の遺伝子型は$1-s$と仮定した（優性選択モデル）。弥生時代から現在まで（92〜115世代に相当）経過した時点で，現在日本人で観察される4種類のハプロタイプの頻度と似た結果を示した2500回分の試行結果を成功と考え（そのときの3つのパラメタを記録），パラメタの事後分布を求めた（図1C）。このような手法を，rejection-based approximate Bayesian inferenceと呼ぶ。推定されたDPB1*04:01アリルの選択係数は0.041（95%信用区間：0.021-0.077）であった。注目すべきは，$s=0$付近では，ハプロタイプの初期頻度や組換え率にかかわらず，成功した試行が無かった点である。すなわち，DPB1*04:01に強い正の自然選択が作用したと仮定しない限り，初期状態においてDQB1*06:04とDPB1*04:01とがもっとも強い連鎖不平衡の状態にあると仮定し，DQB1遺伝子座とDPB1遺伝子座との間の組換え率を低く（世代あたり0.4%）仮定しても，現在の観察値を説明することが出来なかったのである。HLA遺伝子領域には強い連鎖不平衡が存在することや免疫関連遺伝子が多数存在することから，DPB1*04:01ハプロタイプ上のHLA以外の遺伝子座が正の自然選択の真のターゲットである可能性は排除できないが，HLA分子の機能的重要性を考えると，DPB1*04:01アリルに正の自然選択が作用した可能性は高いと思われる。

正の自然選択の要因は不明だが，HLA分子の機能を考えると，何らかの感染症に対する遺伝的適応の結果である可能性が高い。日本人集団でDPB1*04:01アリルがB型肝炎の慢性化に対して抵抗性を示すという報告がある。また，国別にみ

ると *DPB1*04:01* アリル頻度と B 型肝炎罹患率との間には負の相関があることから，B 型肝炎ウィルス感染に対する抵抗性が正の自然選択の要因の一つかもしれない。もしそうであるならば，日本列島で B 型肝炎ウィルス感染の脅威が増した（だからこそ *DPB1*04:01* アリルに強い正の自然選択が作用した）のは弥生時代以降の可能性が高い。

進化遺伝学的解析により，あるアリルに対して正の自然選択が作用し始めた時期を推定することができる。つまり，*HLA* 遺伝子に限らず，感染症抵抗性と関連し，正の自然選択が作用してきたアリルを同定することができれば，その感染症が少なくともいつ頃から存在していたのかを推定することができる。今後，様々な感染症に対して適応的なアリルが同定され，感染症の歴史や感染症へのヒトの適応過程が明らかになることに期待したい。

参考文献

Kawashima, M. *et al.*: *PLoS One*, 7: e46806, 2012.

先史古代の動物古病理から探る家畜化と都市化
―千葉県須和田遺跡第6地点出土の犬骨を中心に―

山崎京美
Kyomi YAMAZAKI

イヌは人類が最初に手がけた家畜動物であり，現代犬においては800品種以上といわれるほど形態的にも行動特性においても多様性に富んだ家畜動物である。しかし，イヌはいつ，どこで，どのような家畜化過程を経てきたのかについては不明なことが多い。起源問題では，確実なイヌの出土はユーラシア大陸西部では後期旧石器時代のマグダレニアン期（最古はスペインのエララ遺跡：ca.17,400cal.BP）であり，人との埋葬例はイスラエル・ドイツ・日本（愛媛県上黒岩岩陰遺跡）に後期旧石器時代から新石器時代（ca.14200～7800cal.BP）の3遺跡があるという[1]。一方，最近の遺伝学は，ユーラシア大陸東部のイヌのゲノムにニホンオオカミの遺伝子が確認されることから，ニホンオオカミがイヌの家畜化に大きく関係することや[2]，11500～9300年前に日本列島にイヌが導入された時は単系統であったが，8世紀代になると大陸由来の複数のハプログループに入れ替わった可能性を示唆している[3]。このように，日本列島のオオカミやイヌは，列島内のみならずかつてユーラシア大陸で起きた家畜化の過程を解明する上でも重要であることが改めて示された。

ところで，日本列島のイヌの歴史において古代の犬は出土数が少ないために詳細は不明とされていたが[4]，千葉県須和田遺跡第6地点では8世紀後半に属する11個体が報告されていた[5]。これらイヌには，縄文犬とは異なる歯の磨耗や外傷，病変などが認められることから，都市化した社会で生きたイヌ

の生活環境を示す可能性も示唆された[6]。さらに，当該犬は全ゲノム解析が実施され，注目すべき成果も示された[7]。

そこで，ここでは古代地方都市の下総国府で利用された古代犬に残る古病理痕を手がかりに，家畜化と都市化との関係を探ってみたい。

1 須和田遺跡第6地点の概要

千葉県市川市に所在する須和田遺跡第6地点（以下，須和田遺跡と称す）は1984年に調査が実施され，6世紀後半～8世紀後半頃の竪穴住居址4軒と土坑3基が検出された。このうちの第3土坑は，直径4.2m，深さ2.7m，断面形はすり鉢状で底面中央に径0.4m，深さ0.1mの凹みを有する大型土坑である。土坑は本来，貯蔵穴（室）として利用されたと推定されるが，利用後に国衙や郡衙で使用される器形を含む多量の須恵器・土師器（坏，高台坏，盤，蓋，「右京」銘の蓋・高台坏須恵器など），転用硯，瓦，砥石，刀子，鉄滓などとともに，マガキとハマグリが互層になった4枚の

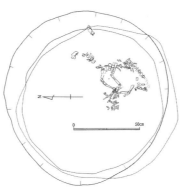

図1 曽谷貝塚D地点出土犬（左）と須和田1号犬（右）の姿勢
（いずれも市立市川考古博物館提供）
（左は註16の第2図より，右は註5の図版4-中央左を一部改変）

貝層の間からイヌ11個体，ウシ3個体，ウマ2個体が検出された（口絵6-図1）[8]。須和田遺跡周辺では1923年の土取り作業で「博士館」銘の墨書土器が出土したことから[9]，国府で儒教を教えた国博士の屋敷の存在も想定されている。須和田遺跡から「右京」銘の墨書土器が出土したことも合わせると，須和田台には国衙や郡衙の施設，それに関わる人々の集落が広がっていた。また，下総国府は国分寺を含む郡家一体型国府であり，その空間は「京」と認識されていたが，国分寺の創建をもって左京と右京に二分されたと推定されている[10]。

2　犬骨の出土状況からみた人との関係

3号土坑の覆土はおおまかに上・中・下層の3層からなる。遺物は上層に向かうにつれて増え，6号犬を除くイヌ・ウシ・ウマは中層の上半部に集中することから短期間に埋められたと推定された。出土した土器の年代は，下層に6世紀後半〜7世紀前半の土器が1点あるが，他は8世紀後半で，中・上層からは国分寺創建期の瓦が出土した[11]。

発掘調査時には，イヌは解剖学的配置を保つものの縄文時代の埋葬とは異なり，そのまま置いたか多少土砂をかけた程度と推測された。そこで，発掘調査報告書[12]やその後の再検討[13]をもとに，改めてイヌの出土状況から当時の人々によるイヌの扱い方を推測してみる。

まず，下層堆積時に最初に入れられたのは，6号犬（2歳程度の若犬♂）である（口絵6-図2）[14]。イヌは開口状態で検出されたため，死後硬直して開いた口に廃棄土壌が詰まったことも考えられるが，遺体は水平に置かれ，同じ高さから土師器坏や甕の下半部が出土したことから，口の中に何かを含んだ状態で何らかの祭祀に利用されたと想定された。次の中層では，貝層iiiの上面から3号犬（成犬♀？）が頭部を下に遺棄された姿勢で，貝層iiとその上下の土層では7〜11号犬やウシ，ウ

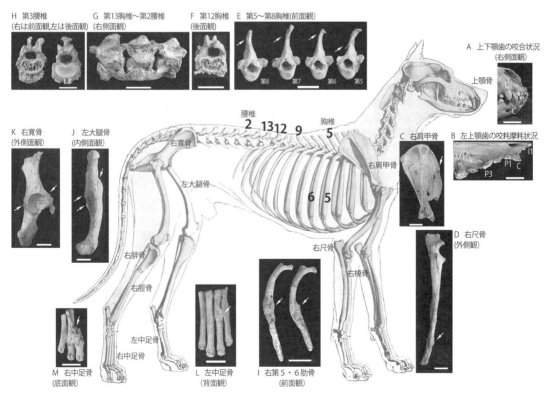

図2　須和田1号犬に残された古病理痕（いずれも市立市川考古博物館提供）
白線は2cmを示す。（骨格図は註35〔The Dog PL3, Fig.3〕を一部加工）

マが集中して出土した。7号犬（生後5ヶ月齢位）はウシに囲まれるように、8号犬（3〜4歳♂?）は7号犬に並列するように確認されたが、四肢骨は甚だしく遊離していた。9号犬（生後5ヶ月齢）は頭蓋と下顎骨のみで、ウマの四肢ブロックの北側で確認された。10号犬（生後2〜3ヶ月齢）は頭部と胴部骨のみで出土位置は不明であった。11号犬（生後5ヶ月齢弱）はほぼ全身が残るが、ウマの四肢骨ブロックの北西側で確認された。この集中範囲では、5個体中に幼犬が4個体と幼犬が圧倒的に多かった。5号犬（10歳以上）はほぼ全身が残り2号犬の下部から出土したが、首は強く反り返り、前肢は強く折り曲げられ後肢は骨盤から外れ、大腿骨は本来の位置から移動していた。反り返った姿勢は2号犬と同じで、土坑を埋める過程で投棄された可能性もある。4号犬（生後6ヶ月齢程度）は1・2号犬と同じ土層で、ウマの頭骨ブロックの南の位置から頭を下に曲げた姿勢で出土した。後肢は左右が開くように残るが、胴部の後半は欠落するため、投棄後に動物の食害を受けた可能性が想定された[15]。2号犬（成犬）と1号犬（9〜10歳以上の♂）はほぼ同時期と考えられるが、2号犬はうつぶせで左右の四肢がやや開き、首を付け根から強く後方に向けた不自然な姿勢だった。後ろ向きの姿勢で投棄された可能性も考えられる。それに対し、1号犬は貝層i直下の土層からもっとも良好に解剖学的位置を保ち、頭を北にして横たわった姿勢で確認された（図1右）。この姿勢は、市内の縄文時代中期末（加曽利EIV式期）に属する曽谷貝塚D地点8号小竪穴出土の埋葬犬（図1左）[16]とよく類似することから、1号犬は埋葬犬と考えられる。このように、同一土坑でありながら6号は祭祀的な特別な利用が推測されるのに対し、中層のイヌの多くは多量の貝殻や遺物が廃棄される合間に、投棄や無造作に遺棄されたような扱いが推測されるなど大きな違いが指摘される。しかし、埋葬と考えられた1号犬は、11個体の中でもっとも丁寧に扱われており、当時の人々の1号犬に対する強い愛着が感じられる。なお、ウシには顕著な解体痕が、ウマ

には脳漿取り出しや解体痕があり、かつ右側前・後肢が存在しないことから、ウマの右側は孔子を祀る儀礼の釈奠に利用し、残った左側は食べて廃棄した可能性や[17]、牛馬死亡後の処理を規定した厩牧令との関連を示唆する見方もある[18]。現段階でウシ・ウマとイヌが一緒に出土する意味は不明であるが、牛馬は廃棄の可能性が想定されていることからすると、中層のイヌ集団も何らかの用途に供された後に廃棄されたと考えられよう。そうだとすると、中層の最上位に埋葬された1号犬は、ほかのイヌとは異なる特別な扱いを受けていたことになる。1号犬に隣接しながら、あたかも放り投げられたような姿勢を示す2号犬とは格段の相違が感じられる。中層でウシ、ウマの周囲に幼犬が多いことでは、下総国府の国衙関連施設から出土した和洋学園国府台キャンパス遺跡例と類似する。当該遺跡では8世紀中葉から9世紀初頭頃の溝跡（SD11）および土坑（SK103）から幼犬（生後3ヶ月齢前後）、若犬（生後4〜5ヶ月齢か）、大型犬で上顎臼歯が著しく磨耗した成犬を含む最小個体数5個体（大腿骨）が出土した。若犬はウマの頭骨を挟んで並んだ状態で出土した。2つの遺構出土のイヌに顕著な切痕はないが食利用後に廃棄され、「境界のまつり」との関係が想定された[19]。しかし、その後の検討では国司館から廃棄された食物残滓と推定された[20]。国府台犬と中層出土の須和田犬の出土状況は、ウマの頭骨周囲に幼犬が多い点で類似するが、須和田犬では解体痕がなく全身骨が揃う点で異なっている。

3　須和田犬と市内の縄文犬の遺伝子の特徴

　須和田犬の骨形態学的特徴として、①中型犬が多く、外来犬の可能性もある中大型（5号）も1個体含む。鼻根部の額段がやや深くなる中近世的なイヌが多く、縄文犬系統の小型犬はこの時期に姿を消した可能性がある。②年齢構成は成犬4体、若犬2体、幼犬5体で、幼犬を含むことから一つの家族集団を構成する。高齢の4個体すべてに骨格の異常が確認されたのは加齢による骨変化以外に、閉鎖的な集団内での飼育に起因するとい

う仮説が提示されていた[21]。

これに対し，須和田犬7個体と市川市の向台貝塚の縄文犬（以下，向台犬と称す）1個体[22]でDNA解析が実施された結果，mtDNAでは向台犬は縄文犬単系統の範疇に入ること，須和田犬は縄文犬の遺伝子を受け継ぐものの，大陸系犬種との交雑によりこの時代には遺伝子系統が入れ替わったことが明らかとなり[23]，仮説①が裏付けられた。一方，須和田犬集団は血縁関係をもたないことも明らかとなり[24]，仮説②や食目的の繁殖説[25]は否定された。核ゲノム解析による毛色の推定ではオオカミと同じ野生型（AG型）は向台犬と須和田3・7号，イエロー型（DY型）は2・5号，混在型は1・6・8号となった。耳介の型では向台犬と須和田犬の多くは柴犬やシベリアンハスキーなどでみられる「立ち耳型」だが，須和田6号犬のみ「垂れ耳型」であった。また，尻尾では向台犬は巻尾型で，須和田犬では3号のみ巻尾型だがほかは通常型であった。植物に含まれるデンプン消化機能の型は向台犬はL型（低消化型）で，須和田犬はL型とH型（高消化型）が混在するため，イヌの遺伝子型と餌の対応関係が悪いと体の成長に変化が出る可能性が高いことが示唆された。このように，須和田犬は個体によって遺伝型が多様であったことが初めて明らかとなった[26]。

そこで，遺伝学的知見を加えて，さらに須和田犬の特徴を探ってみる。まず，土坑が再利用され始めるとすぐに6号犬が安置されるが，この犬はメスで唯一の垂れ耳型をもち，毛色は野生型とイエロー型の混合タイプであった。6号はほかの須和田犬とは耳介の型が異なることから，特別に選ばれたイヌだった可能性が高い。中層から出土したイヌ6個体のうち，向台犬と毛色，立ち耳型，巻尾型がすべて一致したのは3号犬のみであった。ほかのイヌは尻尾は同じであるが，毛色では2つのタイプと混合タイプが混在し，立ち耳が多いと推定された。なお，骨形態は中大型犬に分類され，外来犬的な血筋の可能性を想定された5号犬は，毛色，耳介型，尻尾型に他犬との特別な差はみられなかった。

4　古病理痕から イヌの家畜化と都市化を探る

古病理痕をもつイヌは，老犬の1号・5号，成犬の2号・3号・8号，幼犬の7号の6個体であった。その中でもっとも多くの痕跡がみつかったのは，丁寧に埋葬された1号犬だった。上下顎をかみ合わせると，切歯（図2A）の先端が四角形状に極端に磨耗している。獣医歯科学の研究者[27]からは，現代犬がフリスビー遊びで生じる痕跡と近似すると示唆された。前臼歯は通常，獲物運搬の機能をもつため噛み合わないが，1号犬では上顎の犬歯（C）から前臼歯（P1～P4），後臼歯（M1）にかけて舌側面が極端にすり減り，P2では近遠心方向に擦痕も確認された（同図B）。また，脊椎骨では第5～第9胸椎まで神経棘の先端が体軸の左側に連続して折れていた（同図E）。生前に骨折した可能性があり，一部に骨膜炎の可能性のある痕跡もあった。第13胸椎～第2腰椎までは椎体同士が一つの骨のように癒合し（同図G），前後の第12胸椎（同図F）と第3腰椎（同図H）の後面は海綿質が露出するほどすり減っていた。人類学の研究者からは骨折や外傷とその炎症による腹側縦靱帯の骨化，強直性脊椎炎や強直性脊椎骨増殖症の可能性が示唆された[28]。肋骨も右第5・6肋骨など4本に骨折後治癒痕があっ

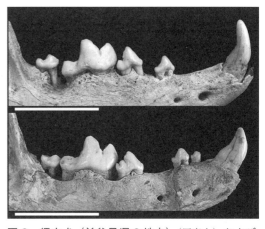

図3　縄文犬（曽谷貝塚C地点）（写真上）および須和田2号犬（写真下）の右下顎骨に残る歯槽吸収の痕跡（いずれも市立市川考古博物館提供）

た（同図 I，口絵 6‐図 4）。前肢では肩甲骨に良性腫瘍（同図 C）と右尺骨に骨折後治癒痕（同図 D）が，後肢では右寛骨に先天性か後天性の癒合異常（同図 K）と左大腿骨に骨折後治癒痕（同図 J）があった。この大腿骨の骨幹後面（同図 G 左側面中央の突起部分）には治癒過程で足を使い続けたために筋収縮で生じた 2 つの突起もあった（口絵 6‐図 5）[29]。さらに左右の中足骨には骨折後治癒痕があるが，右側は治癒が完了する前に何度も蹴られて骨折を繰り返したような仮骨が確認された（同図 M）。1 号犬の他には大腿骨の左右脚長差が 35mm ある 3 号，脛骨と腓骨の一部が癒着する 3 号と 5 号，上顎歯の萌出異常の可能性がある 7 号の 3 個体があるが，全身に外傷・病気があるのは 1 号犬のみである。他方，成犬の口腔病理痕では，須和田 1・2・3・5・8 号犬に歯槽吸収が観察されたが，市川市の縄文時代中期の向台犬，後期の曽谷貝塚 A 地点（称名寺式期）と C 地点（堀之内 2 式期）の 2 個体にも確認された。そのうち須和田 2・3・5・8 号と曽谷 A・C 地点犬には深いポケットがあり（図 3），須和田 1・2・6 号と曽谷貝塚 A 地点犬には歯石も観察された[30]。歯槽吸収は欠歯が原因の場合もあるため即断は難しいが，縄文時代最古の埋葬犬である縄文早期末葉〜前期初頭の愛媛県・上黒岩岩陰遺跡（a.7,400〜7,200calBP）にも指摘されていることから[31]，縄文犬は初期から歯周病に罹患していたと考えられる。当市の縄文犬にも重度の歯周病があり，奈良時代の須和田犬では常態化していたことが明らかとなった[32]。これは DNA 分析で明らかになったデンプン高消化型の出現とも連動することから，米などの摂取が影響したと考えられる。また，須和田 1 号犬の上顎歯にみられる異常な咬耗摩耗（図 2A）は市内の縄文犬にはみられず，須和田 3・5 号犬に共通していた（口絵 6‐図 3）。こうした咬耗摩耗の変化の原因は一概にはいえないが，古代には人工的環境（加齢，狭い空間，歯の道具利用など）が増したとも考えられよう。

まとめ

以上のように，古代下総国のイヌ利用には祭祀（または供犠？），埋葬，使途不明だが利用後に廃棄という 3 つが想定された。口腔病理的観察からは縄文時代よりも人工的な飼育環境が増した可能性や，歯周病が進行した背景には地方都市でもイヌに米を与えた可能性が示唆された。通史的には縄文時代は主に猟犬でイヌを人側の存在とみる動物観だったが，弥生・続縄文時代以降は食用犬へと転換した。古代は狩猟が特権階級に限られ，猟犬や鷹犬，宮城諸門や屯倉の番犬，愛玩犬の 3 つの使途が存在したとされる[33]。そうすると，須和田犬は米を食べた鷹犬[34]だったのだろうか。また，障害の多い 1 号犬が長寿を全うできたのは，愛玩犬だったからだろうか？ 須和田犬の調査は現在も継続中であり，解決すべき課題は多いが，考古学はもとより獣医学との連携による病気解明や，遺伝学・同位体学などの関連科学との総合によって，これまで光が当たらなかった歴史の一端を明らかにできると期待される。

註

1) Hervella, M., *et al.* The domestic dog that lived ～17,000 years ago in the Lower Magdalenian of Erralla site（Basque Country）: A radiometric and genetic analysis. *Journal of Archaeological Science: Report*, vol.46: 2022, pp.1‐12. https://doi.org/10.1016/j.jasrep.2022.103706

2) Gojobori,J., *et al.* The Japanese wolf is most closely related to modern dogs and its ancestral genome has been widely inherited by dogs throughout East Eurasia. BioRxiv. 2021.
   https://doi.org/10.1101/2021.10.10.463851

3) Xiaokaiti X., *et al.*The history of ancient Japanese dogs revealed by mitogenomes. *Anthropological Science*, Article ID 230617, Advance online publication Oct.24, 2023, https://doi.org/10.1537/ase.230617

4) 内山幸子『イヌの考古学』同成社，2014
   茂原信生「日本犬に見られる時代的形態変化」『国立歴史民俗博物館研究報告』29，1991，pp.89‐108

西本豊弘「イヌと日本人」西本豊弘 編『人と動物の日本史』1，吉川弘文館，2008，pp.180-191

5）市川市教育委員会『須和田遺跡第6地点』1992

6）山崎京美「千葉県須和田遺跡第6地点から出土した古代犬の病変について（予察）」『Asian Journal of Paleopathology』創刊号，2017，pp.40-54

山崎京美「市川市の遺跡出土犬を対象とした口腔病理学的予備調査—須和田遺跡第6地点出土犬を中心として」『市史研究いちかわ』13号，2022，pp.68-87

山崎京美「須和田遺跡のイヌが語るもの」『遺伝子からみた古代のイヌ』市立市川考古博物館図録20，2023，pp.17-18

山崎京美・金子浩昌「千葉県市川市の須和田遺跡第6地点の古代犬について」『動物考古学』33，2016，pp.121-125

7）覚張隆史「遺伝子からみた古代のイヌ」『遺伝子からみた古代のイヌ』市立市川考古博物館図録20，2023，pp.12-14

8）註5に同じ。山路直充・矢越葉子編『遺伝子からみた古代のイヌ』市立市川考古博物館図録20，2023

9）佐々木和博「「博士館」墨書土器私考」『史館』17，史館同人，1984，pp.89-93

10）山路直充「国府と郡家」「国府のみち」『市川市史 歴史編Ⅲ—まつりごとの展開—（通巻3）』市川市史歴史編Ⅲ編集委員会 編，2019，pp.66-75，166-180

11）註8の山路・矢越編（2023）に同じ（p.5）。

12）金子浩昌「3号土坑出土の動物遺体」『須和田遺跡第6地点』市川市教育委員会，1992，pp.34-55・64-65。本稿で触れたイヌの年齢や性別は，当該報文に従った。

13）註6の山崎（2022）および註8の山路・矢越編（2023）に同じ。

14）土層断面における6号犬の位置は，註5の報告書（第25図）と註8の山路・矢越編（2023）（p.6）の表示が異なっているが，本稿では企画展開催に伴い見直しが行なわれた後者の記述（貝層名称を含む）に従う。

15）註8の山路・矢越編（2023）（p.9）。

16）金子浩昌「向台・曽谷貝塚出土のイヌ遺骸について」『市川市立考古博物館館報』35，2008，pp.13-22，PL4-8

17）植月 学・金子浩昌・山路直充「古代の牛馬肉食と祭祀利用—須和田遺跡大型土坑出土牛馬遺体の形成過程による検討—」『市史研究いちかわ』13，2022，pp.49-67

18）註8の山路・矢越編（2023）に同じ（p.22）。

19）金子浩昌「動物遺体の分析」『下総国府台』和洋学園 編，2004，pp.223-234

20）見留武士「下総国府厨遺構考」『国府台』11，和洋女子大学文化資料館，2001，pp.12-28。註10に同じ（p.176）。

21）註12に同じ。

22）註7に同じ。

23）註3に同じ。

24）註18に同じ。

25）駒見和夫「律令期地方官衙における食膳の一考察」『和洋國文研究』45，和洋女子大学日本文学・文化学会，2010，pp.57-70

26）註7に同じ。

27）日本大学松戸歯学部名誉教授・花小金井動物病院院長の林一彦博士のご教示による。

28）前者は鳥取大学名誉教授 井上貴央博士の，後2者は金沢大学古代文明・文化資源学研究所 客員教授 藤田尚博士のご教示による。

29）元大阪市立大学医学部 安部みき子博士のご教示による。

30）註6の山崎（2022）に同じ。

31）Komiya H., et al. Morphological characteristics of buried dog remains excavated from the Kamikuroiwa Rock Shelter site, Ehime Prefecture, Japan. Anthropological Science, 123（2），2015，pp.73-85

32）註30に同じ。

33）註4の内山（2014）に同じ。

34）松井 章「古代史のなかの犬」『文化財論叢』Ⅱ，同朋舎出版，1995，pp.553-569

35）Ellenberger,W., et al. An Atlas of Animal Anatomy for Artists. Dover Publications Inc., 1956

コラム

江戸時代の桑名城下出土の動物骨の古病理

三谷智広・須藤　梢・藤田　尚
Tomohiro MITANI　Kozue SUDO　Hisashi FUJITA

はじめに

　2018年，桑名城下町遺跡伝馬公園地点の発掘
調査において，近世の人骨や動物骨が多量に出土
した。今回，これらの資料を整理する中で，動物
骨と人骨に，病理学的な所見を示す骨が多数観察
できたため，ここで，その代表的な症例について
紹介したい。

1　遺跡の概要

　桑名城下町遺跡は三重県桑名市東部の沖積低地
上に立地する。桑名は木曽三川の河口に位置し，
古くから美濃・尾張と伊勢をつなぐ水陸交通の要
衝として知られた（図1・2）。中世の桑名は域内
を幾筋もの河川が流れ，3つの洲に分かれていた
と伝わる。江戸時代に入ると，桑名藩の初代藩主
本多忠勝により城下町の整備が行なわれた。忠勝
は城下に流れ込む河川の流路を変え，元の流路を
利用した外堀で城下町を取り囲み，その中に武

家地・町人地や職人町，寺院などを計画的に配し
た。低湿地の開発も進み，現在の桑名市街の基礎
が形成された。

　本稿で紹介する資料は，桑名城下町の南西端に
位置する伝馬公園から出土した。伝馬公園は江戸
時代にはこの地に所在した願証寺の境内の一部で
あったと伝わるが，近世の地誌によれば願証寺は
18世紀前半に衰退し境内も荒廃していったとさ
れ，これ以降の土地利用については不明な部分が
多い。近代には鋳物工場と水田に利用されたが空
襲により焼失。その後，戦災復興土地区画整理に
より公園として整備された。同地における開発計
画が持ち上がったことから，遺跡の範囲を確認す
るため桑名市教育委員会により2018年9月から
同年12月にかけて試掘調査が行なわれた。調査
の結果，公園地内には中世末から幕末にかけての
遺構面と遺物包含層が遺存することが確認され，
江戸時代の上水道，土坑，溝などが検出された。
また公園東部に設定したトレンチからは江戸時代
の墓域と考えられる区画（以下，墓域）が発見さ
れた。本稿で紹介する動物骨・人骨はいずれもこ

図1　遺跡位置図

図2　揖斐川を臨む桑名城跡の周囲に広がる城下町
（平成8年撮影／桑名市教育委員会提供）

の墓域から出土した資料である。本調査は整理が完了していないため，墓域の検出状況については概要を述べるにとどめたい。

墓域では，幕末から明治頃の堆積層の直下より倒壊した墓石群が検出され，その下層から本墓域に埋葬されたとみられる人骨や動物骨が出土した。墓石は約60点出土し，江戸時代の墓標のほか，16〜17世紀のものとみられる五輪塔や石仏も出土している。一部墓標では17世紀後葉から18世紀代の紀年銘が確認された。いずれも原位置を保持しているとは考えにくく，本墓域の被葬者とは無関係のものが混入している可能性も否定できないが，本地点においては数少ない在銘資料である。人骨・動物骨は，出土状況から埋葬されたと推定されるものが少なくとも20体あり，うち1体が次節で取り扱うイヌ（仮称「プラン12」出土）である。プラン12では明確な墓坑は確認できなかったものの，イヌの全身の骨格が解剖学的な位置をとどめており，出土状況から遺体を地面に横たえて直葬した可能性が高いと考えられる。検出状況からはほかの被葬者との関連は認められない。墓域全体での埋葬方法としては直葬がもっとも多く，ほかに甕棺，円形木棺，方形木棺が確認されており，いずれも墓石を伴わない状態で出土している。今回検出されたのは墓域の西端部であり，公園内には墓域の中心部が残存している可能性が高い。副葬品などから個々の被葬者の埋葬時期を特定することは困難であるが，墓域全体の出土遺物や各土層の堆積年代から類推すると，本墓域は遅くとも18世中頃までには墓域としての利用が始まり，19世紀末段階には廃絶していたとみられる。現状では本墓域が願証寺に由来するものかは不明であるが，江戸時代の桑名城下町における埋葬行為の在り方を考える上で貴重な資料であることは間違いなく，今後の検証が期待される。
（須藤　梢）

2　イヌの骨に見られた病理学的所見

桑名城下町遺跡伝馬公園地点から，当時の食生活や動物利用を考えさせる動物遺体が多数出土し

た。中でも，多く出土したイヌの中には，土坑から全身の骨格が解剖学的な位置を留めた状態で出土したものもあり，こうしたイヌは埋葬されたと考えられる。

今回紹介するのは，その中の一つで，「プラン12」として取り上げられたイヌの骨である。四肢骨骨端は癒合し，永久歯は生え揃うため，成獣とみられる。下顎骨最大長から推定される体高は，約47cmであった[1]。

頭骨は，前頭骨から頭頂骨にかけて欠損するが，臼歯の植立する上顎骨の残存状態は良好であった（図3-1）。残存する歯種をみると，左側では犬歯と裂肉歯である第4小臼歯，第1大臼歯・第2大臼歯が残存する。右側では，第4小臼歯と第1大臼歯が残存する。本来植立しているはずの，第1〜第3切歯，第1〜第3小臼歯は左右ともに確認されず，歯槽が完全に閉鎖していた。これは，生前に歯が脱落し，歯槽の開口部が増殖した骨組織に被われたためである。閉鎖した部位は，多孔質の骨組織により平坦な面が形成されていた。歯を失った後も長く生きていたことがわかる。なお，右犬歯の歯槽は開いているため，生前に脱落したものではなく，死後に抜け落ちたものであろう。左犬歯は摩耗が著しく，歯冠の半分程度が失われている。

一方，下顎骨についても，同様の状況が見られた（図3-2）。残存する歯種は，左側で犬歯と第1大臼歯・第2大臼歯，右側で第4小臼歯と第1〜第3大臼歯である。左側の第4小臼歯，右側の犬歯の歯槽は開いているため（図3-3），死後に脱落したものと推察される。本来植立するはずの，第1〜第3切歯，第1〜第3大臼歯は，左右とも確認されず，骨増殖によって歯槽が完全に閉鎖し，多孔質の骨組織によって平坦面を形成していた。なお，左側の第3後臼歯は認められず，生前に脱落して歯槽が閉鎖したか，あるいは先天的な欠歯の可能性もある。また，残存する左側の犬歯は，歯冠部がほぼ失われるほど，平らに磨り減っており，歯髄の通る小さな孔も確認された。

歯の脱落や歯槽骨の状況から，上下顎骨とも

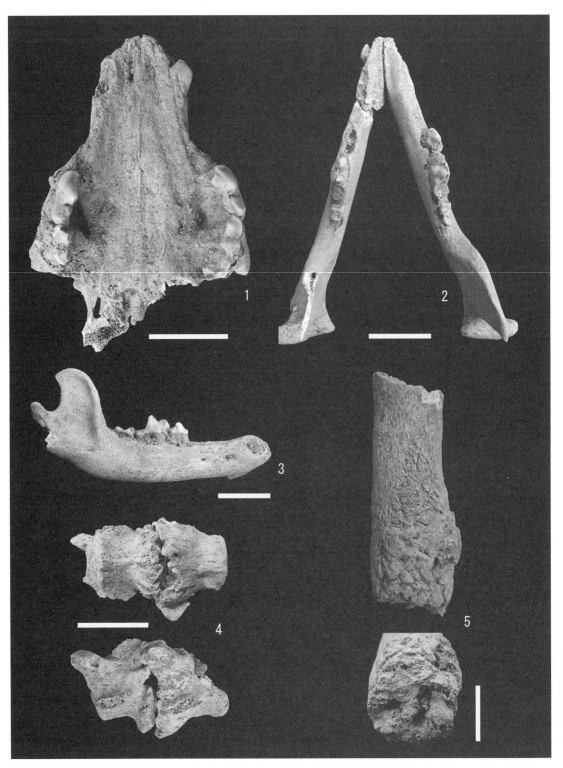

図3　病理学的所見が認められたイヌの骨（プラン12）および人骨（プラン13）（スケールバー：3cm）
1：イヌ上顎骨　　2：イヌ下顎骨　　3：イヌ右下顎骨（側面より）　　4：イヌ腰椎（上段：腹面より，下段：側面より）
5：ヒト右大腿骨（上段：骨表面，下段：骨内部）

に，歯周病が進行していた様子がうかがえる。例えば，上顎骨の左第4小臼歯では，歯頸部から約10mmの歯槽骨の退縮が認められた。下顎骨では，右第4小臼歯で，歯頸部から約5mmの歯槽骨の退縮が認められた。

さらに，臼歯の咬耗も進んでいる。左上顎骨では，残存する第4小臼歯，第1・第2大臼歯において，いずれも舌側の咬頭が咬耗によって消失している。下顎骨を見ると，右側の第1大臼歯で遠心側の咬頭が咬耗する。

本来，イヌの永久歯は，上顎と下顎をあわせて，42本あるが，本資料では少なくとも24本の歯が生前に脱落したと考えられる。脱落した切歯や第1〜第3小臼歯は，モノを咥えて運んだり，噛みついたりする時などに使われる歯である。縄文犬の分析を行った小宮[2]によると，こうした前歯部が生前に脱落するのは，前歯部の歯冠から歯根まで強い負荷のかかる行為を生前繰り返したことを示唆すると指摘し，ただモノを咥えるだけではなく，噛んだまま力一杯自分の方へ引き寄せるなどの，より具体的な行為を想定している。歯の脱落の原因には，こうした外傷性の原因のほかに，歯周病の進行により歯槽骨の退縮を引き起こし，歯が脱落する場合も考えられる[3]。いずれにしても，噛む機能は著しく低下し，場合によっては摂食能力にも何らかの影響を及ぼしていた可能性が高い。

なお，犬歯がこれほど磨り減っている理由については定かでない。何らかの行為により破折し，にもかかわらず犬歯を酷使し続けたためとも解釈できるが，破折面は観察できなかったため，今後より詳細な観察が必要である。

上顎骨および下顎骨に歯の脱落や歯周病の所見が見られた一方で，椎骨にも病理学的な所見が認められた。図3-4に示したのは，腰椎にみられた骨棘である。椎体の縁辺に著しい骨増殖が認められ，椎体同士が癒合しそうなほどに，骨棘が発達している。とくに後側（尾側）の腰椎は，骨の増殖により椎骨が変形する。こうした変形性の関節症は高齢犬に多く認められ[4]，加齢に伴い進

行すると言われる[5]。直ちに歩行が困難であったとはいえないが，歩行にやや影響があった可能性もあろう。なお，骨棘の発生原因は不明であるが，髄核の外傷性病変が関係するという指摘もある[6]。

これらの所見を踏まえると，本資料は比較的高齢のイヌであり，人から食物を与えられ飼われていた，ペットであった可能性が高い。　（三谷智広）

3　人骨に見られた病理学的所見

イヌだけではなく，人骨にもいくつかの病理学的所見が認められたため，ここで簡単に紹介したい。

人骨では，下肢骨の骨幹部に顕著な骨増殖が認められた例が散見された（図3-5）。写真に示したのは，プラン13から出土した，ヒトの右大腿骨である。骨幹部には骨の増殖が顕著に認められる。内部の海綿体は完全に破壊され，新生骨で満たされている。骨表面は，多孔質の骨組織で覆われ，当時は膿が出ていたと考えられる。重度の骨髄炎であり，治癒の痕跡は見られなかったため，これが原因で死亡したと推察される。骨髄炎の原因として，もっとも頻度が多いのは黄色ブドウ球菌によるものであるが，梅毒（トレポネーマ）なども考えられ，古代ゲノムの手法によって起因菌などを特定していきたい。こうした骨髄炎とみられる症例が下肢骨に多く見られた点は，原因を探るうえで重要な情報となるかもしれない。遺跡の在り方から当時の人々の生活を復元し，今後より詳細な分析を通して，検討していく必要があろう。

（藤田　尚）

まとめ

イヌに見られる病理学的所見はどの時代でも確認され，報告されている。歯の損傷や脱落，不正咬合，歯周病だけではなく，骨折やその治癒痕なども報告されることがある[7]。本遺跡では，骨折と思われる症例はなかったが，骨折の種類によっては虐待も疑われる例が報告されており[8]，人と動物との関係をより詳細に知るうえでは，こうした事例の分析と診断は必要不可欠である。それと同時に，遺跡から出土したイヌの有病率をはじ

め，周辺遺跡における状況，通時的な変遷をたどることで，変化する人と動物との関わりを解明することができよう。ただし，遺跡から取り上げられる動物遺体は，食物として解体，調理，消費され，ばらばらになった骨の断片であることが多く，さらに遺跡の形成過程の中で再堆積を繰り返すこともある。動物遺体において全身骨格が揃って出土することは珍しく，人骨とは異なり，動物骨における病変の分布や性質をとらえることが難しいという問題があることも把握しておかなければならない[9]。

　なお，本資料の症例から，もともとこのイヌが番犬や猟犬などの使役犬であったか判断するのは難しい。江戸時代ではイヌの使役のほか，食用にもしていたと思われるが，縄文時代や弥生時代のイヌ利用と比較すると，役割の多様化とともに猟犬としての役割などは低下し，ペットとしての役割が中心になったと推測される[10] [11]。城下町のように人の密集が想定される都市の場合，人口が集中することにより，人と動物との関係や動物利用，動物の生活にも変化が生じ，さらに動物骨に見られる病理学的な所見も前時代と比較すると変化していることが予想される。仮にそうであるなら，本資料にみられる犬歯の異常咬耗などは，都市化に伴い変化した動物利用の在り方を示している可能性もあり，都市化によって動物骨の病理がどのような変化をしたか，今後重要な課題として位置づけられよう。

　イヌがヒトの家畜となった正確な時期を比定するのは難しいが，ヒトと一緒に生活することで，イヌの疾病にも疫学転換が生じたと思われる。野生から家畜への変化は，当然イヌの疾病に大きな変化をもたらしたことであろう。また，本遺跡出土犬のように，江戸期の都市部では，当然猟犬として使われたイヌも存在したであろうが，高級武士や富裕な商家において，ペットとして飼育されることにより，ここでもまた一種の疫学転換が生じたことを考慮していく必要がある。いずれにせよ，農村漁村から都市へと変貌を遂げていく過程において，都市化による動物の古病理学的な変化に注視していくことは，今後の重要な考古学・人類学上の課題であることを認識しなければならない。

註

1) 山内忠平「犬における骨長より体高の推定法」鹿児島大学農学部学術報 7，1958，pp.125-131
2) 小宮　孟『イヌと縄文人』吉川弘文館，2021
3) Hourani, Y. Congenital Anomalies and Traumatic Injuries in Dogs from Laodicea in Canaan（Hellenistic Beirut, Lebanon）. *Care or Neglect?*, 2018, pp.79-96
4) Stevanović, O. *et al.*, Joint diseases in animal paleopathology : veterinary approach. *Macedonian Veterinary Review* 38（1），2015, pp.5-12
5) 前掲註3に同じ
6) 前掲註4に同じ
7) 内山幸子『イヌの考古学』同成社，2014
8) 前掲註3に同じ
9) Thomas, R., Nonhuman paleopathology. *The Global History of Paleopathology: Pioneers and Prospects*, 2012, pp.652-666
10) 西本豊弘・松井　章 編『考古学と動物学』同成社，1999
11) 西本豊弘・新美倫子 編『事典 人と動物の考古学』吉川弘文館，2010

歯科衛生から見た都市化と口腔疾患

小原由紀
Yuki OHARA

1　口腔保健の重要性

　口腔は，第一の消化器官として栄養摂取の役割を担うだけでなく，食べる楽しみやコミュニケーションを介した社会とのつながりなど生活の質（Quality of Life）に直結している。口腔疾患と全身疾患は密接に関連しており，近年の研究では，適切な口腔管理が全身状態の改善に寄与することが明らかにされるなど，口腔保健の維持・向上の重要性が注目されている。

　このような口腔の重要性は，原始・古代社会でもまったく変わらなかったであろう。歯を喪失する主な原因となるう蝕や歯周病は，口腔内細菌のほか，複数の要因が複雑に関与する多因子疾患であり，とくに生活習慣といった環境的要因の影響を強く受ける。したがって古病理学的な古人骨の歯科疾患の研究は，古代人の生活習慣や環境因子の解明に大きな役割を果たすことが可能と考えられる。そこで本稿では，都市化とヒト口腔疾患との関連性について概説する。

2　多因子が関与する口腔疾患

(1)　う蝕

　う蝕は，歯の表面に定着・増殖したデンタルプラーク（歯垢）中の細菌が発酵性糖質を代謝して有機酸を産生し，その酸がエナメル質を脱灰することから始まる。

　う蝕の発生要因には，病原要因（う蝕原因菌）のほか，個体要因（宿主と歯），環境要因（発酵性糖質），時間（生活）が関わっている（図1）[1]。環境要因の発酵性糖質のひとつであるショ糖（スクロース）は砂糖の主成分あり，砂糖の摂取，間食回数はう蝕の発症と非常に強い関連を持ってい

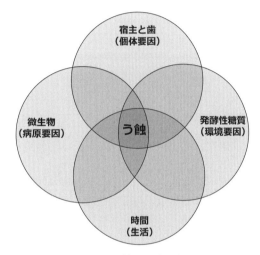

図1　う蝕の発生要因

る。第二次世界大戦後の砂糖消費量の増加に伴って，日本の12歳児のう蝕指数（DMFT指数）も増加していた[2]。これは，まさに狩猟採集経済から農耕経済へと転換を遂げた縄文時代から弥生時代への移行にも当てはまる，と考えられるのである。都市と地方では，戦前から戦後まもなくまでは都市の子どものう蝕罹患率が高く，それ以降は砂糖の摂取量の増加により地方の子どもの方がう蝕は多くなる傾向にあった[3) 4]。開発途上国の報告でも同様の結果を示しており，その背景には，現代の食習慣に影響を受けている都市文化の流入により，農村部の生活者のう蝕の発生が増加することが挙げられていた[5]。このような状況は，集落が大型化した弥生時代から首都を形成した奈良・平安時代においても当てはまるものと思料される。現代の親の所得といった経済的要因や医療自給率などが子どものう蝕の発生に関与すること

が報告されており[6]，このような視点は，都市化が進んだ近世以降，さらには近代的な都市が整備された19世紀半ば以降の都市化の古病理学・古疫学的側面を考える際に，とくに重要である。

（2）歯周病

歯周病は，歯垢中の歯周病原細菌が，歯肉に炎症を起こした状態である歯肉炎と，歯を支持する歯根膜・歯槽骨が破壊された状態である歯周炎に大別される。平成28年に実施された歯科疾患実態調査によると，50歳以上の50％以上が歯周炎，10％以上が重度歯周病の有病者であった[7]。藤田尚は，縄文時代人のう蝕の好発部位が歯根面であったことから[8]，歯周病や加齢による歯槽骨の退縮の可能性を指摘しており，歯周病は古代より一般的な疾患であったと推測できる。

歯周病は，成人期における歯の喪失のもっとも大きな原因であるが，その直接原因は歯肉に接するデンタルプラークである。デンタルプラーク中に存在する慢性歯周炎の病原菌は，タンパク質を栄養源として強力なタンパク質分解酵素を産生することで歯周組織を破壊する。細菌による歯周組織の炎症反応が歯周病の本態であるが，様々なリスクファクターが病状の進行に影響を与える（図2）。歯周病原細菌に対する免疫反応の影響で糖尿病の引き金となるほか，糖尿病の悪化が歯周病の増悪にも関係し，心・血管疾患，早産・低体重児出産，関節リウマチ，誤嚥性肺炎などとの関連も指摘されている。古代人においても多数の全身疾患が歯周病に起因していたことを，今後考慮していく必要があろう。また，急速に発展したパレオゲノミクスによって，古代の歯周病菌の同定が可能となれば，より深い考察と現代と過去社会の歯科医学的接点が明瞭になるだろう。

インドで行なわれた疫学調査では，農村部の成人は都市部の成人と比較して有意に歯周病による喪失歯数が多いことが報告されている（都市部3.5±6.8歯，農村部4.7±7.8歯）[9]。しかしながら，この報告では，様々な要因を統計学上調整した結果，歯周病による歯の喪失に関連していたのは，年齢，非識字，婚姻状況，低い社会経済的地位であった。すなわち歯周病に関連しているのは，地理的な問題よりも環境的な要因が大きいと考えられる[9]世界各国の都市と農村部の比較，そして近代的な都市化が進むことによる喪失歯数の関連因子の解明は，現代の歯科衛生学的視点からも期待される部分である。

（3）口腔癌[10]

口腔癌は，発生するすべてのがんのうち男性で約5％，女性で約2.5％を占めると推計され，死亡率が極めて高いがんである。その発生率は国によって大きく異なり，南・中央アジアの地域では，口腔癌が，がん発生の上位3位以内であることが報告されており，発症率は地域による差異が認められていた。口腔癌の発生率にもっとも影響しているのが喫煙，スモークレスタバコ，飲酒などであり，その消費量が多くなるほどリスクが高まる。好発部位は，舌，歯肉などで

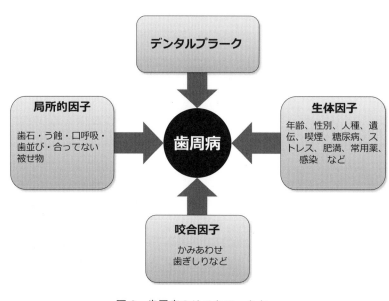

図2　歯周病のリスクファクター

あり，う蝕や歯石，適合の悪い義歯といった口腔内の機械的刺激，ヒトパピローマウイルスによる感染も原因となる。このような現代歯科医学からの情報は，古病理学の分野でも応用されていくべきものであろう。一般に，がんは年齢との相関が高く，平均寿命が極端に低かった原始・古代の人々では，がん年齢に達する前に急性感染症による死亡が圧倒的であるため，発症率は非常に低かったであろうし，口腔癌を含め，がんが古人骨から発見されることは稀である。しかし，口腔癌も都市化がもたらした良い面である乳幼児死亡率の低下による平均寿命の向上によって現代の発症率に至ったものであろう。したがって留意すべき点として，がんの発症はある一定以上の年齢，つまり社会の高齢化と密接な関連がある。がんが生じるということは，それだけ長寿社会が達成されたとプラスに捉えることができる。

3　ライフステージを通じた口腔機能管理

　とくに高齢期においては歯の喪失予防に加えて，口腔機能低下の抑止および回復が口腔保健上の課題となる。近年ではフレイルやサルコペニア対策のひとつとして，高齢期の食の安定性を意味する「食力」の観点から口腔機能に着目した「オーラルフレイル」の概念が注目されている[11]。オーラルフレイルは，「口に関するささいな衰えを放置したり，適切な対応を行なわないままにしたりすることで，口の機能低下，食べる機能の障がい，さらには心身の機能低下まで繋がる負の連鎖が生じてしまうことに対して警鐘を鳴らした概念」であるとされている[12]。高齢期における軽微な口腔機能の低下の重複は，低栄養リスク，フレイル，サルコペニアなどのリスクにつながることが明らかにされた[13][14]。2018年からは口腔機能低下症が歯科保険病名となり，原則50歳以上の者を対象に口腔機能の管理が行える体制が整備されている。

　一方，18歳未満の発達期にある者で「食べる機能」，「話す機能」，「その他の機能」が十分に発達していないか，正常に機能獲得ができておら

ず，口腔機能の定型発達において個人因子あるいは環境因子に専門的関与が必要な場合には，口腔機能発達不全症の管理が歯科医療機関で可能となっている。こうした専門的な管理が歯科医療機関で可能となったのも，まず都市圏で治療が可能となり，そしてその波が地方へと拡がった「都市化」の影響は十分考慮されるべきであろう。弥生時代から戦後にわたる食事内容を復元した実験によると，弥生時代は3990回咀嚼し51分かけて食事をしていたものが，戦後では咀嚼回数が660回，咀嚼時間は11分に減少したことが報告されており[15]，現在はさらに減少している可能性が高い。咀嚼運動は顎顔面の成長発達を促すほか，肥満予防にも奏功するため，咀嚼機能も含めた口腔機能の健全な発育が極めて重要といえる。また，咀嚼回数の激減が顎顔面形態に及ぼす変化などについて，とくに古人骨を扱う自然人類学者に研究頂きたい分野でもある。

4　歯科サービス提供上の地域格差の課題

　定期的な歯科受診は，歯科疾患のリスクを低減させるだけでなく，健康寿命の延伸にも寄与することが報告されている[16]。しかしながら，歯科通院が困難となった要介護高齢者においては，歯科受診の必要性がありながらも適切に歯科保健サービスにアクセスできてない現状が指摘されている[17]。とくに，高齢化率が高い地域ほど歯科との連携が少ないとされており[18]，地域における格差が生じている可能性がある。歯科医療サービスへのアクセスが困難な地域におけるITを活用した歯科訪問診療の体制整備など，都市と中山間地域との格差是正が，超高齢社会を迎えるわが国において重要であると考えられる。歯科医学・歯科衛生学の観点から，殊に近代の都市化は良い面をもたらした部分も多いが，時代をさらに遡って農耕がもたらされた弥生時代から小都市，首都である都の形成などが本格化した奈良時代には，ショ糖の恒常的摂取からう蝕率が上昇したであろうことや，歯周病などは都市化が進んでも，古代においては，ほとんど治療の方法は無かったと思われ

る。また都市化によって多くの人々が集団生活をすることによる呼吸器感染症の流行や，寄生虫症の高い罹患率などを考えた場合，マイナス面も生じていたであろうことが想像できる。

いずれにせよ，我々は今，この時，すなわち現代の歯科医療に注目することを当然としているが，過去の人々の生業や，彼らを取り巻く環境，そして何よりもその証拠が示せる古人骨の研究から，多くのことを吸収し学んでいくことが必要である。

参考文献

1) Newbrun E. Chapter 2. Current concepts of caries etiology. Cariology. Williams & Wilkins Co, Baltimore, 15-43, 1987.

2) Miyazaki H. Morimoto M. Changes in caries prevalence in Japan. *Eur J Oral Sci.* 104, 1996, pp.452-458

3) 谷　宏「学童の齲蝕罹患の地域差に関する疫学的研究」『口腔衛生会誌』29，1980，pp.411-435

4) 川口陽子・大原里子・矢沢正人ら「乳歯のう蝕罹患状況の地域差に関する研究」『口腔衛生会誌』32，1982，pp.132-138

5) 川口陽子・佐々木好幸・平山康雄ら「韓国児童の歯科保健状態に関する調査研究」『口腔病会誌』60，1993，pp.288-295

6) 岸　洋志・瀧口　徹・佐久間汐子ら「乳歯う蝕罹患傾向と地域特性に関する研究―新潟県地域歯科保健データベースによる解析―」『口腔衛生会誌』37，1987，pp.273-282

7) 厚生労働省「平成28年歯科疾患実態調査結果の概要」https://www.mhlw.go.jp/toukei/list/dl/62-28-02.pdf（2023年3月31日最終アクセス）

8) 藤田　尚「歯の人類学日本人の齲蝕の歴史的変遷」『老年歯学』20，2006，pp.376-379

9) Singh AK. "Risk assessment for periodontal disease associated tooth loss among rural and urban population of 35-44, 45-54, 55-64 and 65-74 years age groups of Barabanki district, Uttar Pradesh, India: An epidemiological study. *Natl J Maxillofac Surg.* 13（Suppl 1）. 2022, pp.S70-S75.

10) 財団法人8020推進財団「世界各国の口腔保健データバンク作成のための国際口腔保健に関する資料の収集［Ⅲ］2004年3月」

11) https://www.8020zaidan.or.jp/images/about/pdf_list/h14_kokusaidata_03.pdf（2023年3月31日最終アクセス）

12) 飯島勝矢「Ⅶ 高齢者と社会―オーラルフレイルを含む―」『日本内科学会雑誌』107，2018，pp.2469-2477

13) 日本歯科医師会「通いの場で活かす オーラルフレイル対応マニュアル〜高齢者の保健事業と介護予防の一体的実施に向けて〜2020年版」https://www.jda.or.jp/dentist/oral_frail/pdf/manual_sec_01.pdf（2023年3月31日最終アクセス）

14) Iwasaki M, Motokawa K, Watanabe Y, *et al.* A Two-Year Longitudinal Study of the Association between Oral Frailty and Deteriorating Nutritional Status among Community-Dwelling Older Adults. *Int J Environ Res Public Health.* 18, 2020, pp.213.

15) Tanaka T, Takahashi K, Hirano H, *et al.* Oral Frailty as a Risk Factor for Physical Frailty and Mortality in Community-Dwelling Elderly. *J Gerontol A Biol Sci Med Sci.* 73, 2018, pp.1661-1667.

16) 鈴木　隆「咀嚼の大切さ」『岩医大歯誌』20，1995，pp.1-10

17) 小宮山貴将・大井　孝・三好慶忠ら『地域高齢者におけるかかりつけ歯科医の有無と要介護認定に関する コホート研究：鶴ケ谷プロジェクト」『老年歯科医学』28，2013，pp.337-344

18) 小原由紀・白部麻樹・森下志穂ら「通所サービス利用者の歯科医療ニーズの実態および歯科衛生士におけるアセスメントの有用性」『日本歯科衛生学会誌』17，2022，pp.95

19) 伊藤　奏，相田　潤，若栗真太郎ら「居宅介護支援事業所と歯科との連携に関する実態調査および連携の要因についての調査」『老年歯科医学』27，2012，pp.114-120

執筆者紹介 （執筆順）

Vasant SHINDE
ヴァサント・シンデー
インド 元デカン大学院大学

KIM　Yong Jun
金 容俊
韓国 高麗大学校

こ な す かわ あゆむ
小茹子川 歩
京都大学

HONG　Jong Ha
洪 宗河
韓国 慶熙大学校

Tracy K. BETSINGER
トレーシー・ベッシンガー
米国 ニューヨーク州立大学人類学部

Sharon N. DEWITTE
シャロン・ドウィット
米国 サウスカロライナ大学人類学部

Piers MITCHELL
ピアーズ・ミッチェル
英国 ケンブリッジ大学

ながおか ともひと
長岡 朋人
青森公立大学

YI　Yangsu
李 陽洙
韓国 国立清州博物館

なかがわ ともみ
中川 朋美
名古屋大学

やまだ くにかず
山田 邦和
同志社女子大学

うえつき まなぶ
植月 学
帝京大学文化財研究所

ふじさわ し おり
藤澤 珠織
青森中央学院大学

がくはり たかし
覺張 隆史
金沢大学

やまもと た ろう
山本 太郎
長崎大学熱帯医学研究所

おおはし じゅん
大橋 順
東京大学大学院理学系研究科

やまざき きょうみ
山崎 京美
國學院大學

み たに ともひろ
三谷 智広
㈱パレオ・ラボ／同志社大学

す どう こずえ
須藤 梢
桑名市ブランド推進課

お はら ゆ き
小原 由紀
東京都健康長寿医療センター
研究所

編著者略歴

ふじ た　ひさし
藤田 尚
金沢大学 古代文明・文化資源学研究所客員教授
1965 年，青森県生まれ。
2002 年に博士（医学）を衛生学にて取得。新潟県立看護大学准教授を経て 2023 年より現職。
専門は古病理学，古健康科学，古人口学，考古寄生虫学など。
現在，日本古病理学研究会長
主要著書に，『古病理学事典』（同成社 2012 年），『Periodontal Diseases in Anthropology』（InTec 2012）などがある。

SHIN　Dong Hoon
申 東勳
ソウル大学校医科大学教授
1966 年，韓国 ソウル特別市生まれ。
2000 年に医学博士取得後，ソウル大学校の副教授を経て 2010 年に教授に就任。
専門は古病理学，生物人類学で，ミイラ，古寄生虫学を含む領域で多くの論文を執筆。
主要著書に，『Handbook of Mummy Studies』（Springer 2021 年），『New Perspectives on the Harappan Culture in Light of Recent Excavations at Rakhigarhi』（Archaeopress 2023 年）などがある。

季刊考古学・別冊 44
と し か　こ びょう り がく
都市化の古病理学

定　　価	2,600 円＋税
発 行 日	2023 年 12 月 25 日
編　　者	藤田 尚・申 東勳
発 行 者	宮田哲男
発 行 所	株式会社 雄山閣

〒 102-0071　東京都千代田区富士見 2-6-9
TEL 03-3262-3231 ㈹／FAX 03-3262-6938
振 替 00130-5-1685
URL　https://www.yuzankaku.co.jp
e-mail　info@yuzankaku.co.jp

印刷・製本　株式会社ティーケー出版印刷

ⓒ Hisashi FUJITA & Dong Hoon SHIN 2023　Printed in Japan　　N.D.C. 210　152p　26cm
ISBN978-4-639-02957-1　C0321